S0-BBP-240

Bogotá imaginada

Bogotá imaginada

Armando Silva

Título original: Bogotá imaginada

© 2003, Armando Silva

De esta edición:

© 2003, Convenio Andrés Bello

© 2003, Distribuidora y Editora Aguilar, Altea, Taurus, Alfaguara, S.A.

   Calle 80 N° 10-23

   Teléfono 635 1200

   Bogotá - Colombia

- Aguilar, Altea, Taurus, Alfaguara, S.A.

   Beazley 3860. 1437 Buenos Aires

- Aguilar, Altea, Taurus, Alfaguara, S.A. de C.V

   Avda. Universidad, 767, Col. del Valle,

   México, D.F. C.P. 03100

- Santillana Ediciones Generales, S.L.

   Torrelaguna, 60. 28043 Madrid

Diseño de cubierta: John Naranjo

Diseño editorial: Editorial El Malpensante

      John Naranjo, director de arte

      Claudia P. Bedoya, diseñadora asociada

Retoque digital: Alexander Sánchez

Foto de cubierta: Christian Escobar Mora (Kios)

Primera edición: diciembre de 2003

ISBN: 958-704-113-5

Printed in Colombia - Impreso en Colombia

Queda prohibida, salvo excepción prevista en la ley, cualquier forma de reproducción, distribución, comunicación pública y transformación de esta obra sin contar con autorización de los titulares de la propiedad intelectual. La infracción de los derechos mencionados puede ser constitutiva de delito contra la propiedad intelectual.

ENTIDADES PATROCINADORAS

CONVENIO ANDRÉS BELLO
Organismo internacional de integración de los pueblos
a través de la educación, la ciencia, la cultura y la tecnología

FUNDACIÓN RESTREPO BARCO

UNIVERSIDAD NACIONAL DE COLOMBIA

Dirección: Armando Silva

Análisis, interpretación y edición: Mariluz Restrepo

Coordinación: Beatriz Quiñones, Guillermo Santos

Información estadística: William Silva, Tempo Investigaciones, Marie Therese Vásquez

Fotografía: Camilo George, Tomás Giraldo, Mónica Sánchez, Guillermo Santos, Armando Silva

Asistentes de investigación: Marcela Guzmán, Jenny Leguizamón, Olga Neva, Hernando Rincón

Apoyo administrativo: Ximena Betancourt, Ana María Lozano, Diana Pedraza, Tatiana Romero

Auxiliares

ENCUESTADORES: Adriana Cortés, Angélica Céspedes, Carolina Ospina, Carolina León, Catalina Sánchez, Christina Díaz, Clara Liliana Ardila, Fernando Velásquez, Natalia Sierra, Raynier Buitrago, Tania Fernández

SISTEMATIZACIÓN DE ENCUESTAS: Gaspar Guerra, Juan Camilo Osorio, Natalia Sierra, Olga Neva, Rubén Darío Romero, Santiago Sánchez, William Martínez

Recopilación de imágenes

PRENSA: Manuel Jaramillo, César Patiño, Marcela Guzmán

RADIO: Silvia Buitrago, Angélica Céspedes

TV: César Patiño, Manuel Jaramillo

INTERNET: Clara Forero, Viviana Monsalve

Videoclips

INVESTIGACIÓN Y REALIZACIÓN: Andrés Burbano, Paola Gaitán, Beatriz Quiñones, Mady Samper, Guillermo Santos, William Silva

Guiones: R. H. Moreno-Durán, Carlos José Reyes, Armando Silva

Diseño gráfico: Ximena Betancourt

Apoyo técnico: Katherine Lizcano, Sandra Peña, Diana Pedraza, Sandra Yáñez

Agradecimientos

Al Convenio Andrés Bello (CAB) por convertirse en gestor de la primera investigación de culturas urbanas comparadas en América Latina y España. A sus dos secretarios ejecutivos, Pedro Henríquez, por proponer el proyecto, y Ana Milena Escobar Araújo, por concluirlo, junto con su coordinador del área de cultura Pedro Querejazu. Agradecimientos que extiendo a todos los demás colaboradores del CAB con quienes he compartido afanes, emociones y ahora también los resultados.

A la Universidad Nacional de Colombia por actuar como coordinadora académica del proyecto a través del Instituto de Estudios en Comunicación y Cultura (IECO) y de la Facultad de Artes, mi propio hogar intelectual y laboratorio de propuestas. A sus directivas y colegas por darme horas y alientos para concluir este trabajo.

A mis colegas del grupo de Bogotá por su apoyo y diálogo permanente en el desarrollo del proyecto: Mariluz Restrepo, Beatriz Quiñones, Guillermo Santos y William Silva, y a los distintos grupos de asistentes, auxiliares y estudiantes que tanto nos ayudaron.

A mis colegas internacionales con quienes inicié el proyecto. Menciono de manera especial a mis queridos amigos que se dejaron convencer para organizar distintos equipos locales con esfuerzos propios y de sus entidades. Ustedes han permitido que esta fantasía colectiva se concluya para poder mostrar todas nuestras ciudades en un solo mapa imaginado: Eduard Delgado, en Barcelona; Mónica Lacarrieu y Verónica Pallini, en Buenos Aires; Tulio

Hernández, en Caracas; Miguel Ángel Aguilar y Raúl Nieto, en Ciudad de México; Alejandro Alfonso, en Ciudad de Panamá; Nelson Martínez, en La Paz; María Teresa Quiroz, en Lima; Christa Huber, en Montevideo; Fernando Carrión, en Quito; Lisbeth Rebollo, en São Paulo, y Nelly Richard y Carlos Ossa, en Santiago de Chile. Junto a los anteriores debo agregar dos nombres de reconocidos estudiosos, Néstor García Canclini y Jesús Martín Barbero quienes en su inicio conocieron los alcances y modos de esta investigación transurbana y me aportaron sus favorables comentarios.

Extiendo mi gratitud a todos los participantes de esta inmensa labor que ha demandado la presencia de más de 400 personas, las cuales no alcanzo a nombrar una por una, pero sí están presentes, muy cercanas, para hoy tener el primer croquis de culturas comparados de las ciudades de América Latina y su vecina de afectos de ultramar, Barcelona.

Y por último, a distintos medios que nos han apoyado en todas las ciudades, a mis amigos personales por sus comentarios y a mi pequeña hija Laura Inés, quien tuvo que compartir nuestras horas de afecto con tanto material que salía de todos los rincones de la casa como nuevos visitantes que llegaban y llegaban para recordarnos que allí estaba esperando cobrar forma una ilusión continental.

ARMANDO SILVA
Bogotá, julio de 2003

Índice

Introducción

Imaginarios: culturas urbanas de América Latina y España

Durante mucho tiempo, los ciudadanos de América Latina, como vecinos que compartimos destinos similares, hemos querido apreciar cuánto nos parecemos y en qué medida somos diferentes los unos de los otros. Esta colección de libros busca descifrar algunas respuestas a partir de una consideración simple: vivimos no en una sino en varias culturas urbanas, y esto es precisamente lo que debemos distinguir y enlazar. Para ser sincero, no tuve la certeza de que se lograran buena parte de los propósitos que animaban desde el inicio de esta aventura a su principal gestor, el Convenio Andrés Bello (CAB), cuando en 1998 me propuso iniciar una extensa investigación sobre culturas urbanas de los países andinos. Hoy se cumplen más de cuatro años de luchas para lograr una primera mirada de conjunto de tantos y tan diversos modos de ser.

Cuando se redactó el primer documento, que anunciaba el nacimiento del proyecto Culturas Urbanas en América Latina y España desde sus Imaginarios Sociales, expresamos que nos interesaba alcanzar objetivos tanto en los campos investigativo y operativo como en el creativo. Nos proponíamos realizar una investigación integral sobre culturas urbanas con el fin de revelar las formas citadinas de «ser» que hoy conviven en América Latina. Se trataba, por un lado, rastrear su aporte a la cultura contemporánea y, por otro, concebir modelos comparativos entre ciudades, países y subculturas del globo. De esta manera apuntamos a la constitución de una visión del mundo desde América, lo cual significa avanzar en la tarea de nuestro propio reconocimiento.

La publicación de libros dedicados a las ciudades constituye la primera aparición pública de elementos de ese conjunto y es la base para la creación de distintas colecciones

Página anterior: **Panorámica de Bogotá.**

visuales. Colecciones que podrán ser usadas por ciudadanos del común, investigadores, docentes y organismos públicos de los países que integran y comparten este estudio, y de los que estén interesados en conocer las culturas vivas que habitan las ciudades americanas. Nuestro empeño siempre se ha centrado en conseguir resultados útiles que, además de informar, puedan sensibilizar a nuestras sociedades sobre una problemática cultural que se complejiza a medida que el mundo se urbaniza.

El Convenio Andrés Bello me propuso ampliar de modo considerable lo expuesto en mi libro *Imaginarios urbanos* (1992), en donde usaba una metodología que combina la búsqueda de los datos primarios mediante investigaciones de observación directa con distintos reconocimientos (visuales, auditivos, olfativos y gustativos) de sus ciudadanos. Paralelamente, se elabora material creativo para obtener productos (textos, libros, fotos, videos, etc.) que puedan circular entre el público. De este modo el proyecto busca poner en funcionamiento un aparato teórico y otro creativo con el objeto de medir el significado del aspecto urbano en distintas ciudades emparentadas entre sí por lengua, geografía e historia, y luego considerar muchas otras variantes para constituir un programa que enfoque las variaciones de los elementos urbanos de comienzos del nuevo milenio.

Para alcanzar unos objetivos tan amplios decidí hacer gestión e investigación, dos actividades que cada vez más se tornan una sola. Comencé por pedir auxilio a distintas entidades de las ciudades seleccionadas: Asunción, Barcelona, Bogotá, Buenos Aires, Caracas, Ciudad de México, La Habana, La Paz, Lima, Montevideo, Panamá, Quito, São Paulo y Santiago. Busqué a admirados y queridos colegas, con quienes siempre estaré en deuda por su oportuno y decidido apoyo. Ellos habían adelantado trabajos compatibles con mis modos de abordar la investigación social y estaba seguro de que juntos podríamos resolver la pregunta que empezó a rondarnos a todos los convocados: qué significa el ser urbano en las varias ciudades de América Latina. Pronto supimos que la pregunta había que proponerla en plural, que no podíamos asumir que tantos y tan diversos mundos cabían en un mismo saco, pues no era posible seguir pensando el problema a partir de la larga tradición homogeneizante, que había optado por hablar de «cultura de un continente».

Además de colegas e instituciones, en cada ciudad contactamos a entidades que pudiesen patrocinarnos para lograr lo que parecía imposible: que cada una asumiera la mayor parte de sus costos. Esto engrandecería nuestros propósitos, pues podríamos comprobar que es posible constituir un capital social y económico común capaz de hacer realidad una ilusión colectiva. Las entidades patrocinadoras, en su mayoría de origen académico y gubernamental, así como las fundaciones privadas y los investigadores, tuvimos que afrontar toda clase de dificultades, pero finalmente demostramos que el poder de la voluntad colectiva puede desafiar cualquier limitación cuando se propone adelantar una obra. Así, casi todas las ciudades del estudio presentarán al mundo un libro que las tendrá por protagonistas, formando la primera enciclopedia de culturas urbanas de América Latina y España.

Bogotá ha actuado como sede de este proyecto. Aquí integré un equipo base que me ha acompañado en tareas indispensables. Desde esta ciudad hemos estado en permanente comunicación con los equipos de las demás regionales, para organizar las distintas modalidades y grupos de trabajo: de una parte, hemos

coordinado la investigación bibliográfica y empírica que ha de concluir en la coescritura y entrega de un libro por ciudad; de otra, hemos dado las pautas a las que debe sujetarse la investigación para realizar lo que llamamos *material visual*, que comprende la producción de varias colecciones de imágenes. Para producir un material tan amplio y complejo hemos contado con la valiosa participación y el apoyo de cerca de cuatrocientas personas a lo largo del continente, cuyos nombres y funciones, en señal de gratitud y reconocimiento, pueden encontrarse en cada libro. Ellas han cumplido funciones esenciales para el logro de nuestros objetivos, como la coordinación de equipos, la recolección de información, el análisis de encuestas, la tabulación de datos y la redacción de los libros, de una parte. De otra, en el aspecto visual, han participado fotógrafos, guionistas, diseñadores, videógrafos y archivistas.

Quizá se trate de uno de los grupos más grandes y calificados que hayan trabajado en América Latina, en investigación social, de manera simultánea con miras a concretar un solo propósito. Y no cabe duda de que es el más numeroso —así como su área de operaciones es la de mayor cobertura— dedicado a la investigación urbana en la historia reciente del subcontinente. Este grupo, con seguridad, sobrevivirá al trabajo para el que fue convocado. Todos sus integrantes nos sentimos honrados de haber participado en el proyecto, e incluso sorprendidos con los resultados, generosos y abundantes, de la investigación que ahora empieza a circular.

Metodología

Nuestro trabajo comenzó con la concepción de un cuestionario que sería presentado a los habitantes de las ciudades estudiadas. Luego de varias fases de experimentación logramos un modelo satisfactorio, aplicable a todos los centros urbanos, aunque una parte, desarrollada por los coordinadores regionales, se adaptaría a cada caso particular.

Una vez obtenidos los datos primarios de todos los cuestionarios, Mariluz Restrepo organizó el material para proponer un modelo de construcción de categorías de percepción ciudadana. Los datos recogidos se redistribuyeron en tres secciones, de acuerdo con la lógica trial contemporánea, inspirada en estudios semióticos cognitivos y en el psicoanálisis de los deseos colectivos: la ciudad, los ciudadanos y los otros, división que se refleja en la estructura de todos los libros.

En la primera parte agrupamos las referencias a la ciudad en los sentidos físico e histórico y las subdividimos tratando de captar las cualidades de cada urbe, las calificaciones que se tienen de ellas y sus escenarios urbanos reconocidos, para así revelar las calidades identificatorias de cada ciudad. En el capítulo «Cualidades» nos referimos a los signos sensibles que, a juicio de los ciudadanos, representan a la ciudad, la convierten en imagen sensorial, la distinguen y la hacen única. En «Calificaciones» nos interesa descubrir cómo la ciudad es marcada por los ciudadanos cuando consideran sus entornos, y cómo de esta manera se generan vestigios vernaculares. Por su parte, en «Escenarios» nos referimos a la puesta en escena de lugares y sitios de la ciudad y a la urbe como tablado teatral donde suceden hechos cívicos.

En la segunda parte de la obra nos propusimos seguir ya no a la ciudad sino a los creadores de la realidad social, a los constructores de las culturas urbanas, los ciudadanos, con el objeto de comprender los modos como edifican sus realidades. En consecuencia, nos preocupamos por las formas en que las imaginaciones grupales construyen mundos urbanos a partir de deseos colectivos. Seguimos a los habitantes a través de tres aspectos cotidianos: tiempos, marcas y rutinas. El *tiempo* responde a la cualidad posibilitadora de la acción ciudadana, íntimamente ligada a las cualidades de la ciudad. Las *marcas* señalan al ciudadano a través de los objetos que se le atribuyen, delimitan su urbanización; la gente vive esas improntas en intimidad con las calificaciones de la ciudad. Y, finalmente, las *rutinas* que nos han permitido agrupar aquellas acciones ciudadanas que se repiten de manera casi sistemática y que caracterizan un estilo o una forma colectiva.

En la tercera parte nos enfrentamos a los otros, a los vecinos, e intentamos averiguar cómo nos imaginan y, a la vez, qué imagen tenemos de ellos. Cada ciudad proyecta sus emociones respecto a las otras según los afectos de reconocimiento, rechazo o indiferencia. Así, las agrupamos en capítulos de acuerdo con las categorías de: «ciudades cercanas», «ciudades lejanas» y «ciudades anheladas». El hecho de utilizar la estrategia de la otredad nos sitúa en un legítimo ejercicio moderno y nos permite definirnos según un proceso en el que el otro

sabe y dice mucho de nosotros. En otras palabras, en este apartado nos interesa explorar el modo como los ciudadanos imaginan que los otros los ven y, al mismo tiempo, cómo efectivamente los vecinos ven e imaginan a las demás ciudades y a sus habitantes.

Así pues, en estos libros los lectores van a encontrarse con diversas formas de percepción ciudadana que evidencian los deseos de sus habitantes y además nos muestran cómo se asume la ciudad desde la perspectiva de la imagen que se tiene del otro. «Escribir» cada ciudad nos pone tras las huellas de la construcción imaginaria de los habitantes, bajo el supuesto de que ésta antecede a los modos de usar las ciudades. Los centros urbanos, en su uso, evocación y proyección, corresponden a un efecto ciudadano que dispone de escalas de percepciones cognitivas que son reelaboradas de modo permanente según los puntos de vista de la gente.

Quisiéramos que los paseantes que visitan nuestras urbes pudieran consultar y ver las ciudades imaginadas por sus mismos pobladores. Quizá ello les ayude a entrar desde la fantasía colectiva a otra cruda realidad urbana de primera mano. Y no sólo jugamos con datos para acercarnos a esos imaginarios urbanos, también consideramos los actos ciudadanos, las voces, los trayectos, las miradas. Por esto trabajamos con equipos cuya misión fue obtener imágenes de la ciudad. A ellos les debemos los archivos sobre figuraciones ciudadanas, algunos de los cuales sirvieron para dotar de íconos y plasticidad a las publicaciones, y entre los que se encuentran los siguientes materiales:

• Archivos fotográficos organizados y clasificados por ciudades sobre actos ciudadanos.

• Series de documentales televisivos que se exhibirán en las cadenas locales de cada país o en museos y centros comunitarios.

• Colecciones de rostros de ciudadanos en fotos tamaño pasaporte, que servirán como documentos de información.

• Tarjetas postales con las cuales trabajaremos la mirada oficial de cada ciudad.

• Recortes de prensa sobre la imagen de la ciudad extractados de periódicos y revistas.

• Archivos de programas radiales y televisivos que hayan mostrado imágenes urbanas o hayan tratado sobre ellas.

Estos archivos y colecciones podrán consultarse en Bogotá, en la sede de la Secretaría Ejecutiva del Convenio Andrés Bello y en la Biblioteca Central de la Universidad Nacional, instituciones que dispondrán de un centro de consulta para que este material esté al alcance de todos los ciudadanos.

Rastros: croquis urbanos

La ciudad de hoy no es sólo un conjunto de elementos visibles, como edificios, calles, parques y plazas, sino también, y de manera muy significativa, una representación que puede encontrarse en los medios. Incluso puede hablarse de una ciudad que, literalmente, no se observa. ¿A cuál ciudad se refiere el ciudadano cuando afirma que su ciudad es muy peligrosa? La televisión, quizá por su naturaleza sintética, aclamativa y comercial, ha favorecido la crónica roja de las ciudades. Este sesgo nos ha motivado a recoger impresiones producidas por este medio para cotejarlas con nuestras bases de datos.

A la realidad de los entornos físicos, los medios aportan un cubrimiento que contribuye a generar juicios que denigran y satanizan ciertos escenarios. Tras examinar los índices de homicidios en ciudades percibidas como las más violentas de Latinoamérica —Bogotá, Caracas, Ciudad de México, Lima y São Paulo—, concluimos que la primera de este conjunto presenta los indicadores más bajos, aunque, según nuestras encuestas, da la impresión de ser la más violenta (70% de los consultados opinan así). ¿Cuánto tarda un imaginario fatal en ceder para dejar percibir nuevas realidades? No hay, pues, realidades puramente objetivas en las ciudades; todas, en mayor o menor grado, están atravesadas por fantasmas. De este modo se abre un cosmos de figuras opacas que pueblan las urbes y las conducen a destinos inverosímiles bajo designios espontáneos de sus habitantes. Y así llegamos a los emblemas urbanos, que por sustitución o analogía representan a cabalidad los lugares, personajes o acontecimientos donde la gente, en altas y concentradas proporciones simbólicas, define y redefine su urbe con su propia visión diaria. Los emblemas se mueven, se desplazan, se transforman, tienen vida propia en la medida en que los ciudadanos los reinventan. Los estudios de culturas urbanas que hemos emprendido, como testigos que son del nacimiento de nuevos emblemas en la construcción de las mentes urbanas,

reconocen su densidad social. Los emblemas pesan en la gente, pues envuelven su realidad y, dada su condición de blindaje —naturaleza de la que están dotados para funcionar como mitos urbanos—, terminan por hacerse intocables. Parece imposible el pérfido ejercicio de borrar del mapa algunos de estos emblemas: ¿acaso se puede omitir a Gardel en Buenos Aires, a Gaitán en Bogotá, a Bolívar o José Gregorio Hernández en Caracas, a Gaudí en Barcelona, a Diego Rivera en Ciudad de México?

La ciudad, a partir de los imaginarios, atiende a la construcción de sus realidades sociales y a sus modos de vivirlas y proponerlas. Lo imaginario antecede al uso social; ésa es su verdad. Si se quiere ser más determinante podría decirse que los imaginarios sociales son la realidad urbana construida desde los ciudadanos. El mundo se vive según las percepciones que se tengan de él, y cuando éstas participan en conglomerados amplios, complejos y de contacto, como son las ciudades, adquieren mayor contundencia en su definición grupal. Esta manera de entender las ciudades es un signo propio de la modernidad que contradice las definiciones de siglos pasados, donde el poder de los Estados o de las religiones recaía sobre individuos inermes que obedecían en conjunto sus dictámenes. La modernidad desarrolla y propone la capacidad de decisión personal y subjetiva de la humanidad para hacer públicas sus resoluciones al permitirles elegir la convivencia según los propios fantasmas que acompañan y determinan su visión del mundo.

En mi condición de director y gestor de esta emocionante expedición por tantas ciudades, quiero expresar gratitud profunda y afecto sincero a todos los colegas, investigadores, patrocinadores, gestores y ciudadanos que nos han permitido soñar impulsados por fantasías colectivas sin las cuales habría sido imposible concluir este trabajo. Este enorme croquis de ciudades que, por aparecer juntas, van a ganar cierta hermandad, nos permitirá hacer nuevos nexos de afinidad y contraste entre unos y otros.

Los imaginarios sociales sueñan hacia adelante. Por esto son diurnos: están dispuestos a ser poblados todos los días y todas las noches, sin término. Es por esta razón que el proyecto Culturas Urbanas le apuesta a edificar sobre lo ya hecho, a construir futuro.

Presentación

Bogotá imaginada es un recorrido por cerros inmensamente verdes, por calles estrechas y hasta diminutas, por construcciones de muchos estilos y épocas que aún conservan legibles las huellas de la Colonia o de la República y en las que prima una gama de colores situada entre el gris de sus nubes y el amarillo y el rojo, característica de los ladrillos artesanales. Es un recorrido por olores de comidas criollas, por ruidos de frenazos y pitazos de un tráfico apretado y desordenado, por gotas, a veces torrentes, de agua que empapan la ciudad la mitad de sus días, a pesar de lo cual ésta nunca se halla preparada para recibir tanta lluvia. Pero también es un recorrido por entre gente que viene de todo el país, razón por la cual los acentos y los estilos regionales se confunden y mezclan hasta crear un nuevo idioma que se hace cada vez más social y compartido. Es la Bogotá que sufre en su indisciplina, que llora a diario sus muertos caídos ante los embates de la violencia nacional y también de la propia, la urbana; que clama por más seguridad; que en los últimos años ha logrado avances en su infraestructura física, gracias a lo cual tiene obras recientes para vivir y mostrar: un nuevo aunque reducido sistema de transporte, más centros de comercio, parques, escuelas, bibliotecas de magníficos diseños y de usos múltiples, recreación en aumento y, en fin, nuevos espacios públicos para ciudadanos reclamantes.

La Bogotá que nos ha tocado pensar, sólo ahora empieza a convertir en letras y escritura sus intimidades, a armar sus relatos cotidianos. Es una ciudad que ya tiene poemas y novelas que la cantan y la cuentan, donde sus escritores sitúan relatos con un trasfondo agitado y desordenado; que ya exhibe sus propios filmes, ante los cuales los espectadores le toman el brazo a su acompañante para decirle «Mira allá» cuando reconocen su propio entorno. Es la Bogotá que aparece en exposiciones dedicadas sólo a ella, como si fuera una novia reciente, si bien malquerida y furtiva; que cuenta con artistas que la expresan, la dibujan, la evocan mientras otros le toman fotografías, la capturan en diseños, la pasean por Internet, la instalan, la intervienen. Hablamos de una Bogotá que a fuerza de querer ser urbana y más pública y moderna se inventa inmensos recorridos por ciclovías y ciclorrutas, que trae grandes exposiciones de arte y es sede de festivales mundiales de teatro. Y que es también una ciudad ruidosa, plena de nuevos ritmos electrónicos y de los más tradicionales de la salsa y el vallenato, música que a diario transmiten sus emisoras y se escucha en buses, en las tiendas esquineras, en las fiestas, de día y de noche.

Nos hemos situado frente a una Bogotá que aumenta su consumo de televisión y ha elegido como sus géneros predilectos las noticias y las telenovelas. Sus medios, que la pintan y escriben a diario, en sólo diez años han logrado, gracias al esfuerzo de algunos académicos, investigadores, empresarios, cámaras de comercio y autoridades municipales, producir tanta información sobre ella que hoy puede catalogarse como una de las ciudades del continente más estudiadas, retratadas y pronosticadas.

Nos hemos detenido a observar la Bogotá que sale a la calle a protestar y a disfrutar a pesar de tantas alarmas de peligro, que va a ferias,

que asiste a los partidos de fútbol y arrastra a sus jóvenes de cuerpos pintados para que griten unidos en tribu; la ciudad que se sienta a manteles para comer su «almuerzo ejecutivo», el menú que ha demostrado ser el mejor recurso para defender el gusto popular por el arroz, la carne y la papa; la ciudad que los fines de semana visita a sus parientes cercanos, o que se escapa para almorzar o tomar sus onces en las afueras; la que recorre sus calles en el cuerpo de sus propios habitantes, que no obstante parecen turistas semiencantados con otra urbe.

Esta ciudad que ponemos en escena ha hecho de sus mártires asesinados sus más valiosos y recientes mitos: Gaitán, Galán, Garzón. Esto nos motiva a escribir desde la fatalidad y la democracia irrealizada, para comprender por qué la principal cualidad de esta capital es ser herida permanentemente, verse privada de la opción de la reconciliación y del descanso. La vemos corriendo sin saber cuál es su destino, sin importarle mucho adónde la conducen los caminos que toma. Quizá no sea gratuito que su símil desgraciado —y a la vez uno de sus emblemas— sea su homónimo río muerto, considerado el más contaminado del mundo.

De la mano de sus muertos sagrados crece una Bogotá mitad moderna, mitad provinciana e informal, encomendada a niños milagrosos de barrios populares, a variadas almas en pena que obran maravillas desde estatuas erigidas en su Cementerio Central. Ésta es la Bogotá que hemos estudiado, una entidad entre fantasmal y sólida, cuya cultura de añeja tradición ha salido de su encierro, pues la Bogotá actual, al fin, ha decidido colombianizarse. De ahí que en todos sus rincones sea tan fácil encontrar pedazos de nación. Ése, y no otro, es su destino de capital verdadera.

Sus ciudadanos, que exigen más que los de las otras regiones, han conquistado madurez en sus decisiones políticas, algo que se refleja en la elección de unos alcaldes renovados e independientes que por fin se han interesado en tratar de interpretar los deseos y necesidades de la comunidad, que se han propuesto acallar y sepultar las tradicionales clases políticas, las mismas en que sus muchos años de desgobierno sólo han demostrado ineptitud y corrupción. Estos ciudadanos prefiguran nuevas mezclas étnicas, hacen sus aportes raciales con la acogida de negritudes, de comunidades indígenas, de habitantes de todo el territorio, de desplazados y desocupados que hoy deambulan como sombras vivas por todas sus calles.

Todos estos elementos perfilan la Bogotá imaginada, y a ellos se suma la imagen que nuestros vecinos de otros países se han forjado de nosotros: dicen que somos violentos, que exportamos droga, y nos temen por peligrosos… Pero no todo es tan oscuro: nuestras bases de datos nos reservan un 5% de consuelo: también se nos reconoce por cultos, por bien hablados y —unas dádivas no sobran cuando hay que mitigar el espíritu adolorido y flaco— por pujantes y creativos.

La Bogotá imaginada que hemos consultado nos ha obligado a trazar muchos recorridos que se han vuelto visiones. Hicimos estadísticas para averiguar fantasías ciudadanas, averiguamos los deseos de sus habitantes. Pero las visiones se convierten en miradas y por eso acudimos a tomar fotos de toda Bogotá, coleccionamos las caras de sus ciudadanos en las fotos de sus documentos de identidad. Recogimos notas de prensa que hablaban de ella, coleccionamos tarjetas postales que la escenificaban en sus perspectivas oficiales. Así, poco a poco, en los encuentros que sostuvimos en el Convenio Andrés Bello y en la

Universidad Nacional de Colombia, entidades que nos dieron luz y ambiente para trabajar, redactamos informes durante tres años hasta llegar al texto anhelado: *Bogotá imaginada.*

Quisimos, ciudadanos y ciudadanas que nos leen y miran, que éste fuese un libro-ciudad para llevar en buses, para disfrutar su lectura en cualquier orden, que sirviese para pensar en políticas ciudadanas, para hacer otro tipo de visitas por Bogotá y también para suscitar reflexiones sobre sus culturas urbanas. Y quisiéramos que este volumen fuera parte de la Bogotá desafiante que se ha estado abriendo camino con dificultad, de la que llevan sus moradores en la mente, que no está tan lejos de aquella que habitan, porque los bogotanos no aspiran a una ciudad que sea mucho más ordenada ni demasiado más tranquila.

El presente tomo es parte de un proyecto mundial, el primero de una serie sobre ciudades de América Latina y España. Nos conmueve que nazca en Bogotá, una capital tan señalada, que nos dio los alientos, las fuentes y los entornos necesarios para que las culturas urbanas del continente tengan su primera referencia de conjunto.

LA CIUDAD

CHANCE
APUESTAS
ECHEVERRY H

Bogotá, Avenida Colón

SENSACIONES EN CONTRASTE

¿Cómo imaginan sus ciudadanos a Bogotá? A veces perciben el fulgor de las estrellas muy cerca de sus cerros intensamente verdes; en otras ocasiones sienten que se impone el color de sus ladrillos rojizos sobre el fondo de un escenario gris y lluvioso; en ciertas oportunidades la aprecian como una señora serena o melancólica y, en otros momentos, como si fuera un desventurado, agresivo y pendenciero conductor de bus. A veces la escuchan tradicional y anacrónica, expresada por melodías de bambucos, pasillos y canciones de carrilera, por música del recuerdo, pero al caer la tarde pueden irrumpir las agresivas notas juveniles del *hard rock*.

En ocasiones, los bogotanos nos sumimos en la tristeza ante la noticia atroz del último crimen que nos regresa, en la circularidad del mito, al magnicidio de Jorge Eliécer Gaitán, nuestro único gran líder popular, en cuyo recuerdo hacemos nacer la nueva ciudad; pero en otras oportunidades —y cada vez más en los últimos años— nos levantamos optimistas y creemos en el futuro, que identificamos con un metro soñado, con un nuevo espacio público recuperado, con abundantes parques, con políticos recientes que se han dado a la tarea de embellecer la ciudad llenándola de espectáculos al aire libre, de ciclovías y ciclorrutas, de gente dispuesta a caminar con gozo por las calles. A veces, sí, nos observamos con cierto terror e inseguridad colectiva, ese sentimiento con el que convivimos día a día. Pero también nos reconocemos en sitios viejos, en miradores como Monserrate o la torre Colpatria, desde donde podemos contemplar nuestra ciudad; o preferimos extrañarla en lugares históricos como el barrio La Candelaria, o entenderla en construcciones recientes como Maloka, el Museo de Ciencia Interactiva para Niños, o en sitios de cruce en pleno corazón urbano, o en la pequeña y pública ciudadela verde y blanca de la Universidad Nacional de Colombia. Sentimos que, en todos esos íconos, Bogotá se refleja como un espejismo, que allí puede verse como una especie de gorila solitario que devora contaminación, ruidos caóticos e imágenes revueltas.

Bogotá todavía tiene la cabeza en el ombligo: aún supone que ella es Colombia, y sus habitantes, movidos por un centralismo orgulloso, la evocamos hasta por el grito de independencia nacional; pero también es cierto que su imagen es más independiente e integral. Croquis selectivos acuden a nuestra memoria cuando la imaginamos: decimos que el centro es la Plaza de Bolívar; que el occidente es Ciudad Salitre, que el norte es Unicentro, que el sur es el hospital de La Hortúa y, cada vez más, el centro comercial Ciudad Tunal, y que el oriente son sus cerros. Así, en cruz, recomponemos sus límites y recorridos.

Bogotá es joven, pues sus ciudadanos mayores de 65 años —unos 214.000 habitantes— apenas representan el 3% de la población. Pues bien: una nueva emblemática va surgiendo a medida que la ciudad se hace más joven y moderna. Quizá lo más notable de las recientes maneras de pensar a Bogotá sea una recuperación paisajística que la inserta en el entorno sabanero, es decir, en sus propias riquezas naturales. Hoy lloramos la ciudad cuando arden sus cerros. Para recordarla, como diría un poeta, debemos mirar el silencio de sus pájaros nativos volando sobre sus montañas, pues la ciudad es cuna de más de cien especies; hay que escuchar el perfume de las flores que rodean sus entornos, pues Bogotá es una de las ciudades que más flores exporta al mundo[1]; debemos oler el gris de sus ambientes o beber su luz penetrante, ya que esta ciudad es considerada por algunos artistas[2] como una de las más luminosas. Según la percepción que tienen sus pobladores, de ella emana una imagen moderna de ciudad en movimiento que se desplaza cada vez más en bicicleta y a pie, que se conecta a Internet con mayor velocidad que casi todas las otras de Latinoamérica (junto con Buenos Aires y Montevideo, la capital colombiana es la ciudad del subcontinente que tiene más teléfonos instalados en relación con el número de habitantes), que reconoce el aeropuerto como lugar de llegada y salida, que empieza a superar el feudalismo impuesto por sus políticos gamonales.

Pero, al mismo tiempo que se moderniza, conserva ritos antiguos, algunos de evidente reminiscencia provinciana. Veamos seis de sus ceremonias más características: adorar al Divino Niño Jesús en la iglesia del barrio Veinte de Julio —sin duda, el acontecimiento religioso-social más espectacular de toda la ciudad, que tiene lugar todos los domingos—; frotarle la oreja a la escultura que representa a Leo Siegfried Kopp (el fundador de la cervecería Bavaria), situada en el Cementerio Central, para pedirle milagros y confiarle secretos; comer fritanga en algunos puestos callejeros que riegan a su alrededor el inconfundible olor a cerdo y papa criolla; salir a almorzar a los pueblos vecinos los fines de semana; recorrer las calles en bicicleta los domingos y días festivos y visitar el Parque El Salitre a comienzos de año para desintoxicarse después de las fiestas navideñas.

Página 32, arriba: postal de Pilar Gartner para el Museo de Desarrollo Urbano; abajo: álbumes de postales Bogotá, Avenida Colón.
Página 33, arriba: álbumes de postales Bogotá, exposición de 1910, pabellón de industria, en el Parque de la Independiencia.
abajo: postal Centro Internacional, foto de Omar Bechara.
Página 34: postales *El mar en la plaza* de Gustavo Zalamea.

Tranvía en llamas durante el Bogotazo, abril de 1948.

Cualidades: Bogotá herida

Las cualidades son los rasgos determinantes de los fenómenos sociales. No interesa tanto comprender las cualidades como tales, oficio que pueden reservarse disciplinas como la química y la física, sino captar las distintas representaciones sociales vivas cuando actúan en sus interrelaciones. No buscamos cualidades puras, que por cierto no existen; las reconocemos bajo formas que emanan de la interrelación. Toda materia urbana o urbanizada es de por sí un programa social que conserva sus orígenes e historia, pero que también se transforma e incluso vaticina. Las cualidades se relacionan con las diferentes clases de cosas, con los individuos y sus circuitos, con los seres y sus tecnologías. No se trata, pues, de encontrar sustancias presentes o comprobables, sino de revelar las relaciones que hacen la vida, de determinar sus contactos.

Las percepciones de la gente proyectadas en una ciudad son imaginarias por varios motivos: porque cada individuo es hijo de las cualidades de su cultura, porque cada persona vive lo que entiende como su realidad, y también por una tercera opción, no menos importante: porque aquello que cada cual imagina es la visión con la que piensa el futuro. En cada ciudad hay cualidades determinantes que la condensan y cualifican. Su trazado es cualidad como también lo son sus sensaciones, sus escalas cromáticas, sus sonidos y sus sitios. Y entre las cualidades de Bogotá hay una que sobresale, una que sobrevive en una gran herida: un magnicidio. Ese hecho le ha impreso un carácter y, no obstante sus funestas consecuencias, la ha hecho nacer como ciudad moderna.

Trazos
con dirección al futuro

Según el Acuerdo del 6 de noviembre de 1990, Bogotá posee un total de 173.200 hectáreas, superficie que incluye las áreas rurales del Parque

Nacional de Sumapaz, las suburbanas y otras de conservación. Bogotá cuenta con 301 kilómetros cuadrados de perímetro urbano, 167 de áreas urbanas y 200 de actualización que se han añadido después de 1990, cuando se establecieron los kilómetros reales de extensión. Si sumamos estas áreas, tenemos un perímetro urbanizado es de 668 kilómetros cuadrados. Se estima que, para 2003, su número de habitantes rondará los 6.865.997 (DANE, 1996: 39), lo que hará que su densidad poblacional sea de 10.278 habitantes por kilómetro cuadrado. Se prevé un ritmo de crecimiento poblacional del 2%, lo que se traducirá en unos 137.000 nuevos habitantes por año.

La expansión de la ciudad tiende a hacerse a costa de nueve municipios vecinos: Soacha, Sibaté, Funza, Madrid, Mosquera, Facatativá, Subachoque, El Rosal y Bojacá. Esto obligará a la ampliación de las rutas de transporte y de la cobertura de servicios. El hecho de que se vuelvan urbanas algunas áreas rurales ocasionará significativas transformaciones en la concepción de los habitantes de éstas, hasta ahora campe-

sinos. Aparte de eso, la capital perderá muchos de sus bellos alrededores y tendrá que afrontar una especulación inmobiliaria nada conveniente. Sin duda, el impacto del crecimiento urbano modificará en gran medida la imagen de la ciudad actual.

Curiosamente, cuando se indagó entre los encuestados por distintas representaciones del pasado y del futuro de la ciudad, ninguno la percibió como una metrópoli que se anexara los municipios vecinos, lo cual significa que ese rasgo de su crecimiento no hace parte de sus mapas mentales.

La lucha por comprender la Bogotá de hoy pasa no sólo por la discusión acerca de su dimensión en hectáreas, sino también por temas de otro género, entre ellos el de su verdadero nombre. En este terreno se libran combates detrás de los cuales se mueven factores de poder económico y político, al igual que nostalgias provincianas o reminiscencias históricas que aún nos ligan con España. Bogotá recuperó su nombre moderno cuando el país estaba *ad portas* del nuevo milenio. Políticos de viejas castas provincianas con nostalgias colonialistas[3], haciendo caso omiso de lo estatuido en la Constitución de 1991, se lo habían arrebatado para retornar al

Antiguo hotel Continental
en la Avenida Jiménez.

otorgado por la monarquía española: Santa Fe de Bogotá.

El sintagma *Santa Fe* había desaparecido desde el 17 de diciembre de 1819, tras el Congreso de Angostura, cuando se creó la Gran Colombia, comprendida por tres grandes departamentos: Cundinamarca, Venezuela y Quito, a los que pronto se sumó Panamá. De las sesiones de este congreso surgió la determinación de cambiar el nombre de Nueva Granada por el de Cundinamarca y omitir el *Santa Fe* del nombre de la capital de la nueva república.

Movimientos ciudadanos lograron, en una de las luchas sobresalientes por la recuperación del espacio público, que antes de que comenzase el nuevo milenio la ciudad volviera a llamarse simplemente Bogotá, palabra originada en el vocablo indígena *Bacatá*.

La actual ciudad cuenta con 41.484 manzanas (Laverde, 2000), y de los predios individuales son propietarias 1.600.000 personas[4]. A comienzos del siglo XX, en 1906, la Junta de Catastro reconocía sólo 299 manzanas, donde se concentraban 6.926 casas. Como ciudad clasista que es, Bogotá está dividida en seis estratos. Mientras los cuatro primeros —que aglutinan a los sectores más pobres y de clase media— suman 34.477 manzanas, el cinco y el seis, los más ricos, apenas cubren 1.841; a ellas deben sumarse 5.166 manzanas sin estratificar. Estas cifras nos ofrecen un primer mapa visual de la distribución del espacio físico en esta urbe. Las enormes diferencias sociales son uno de los principales puntos de vista ciudadanos —como llamamos a los filtros sociales y grupales que condicionan la percepción de la ciudad— que deben tenerse en cuenta para comprender la capital de Colombia.

Luego de la Constitución de 1991, Bogotá se dividió en veinte localidades que agrupan diferentes sectores en un mismo contexto geográfico (ETB y Publicar, 2000: 22 y ss.). Si un observador, un visitante o un turista mira la ciudad desde sus cerros orientales, podrá descubrir las siguientes localidades: siguiendo el eje sur-norte, al oriente, pegadas a los cerros, están Sumapaz (la única rural), Usme, San Cristóbal, La Candelaria, Santa Fe, Chapinero y Usaquén; en la misma dirección sur-norte, pero un poco hacia el occidente, están Rafael Uribe, Antonio Nariño, Los Mártires, Teusaquillo y Barrios Unidos y Suba; manteniendo la dirección sur-norte, en el sector más occidental, o sea en el lado opuesto a los cerros, están Bosa,

Ciudad Bolívar, Tunjuelito, Ciudad Kennedy, Puente Aranda, Fontibón y Engativá. De esta manera, en la presente obra se hablará, bien de una localidad específica, bien de un sector general: norte, nororiente, centro, sur, suroccidente o suroriente (Véase mapa, página 77).

En los últimos años, más que de un nuevo trazado de la ciudad hemos sido testigos de una recuperación de las rutas, las calles y las zonas ya existentes. Bogotá ha tenido en su historia varios trazados. Dos en especial permiten comprender sus cualidades físicas actuales. El

primero, con el cual nace la ciudad hace más de 450 años, sigue la cuadrícula hispánica en torno a un centro donde se ubican los poderes civiles y religiosos y a partir del cual se construyen las manzanas en forma de cuadrados, cada uno de cuyos lados recibe el nombre de cuadra. El segundo, por encargo que se hizo al reconocido arquitecto suizo Le Corbusier —quien en 1947 fue invitado a Bogotá por el alcalde Mazuera Villegas, uno de los mandatarios de mayor importancia en la historia arquitectónica de la ciudad—, concibe una ciudad de

Carrera 13 con calle 54.

Avenida Jiménez con carrera cuarta.

Le Corbusier consideró muy satisfactorio el trazado español de Bogotá, con sus ángulos rectos y su organización en cuadras. El desorden de Bogotá está más bien en sus barrios nuevos (Castro y Téllez, 1975: 1.530), aquellos que empezaron a surgir en la periferia del casco histórico, en la zona que hoy se conoce como el centro de la ciudad, y sobre los cuales se concentrarían los planes de ordenamiento territorial. Quizá fue esta conclusión uno de los hechos más positivos que dejó la visita del célebre urbanista.

Esos dos trazados todavía operan como los criterios determinantes de la concepción física de Bogotá. Por eso, en su mayor parte son reconocibles por las manzanas cuadradas y una numeración progresiva de sur a norte, a partir de la calle primera, y de oriente a occidente. Las vías paralelas a los cerros orientales (de sur a norte) se llaman carreras, y a las perpendiculares (de oriente a occidente) se las denomina calles. Por esto mismo, «se baja» si se va en dirección contraria a los cerros, esto es, al occidente, y «se sube» si se acerca uno a ellos. De los cerros, dos son especialmente reconocidos: Monserrate con su santuario y

bulevares que darían rotación y ligereza al tránsito vehicular. Se invitó a Le Corbusier para que realizara un plan piloto de Bogotá, y su llegada coincidió con la fecha del asesinato de Jorge Eliécer Gaitán (1948), lo que hace más significativa su presencia para renovar una ciudad en buena parte asaltada e incendiada. Los planes de Le Corbusier se complementaron con estudios realizados en Nueva York por los arquitectos y urbanistas Paul L. Wiesner y José Luis Sert. Con ellos, según los especialistas, se inició lo que se denominaría la fiebre del urbanismo, que tuvo sus réplicas en Cali y Medellín.

Guadalupe, coronado con la escultura de una Virgen blanca.

La recuperación de la ciudad, emprendida poco antes de comenzar el siglo XXI, procura darles viabilidad y operatividad a estos trazados, y tiene dos antecedentes meritorios en los años sesenta y setenta.

En la década de los sesenta Bogotá estuvo regida por un alcalde visionario, Jorge Gaitán. Cuando la ciudad crecía a un ritmo de más del 7% anual y las familias acomodadas —tanto las de arraigo *cachaco* como las que llegaban de capitales de provincia con el propósito de hacer fortuna— se instalaban en el norte para dejar el sur a la también creciente masa de obreros atraídos por las pujantes industrias de la cerveza, la construcción y el comercio (Dávila, 2000), Jorge Gaitán buscó darle salida a la superpoblación. Primero como concejal y luego como alcalde (1962-1966), creó planes de vivienda masiva para sectores obreros y medios, e incluso para los medios-altos. Su preocupación era darles vivienda a los nuevos ciudadanos. El barrio Los Alcázares y luego Niza, planeado por Eduardo de Irisari, tienen inspiración en casas diseñadas por Le Corbusier en Pessac en 1926: en ellos se respeta la amplitud del espacio; están dotados

de zonas verdes, como las ciudades-jardines, y tienen la posibilidad de multiplicarse en serie.

Gaitán prediseñó un metro, el medio de transporte más deseado de Bogotá, que debía empezar en la calle 68 con avenida Caracas para continuar hasta la calle 28, donde se enrumbaría por un túnel hasta la calle 22 sur[5]. El funcionario sentó las bases para la construcción de los anillos viales que rodean la ciudad —proyecto que ejecutaría el siguiente alcalde— e incluso llegó a prever el que ahora se llama Parque Tercer Milenio, en el centro de la ciudad, donde queda la zona de El Cartucho, obra que iniciaría cuarenta años después el alcalde Enrique Peñalosa.

Según el historiador Germán Téllez, la presencia de Le Corbusier a mediados de siglo, luego del vandalismo, los incendios y la destrucción de parte importante de la arquitectura del centro de la ciudad que dejó el Bogotazo, condujo a hechos positivos, como la creación de la Oficina de Planes Reguladores, que obligaría a los arquitectos a comprometerse con un desarrollo armónico de la ciudad y con diversos planes viales. La construcción del centro urbano Antonio Nariño (1950-1953) es un buen ejemplo de las consecuencias que arrojó el plan

de racionalización de los métodos,
sistemas modulares y prefabricación.
Se trata de un conjunto de alta
densidad, parecido a los que se edi-
ficaron en los países europeos luego
de la Segunda Guerra Mundial.

En los años cincuenta y sesenta
también pesó la influencia norteamericana y europea en el diseño
de los nuevos edificios capitalinos,
como el de la compañía petrolera
ESSO y el del Banco de Bogotá, que
no contó con la intervención de
arquitectos colombianos. En alguna
medida esta tendencia afectó el
estilo clásico criollo, como cuando
se derribó el hotel Granada, situado
en la carrera séptima con la avenida
Jiménez, para dar lugar al Banco de
la República, obra del arquitecto
español Rodríguez Orgaz, donde se
constata una insólita influencia de la
pesadez volumétrica propia de la
arquitectura fascista de la Italia de
posguerra (Téllez, 1975: 1.636). Es
reiterativa la intención de este banco de construir, en todas las ciudades grandes del país, edificios que
crean disonancia con el entorno. El
resultado es una marca vulgar donde se destaca el poder económico
en detrimento de los intereses arquitectónicos y culturales. Quizá

Barrio de invasión en los extramuros.

por esta razón, en la encuesta que adelantamos, un grupo de intelectuales de clase media calificó este edificio de feo e invasor.

En las décadas de los setenta y ochenta, dos arquitectos proponen con éxito una tendencia moderna enmarcada en parámetros locales, que busca aprovechar la bella geografía de la sabana y rescatar materiales tradicionales como el ladrillo y la guadua. En su proyecto no se desconoce la historia arquitectónica propia, sino que, por el contrario, se busca revalidarla utilizando ciertos rudimentos indígenas y negros, sin dejar de lado las influencias española, francesa e inglesa. Se trata de Germán Samper y Rogelio Salmona.

Samper, luego de colaborar con Le Corbusier, regresa al país para plantear una arquitectura de fachadas salientes y acentuado uso de

Esquina de carrera décima con calle 17.

colores y curvas irregulares. Por su parte, Salmona, considerado por muchos el gran arquitecto del país, e incluso uno de los arquitectos vivos más importantes de América Latina, también colaborador de Le Corbusier, realiza su monumental conjunto de las Torres del Parque en el Centro Internacional de Bogotá, en el que muestra un ejemplar respeto por el entorno paisajístico natural y urbano mediante un delicado uso del ladrillo a la vista. El ambiente que crea invita a emprender agradables caminatas por entre el Parque de la Independencia. Las hoy llamadas Torres de Salmona pronto se consideraron un aporte colombiano al patrimonio universal de la arquitectura, no sólo por la construcción sino también por el diseño urbano. Esta obra ganó aceptación y popularidad, al punto de que los ciudadanos la reconocen como propia y la califican como uno de los espacios urbanos que mejor identifican la ciudad.

A los dos anteriores cabe agregar una lista de arquitectos que han dejado las marcas más visibles en la construcción de la ciudad. Entre ellos figura Bruno Violi, quien llegó de Italia en 1939 para dirigir la construcción de edificios nacionales del Ministerio de Obras Públicas.

En Colombia se unió con otros arquitectos europeos o que habían estudiado en Europa, con quienes constituyó el grupo de vanguardia que impulsó el cambio de dirección del urbanismo incipiente y de una arquitectura que apenas acababa de asimilar los principios del academicismo decimonónico (Saldarriaga, en Claudio Varini, 1998). Se trata de una corriente que ejerce una poderosa influencia sobre la cultura nacional. Entre quienes la conforman cabe mencionar a Leopoldo Rother, Carlos Martínez, Julio Bonilla y Erich Lange.

El ingeniero Virgilio Barco sucede a Jorge Gaitán en la alcaldía e inicia la construcción de calles de desplazamiento vehicular y de avenidas en anillo, como la 68 y la Boyacá, que le dan la vuelta a parte de la ciudad. Se trata de vías de velocidad, que facilitan la salida y la entrada a la ciudad. Los mismos propósitos para los cuales fueron diseñadas las hace congestionadas y ruidosas. En los años ochenta se construye la avenida Circunvalar, vía de similares características que, pegada a los cerros orientales, une el centro con el norte de la ciudad, a partir del barrio Egipto hasta la calle 92, pasando por los sectores de mayores recursos de la ciudad, como la calle 72, también denominada avenida Chile, calle de los negocios y corazón del sector financiero.

Entre finales de los ochenta y principios de los noventa, en la administración de Andrés Pastrana, se reconstruye la avenida Caracas, diseñada en la tercera década del siglo XX por el arquitecto austriaco Karl Brunner, que recorre toda la ciudad en dirección sur norte. También se crea el proyecto Sólo Bus para aumentar la velocidad del transporte masivo, aunque el diseño fracasa. Dos alcaldes recientes, Enrique Peñalosa y Antanas Mockus, con quienes la ciudad entra en el siglo XXI, optan por un cambio de planes: además de crear nuevas rutas en forma de circuitos, se dedican a recuperar las existentes, dotando a la ciudad de un sentido cultural y social. Crean Transmilenio, un sistema de buses articulados con estrictos lugares de parada, que poco a poco se está extendiendo a toda la ciudad aprovechando las grandes avenidas. Construido para crear la ilusión de que tenemos un metro liviano, hay quienes consideran innecesarias las estaciones, pues habría bastado dotar al sistema de simples paraderos. Transmilenio comienza por cubrir la ciudad en sentido norte sur recorriendo la avenida

Caracas y de oriente a occidente avanzando por la calle 80.

Este sistema de locomoción masiva, sumado a los arreglos de la carrera 15, de la calle 80, de la avenida Jiménez, y a la recuperación de los parques de barrio, además de los zonales y metropolitanos, ha añadido nuevas marcas a las cualidades bogotanas. Si proyectamos estas intervenciones en un croquis, podremos apreciar que visualizan un especial sentido cultural.

Intervenir la avenida Caracas significó deshacer una obra que había logrado acelerar la movilidad vehicular en dirección norte-sur de 10 a 20 kilómetros por hora. Pero su equivocado diseño y el oportunismo político que inspiró las obras dejaron la secuela de nueve personas muertas por mes, bien por la acción irresponsable de los conductores de buses, bien por un diseño que podría tildarse de criminal, ya que, a cambio de los bellos urapanes, derribados por los alcaldes de entonces, se colocaron unas rejas de hierros puntiagudos como sables para que quien se equivocase en el cruce prácticamente muriera en el intento. Este escalofriante dato de muertes llegó a tener visos de epidemia, y hasta hubo quienes propusieron iniciar acciones penales por dolo culposo contra los *inspirados* alcaldes Juan Martín Caicedo y Andrés Pastrana, luego presidente de la República, que dieron con semejante idea. Desarmar ese *demonio*, como distinguían los habitantes tal obra, era un deber moral.

Si miramos la avenida Jiménez, nos ponemos de frente a la historia antigua de Bogotá: por allí pasó el primer acueducto de la ciudad, allí queda el templo de San Francisco, la primera iglesia que se construyó en la Colonia, allí están el edificio de la Academia de la Lengua y la casa-monumento de *El Tiempo*, obra del arquitecto Bruno Violi, reconocida por algunos como símbolo de la ciudad. Sobre la Jiménez se construyó el primer edificio de más de ocho pisos, así como el primer puente para unir el norte con el sur de Bogotá, y es además la sede del primer Wall Street[6], así llamado por ser el lugar donde se instalaron los bancos extranjeros. En fin, por esta vía, reconocida a partir de 2000 como la calle de la City-cápsula, se llega a la Quinta de Bolívar y al funicular que conduce a los turistas hasta Monserrate, desde donde se puede apreciar la mejor vista de Bogotá. Al convertir parte de esta avenida, a partir del año 2001, en un

Transmilenio en la Avenida Caracas.

Eje ambiental Avenida Jiménez.

eje ambiental, luego de ser intervenido por el arquitecto Rogelio Salmona, se esperaba que diese más vida y nuevos aires al centro, pero al parecer se cometió un error al darles paso a los buses del sistema Transmilenio, pues se eliminó la posibilidad de que quedara, al menos en parte, como un paseo para ser recorrido a pie.

En cuanto a la carrera 15, percibida por muchos como la calle de las modas y las mujeres, espejo de la modernidad, se abrió un nuevo espacio de caminatas que marca la posibilidad de que la ciudad sea pensada también como un espacio nocturno perfectamente disponible.

Es llamativo que en este estudio sobre Bogotá 79% de sus moradores la representen bajo luz del sol (40% la relacionan con la mañana y 39% con la tarde), y sólo 21% como noche. La carrera 15 es el límite de la Zona Rosa, el sector ideal para albergar cafés y organizar citas, rumbas y bohemia.

Entretanto, la carrera séptima puede seguirse llamando calle Real, como se la denominó durante el siglo XIX y parte del XX, pues de todas las vías es la única que no tiene referencias negativas para sus habitantes. Los ciudadanos la nombran con distintos epítetos, como la más propia de la ciudad, calle principal del pueblo, la tradicional, la antigua, memoria de Bogotá, la del edificio de Avianca, una calle con árboles, ciclovías, marchas y mimos. Sobre esta última mención, conviene decir que estos trabajadores callejeros, junto con los payasos que publicitan ciertos restaurantes invitando a los transeúntes a degustar comida cachaca, como se le dice a todo aquello que es típico de Bogotá, hacen diversión urbana y son ampliamente reconocidos como personajes característicos. Una de las maneras más evocadas de referirse a la carrera séptima dice: «Es la calle para ir a mi casa», referencia que la pone en un punto noble y sensible por asociarse con el camino que conduce al hogar. Ésta es, sin duda, la calle por antonomasia de Bogotá. Desde el punto de vista de su relación con un género, tiene primacía masculina, mientras la carrera 15 se relaciona con las mujeres.

Entre los sentimientos que Bogotá inspira a sus habitantes, el más notable es el miedo —supera el 50% de marcaciones—, aunque en los últimos años su primacía viene reduciéndose. Estos temores han hecho que la ciudad sea usada con innumerables restricciones y prevenciones y no tenga mucha vida nocturna. Sin embargo, se están

dando algunas transformaciones que estimulan a la gente a salir de sus casas. Una de ellas es la remodelación y la adecuación de sus parques.

En los últimos tres años, Bogotá pasó de tener 2,5 metros de zonas verdes por habitante a 4,12[7]. Este proceso, además de duplicar el placer paisajístico, ha incitado a la gente a usar permanentemente dichos espacios. Esta tendencia corre pareja con el propósito de que en los próximos años la proporción se acerque a los 16 metros cuadrados por habitante, hecho que la acercaría a la calidad de vida metropolitana —al menos en este aspecto— de ciudades como París, Chicago, Londres o Buenos Aires. A partir de 2001 se inició un plan para dotar a la ciudad de cuatrocientos parques de barrio, diecisiete zonales y siete metropolitanos, que constituyen la primera fase del proyecto, ya concluida. La segunda prevé similares medidas, pero los parques metropolitanos se triplicarían —se proyectan otros veintiuno—, con lo que la ciudad ganaría en lugares de encuentro colectivo, en pureza de aire y en belleza paisajística.

La Bogotá de los parques es todavía una novedad. Cuando a los transeúntes se los interroga por sitios de paseo, de encuentro, de esparcimiento familiar, de diversión dominical, coinciden en señalar los parques como un nuevo emblema.

El Salitre y el Parque Central Simón Bolívar son emblemas bogotanos de los últimos 10 años, específicamente del sector occidental, como la Plaza de Bolívar o el barrio colonial La Candelaria lo son del centro. Estos espacios contribuyeron a refutar la idea de que la única posibilidad de crecimiento de la ciudad estaba en el norte. (Véase mapa, página 77)

Hasta las dos primeras décadas del siglo XX, Bogotá estaba rodeada de haciendas de buen tamaño. Enrique Santos recuerda que con el desarrollo urbano esos terrenos se parcelaron para levantar barrios de estilo europeo o que seguían modelos californianos. Lo único que se conservó fueron los nombres de las viejas haciendas: Los Rosales, El Nogal, El Retiro, La Cabrera, El Chicó o Santa Ana, espacios que terminaron de urbanizarse con la apertura de la avenida Chile en 1922 (Santos, 1992).

Cuando a los ciudadanos se les pide representar el mapa de la ciudad por zonas, nombran el Parque de la 93 —para algunos el sitio de la ciudad que mejor huele—, el Jardín Botánico, el Parque Nacional, la plazoleta de Lourdes y hasta algunos sitios que no están en la ciudad, como el Parque Jaime Duque y el salto de Tequendama. Incluso mencionan parques barriales como el Parkway u otros, especializados en diversiones, como Camelot.

Personificaciones

Los personajes pueden convertirse en cualidades de la ciudad si la representan. Cuando hablamos de personajes, no sólo nos referimos a la gente notable de carne y hueso, sino también a seres mediáticos, ficticios o a aquellos constituidos por románticas reminiscencias. Si se emprendiera una historia de los personajes de las ciudades, se obtendrían unos relatos de fantasías colectivas que irían tomando cuerpo en una serie de nombres.

En la década de los cuarenta, hasta el asesinato de Jorge Eliécer Gaitán en 1948, la Bogotá de la calle se caracterizaba por el transporte en tranvía, de buen recibo entre los habitantes, y por pequeños negocios de comercio y algunos cafés. La picaresca urbana aludía a ciertos personajes que recorrían las calles haciendo

Vandalismo y descuido administrativo son dos de los problemas de la ciudad.

gracias, hablando solos, jugando o enfrentándose con la gente mediante ciertas agresiones benignas. Uno de esos personajes era conocida como la Loca Margarita, quien vestía de rojo y corría detrás del tranvía tratando de alcanzarlo. Al comienzo de un nuevo milenio, 50 años después, todavía se menciona su nombre. Para muchas personas mayores es alguien que identifica a la ciudad y por ratos se la asocia con Gaitán y con los tranvías, los dos aspectos que más se evocan cuando se quiere recordar la Bogotá de la

primera mitad del siglo xx. A esa época pertenece también el Conde de Cuchicute, hombre rico y de magníficas costumbres, distinguido por su típica vestimenta de filipichín bogotano: sombrero encocado, paraguas, chaleco, corbata y traje «muy majo», como dijo Rafael Pombo en alguno de sus poemas infantiles.

Durante los años cincuenta, Bogotá produce otro singular personaje llamado Goyeneche. Se trataba de un distinguido abogado de la Universidad Libre que poco a poco fue perdiendo la razón hasta que su

Carrera 15 con calle 100.

discurso se convirtió en una andanada delirante, plagada de promesas absurdas, como que pavimentaría el río Magdalena o que pondría una gran marquesina sobre Bogotá para proteger a sus ciudadanos de las constantes lluvias.

Los estudiantes de la década de los sesenta recuerdan con nostalgia su época de jóvenes peludos, de minifaldas, de música de los Beatles, de hippies y revolucionarios. Camilo Torres, el personaje más mencionado de esa época, era un sacerdote vinculado a la Universidad Nacional que resolvió internarse en las selvas colombianas para formar parte de un movimiento que luchaba por los desposeídos acogiéndose a la dialéctica marxista inspirada en la Cuba revolucionaria: el Ejército de Liberación Nacional (ELN).

De los años setenta, la gente menciona sobre todo a Jaime Bateman y Carlos Pizarro, líderes del movimiento guerrillero y político 19 de Abril (M-19), que introduce la lucha armada en las ciudades. Este grupo nació como protesta por la alteración de los resultados electorales de 1970, cuando el gobierno de Carlos Lleras, desconociendo la voluntad popular, le arrebató la presidencia al general Rojas Pinilla para otorgársela de modo fraudulento al conservador Misael Pastrana. Este hecho sigue en la memoria ciudadana, y muchas veces la furia y el desaliento popular se expresan favoreciendo al movimiento M-19, como ha ocurrido en elecciones recientes, cuando sus ex integrantes, reinsertados a la vida civil desde la década de los noventa, han obtenido las mayores votaciones al Concejo de la ciudad o al Congreso Nacional (en 2002, dos de ellos, Antonio Navarro y Gustavo Petro, obtuvieron las mayores votaciones de la ciudad, el primero para el Senado y el segundo para la Cámara).

En los años ochenta aparecen tres personajes que se quedarían en la memoria de los bogotanos. De una parte, la violencia del narcotráfico se materializa en el capo más destructivo y temido que ha tenido el país, Pablo Escobar, un hombre de origen antioqueño cuya influencia en Bogotá se hizo inolvidable por los daños que ocasionó cuando decidió enfrentar al Estado. En contraste, el segundo personaje es el Divino Niño de la iglesia del Veinte de Julio. Según relata el periodista José Navia, en 1988, después de que Andrés Pastrana, futuro Presidente de Colombia, visitara la imagen para agradecerle por haberlo liberado de sus secuestradores, se ratificó que las visitas no sólo las hacían personas de sectores populares sino gente de todas las clases sociales. Hoy por hoy, esta romería multitudinaria constituye un rito de entrega y agradecimiento de alrededor de doscientos mil feligreses que cada domingo asisten a alguna de las cincuenta misas que allí celebran quince sacerdotes. En dichas ceremonias se bendicen vehículos de transporte público, se celebran en promedio cien matrimonios mensuales y se comercializa una infinidad de reliquias religiosas (Navia, 1990).

Detengámonos por un momento en este infante milagroso. La historia de la iglesia del Divino Niño Jesús[8] está ligada al padre Juan del Rizzo, sacerdote salesiano nacido en Italia en 1882, quien fue devoto del Niño Jesús y falleció en Colombia en 1957. Vivió un tiempo en el barrio San Roque de Barranquilla, luego vino a Bogotá y en 1935 llegó a los terrenos del Veinte de Julio, barrio del suroriente de la capital. El templo homónimo se ha convertido en escenario de un fenómeno religioso y urbano de impresionantes alcances. Las visitas dominicales a la imagen milagrosa que allí reposa se traducen en colas de devotos y fanáticos de todos los estratos que acuden a pedir milagros o a agrade-

cer favores recibidos. Su fama y su capacidad de convocatoria popular han logrado que altas personalidades incluyan en su agenda pública visitas a este niño milagroso. Las calles cercanas al templo han sido tomadas por las ventas callejeras. Al principio se vendían reliquias y estampas, pero hoy se comercia con comida, cachivaches y distintas clases de objetos, pues los vendedores aprovechan la presencia masiva de visitantes para hacer sus ofertas. En torno a la iglesia, como una extensión del trabajo social que adelantan allí los religiosos, se han levantado un colegio, un centro médico, una librería y toda una organización que recibe donaciones en dinero y en especie que se destinan a personas de escasos recursos. En la actualidad se proyecta crear una universidad[9].

El tercer personaje más mencionado de la década de los ochenta es el candidato presidencial Luis Carlos Galán, asesinado en agosto de 1989. Se había impuesto la consigna de limpiar las costumbres políticas del país, razón por la cual debió enfrentarse al director del Partido Liberal, Julio César Turbay, en quien la ciudadanía reconocía a un destacado representante del manzanillismo político. Su muerte, que tuvo lugar cuando las encuestas indicaban que sería el próximo Presidente del país, hizo recordar el magnicidio de Jorge Eliécer Gaitán y llevó su figura a nuestro ya amplio museo de líderes asesinados. Su presencia, no obstante, señala el comienzo de una especie de corriente antipolítica que aún lucha por situar en los altos cargos políticos a figuras limpias, interesadas en librar al país y a la ciudad de las viejas estructuras agrarias, feudalistas y corruptas.

El personaje más recordado por los capitalinos en los años noventa es Jaime Garzón, quizá el mejor humorista que ha producido el país. Fue asesinado en 1999, al parecer por orden del jefe de los grupos paramilitares. Su ácido humor y su permanente referencia a causas políticas señalaban a Garzón como un heredero de la picaresca bogotana. Supo combinar el chiste con la parodia actuada y se convirtió en un personaje central de la televisión, pues no ha habido quien iguale su capacidad de sacar provecho de las posibilidades expresivas de la pantalla. Por dondequiera que se examine la relación entre televisión y ciudad, un análisis en tal sentido pasa por Garzón. Programas suyos como

Zoociedad constituyen un eslabón en nuestra modernidad mediática. Los bogotanos lo recuerdan especialmente por el último personaje que interpretó, un lustrabotas llamado Heriberto de la Calle, hombre del pueblo que entrevistaba por alguno de los telenoticieros a figuras nacionales en el minuto que le demandaba embolar el calzado de sus invitados. Este personaje no sólo representaba al típico embolador bogotano, que aún sobrevive como figura

Estatua de Luis Carlos Galán
en el Concejo de Bogotá.

callejera, sino también al individuo inteligente, dotado de una inusitada comprensión política, interesado en una sociedad más igualitaria y dispuesto a castigar con juegos de palabras y chistes hirientes a quienes tenían el honor y a la vez la mala suerte de caer en sus manos.

Cuando Garzón murió, los bogotanos organizaron manifestaciones callejeras de despedida como no se habían vuelto a ver desde el asesinato de Galán. Quizá por ello, su memoria, asociada a desfiles y a la expresión espontánea de sentimientos populares, también se vincula con la de Gaitán. Para los años noventa y comienzos de milenio, los bogotanos han conformado una amplia lista de nombres representativos. Por primera vez reconocen que los alcaldes son personajes dignos de memoria, lo cual es nuevo en una ciudad cuyos gobernantes, por lo general, acaban sumidos en el peor descrédito. La gente empieza a señalar a dos mandatarios como representantes de un mismo y novedoso plan de modernización de la ciudad: Enrique Peñalosa y Antanas Mockus. Si bien en el primero ven a un buen alcalde moderno, al segundo, además, le encomian su capacidad pedagógica y lo reconocen como personaje imaginario,

pues su función ha sido especialmente dinámica como educador, instalador urbano y personaje que hace apariciones espectaculares en los medios. En una preencuesta que antecedió a la presente investigación sobre las culturas bogotanas, los niños lo señalaron como su personaje favorito y lo relacionaron con actores de la televisión. De él se recuerdan sus provocaciones, como cuando lanzó un par de vasos a la cara de un contrincante político, o sus juegos didácticos para inculcarles a los ciudadanos diversas conductas.

Antiguo edificio del periódico *El Tiempo*, hoy sede de City TV.

Otros personajes recordados con insistencia son la cantante barranquillera Shakira, cuyos espectáculos han conocido llenos completos en el estadio El Campín; El Pibe Valderrama, célebre futbolista recordado por su melena alborotada, y, en tiempos más recientes, los protagonistas de dos telenovelas: *Betty la fea* y *Pedro el escamoso*.

El impacto de *Betty la fea* puede rastrearse en distintos niveles: en la sintonía (70% de los encuestados confesaron seguirla; su *rating* promedio fue de 45 puntos, y llegó a tener picos de 54,7), en sus efectos sobre infinidad de manifestaciones ciudadanas, como apariciones en la prensa e imitaciones de su estilo, o en su alta aceptación entre jóvenes y niños. En varios juegos infantiles, Betty llegó a convertirse en modelo físico para imitar e incluso inspiró a las empresas de juguetería nacional, que produjeron muñecas con su imagen. Este seriado terminó exportándose a ciudades con alta población latina en los Estados Unidos y se sigue con éxito en prácticamente todos los países de América Latina y desde 2002 en ciudades españolas, donde también hace suspirar a los europeos.

La otra telenovela, *Pedro el escamoso*, salió al aire en el año 2001 y se centra en un personaje masculino, macho y conquistador, muy entroncado con las fantasías machistas de la ciudad, pues proviene de regiones aledañas a la capital. Este hombre, con su pinta, sus músculos y cabellos extravagantes, se propone hacer suya la ciudad. Y lo consigue. Pedro apasiona a varones y muchachotes de ciudad. Su musiquita pegajosa, el baile del Pirulino —corrido colombiano interpretado originalmente por Calixto Ochoa y cuya versión más conocida fue grabada por los Golden Boys en 1960—[10], puso a bailar a muchos bogotanos en fiestas y rumbas. El abierto machismo conquistador del protagonista deja suspiros en calles, escenarios deportivos, bazares y hasta en fiestas familiares, donde a los muchachos se les pide que bailen como él. Pedro representa al muchacho de provincia que llega a Bogotá a conquistarla, de manera similar a como un día llegó a Nueva York *Cocodrilo Dundee*. Sólo que Pedro, con una audiencia promedio del 37,4% de hogares bogotanos en 2002, no es una figura excepcional sino un personaje que quiere representar a varios tipos que inspiraron sus aventuras y estilo. Con Pedro se ha asistido en Bogotá a una especie de carnavalización improvisada, pues se le imita en las calles. Durante su tiempo de emisión fue frecuente ver a los niños de la calle, llamados *gamines*, parodiando su paso musical en las paradas de los semáforos, buscando obtener una moneda de sus ocasionales audiencias. Este personaje se ha convertido en un emblema del bogotano callejero que monta en bus, en especial en las rutas sur-norte.

Betty la fea y *Pedro el escamoso* constituyeron muestras de una saludable modernidad postmexicana. No fueron novelas calculadas para poner a *berrear* al unísono a las amas de casa. Nacieron de conflictos urbanos y supieron ganarse la predilección de los espectadores con un humor irreverente y con personajes que parecen de verdad. Ambas demostraron que los melodramas colombianos tienen mucho que dar, y no sólo a la industria sino también al arte de hacer reír con las pintas del vecino (Silva, 2001c).

Junto a los alcaldes imaginarios y a los personajes de farándula, una señora agrega esta sugestiva metáfora de la capital: «Bogotá es como un guerrero medieval». No le falta razón a la dama, si se entiende por figura medieval un tipo medio bárbaro, forrado en armaduras de hierro y que lucha por un interés egoísta y logra imponer su fuerza sobre la razón o hace de su fuerza y coraje de luchador individual su propia razón. Para ser justos, quizá pueda compararse con un guerrero en camino de civilizarse.

Existen veinte sitios, personajes o características que hacen evocar a la Bogotá del nuevo milenio: Monserrate, la Plaza de Bolívar, el barrio La Candelaria, la torre de Colpatria, la Catedral de Sal, el salto de Tequendama, Maloka (museo de ciencia), los parques Salitre y Simón Bolívar, la carrera séptima, el Museo del Oro, los payasos, la Universidad Nacional, el aeropuerto El Dorado, las ciclovías, el Parque de la 93, Ciudad Bolívar, Soacha y la salida sur de Bogotá, la iglesia del Veinte de Julio y el frío. En estos elementos, como se puede ver, se encuentran cualidades religiosas, comerciales, educativas, artísticas, sitios de paso y hasta lugares que no son de Bogotá, como el salto y la Catedral de Sal, no obstante lo cual los bogotanos los sienten como propios.

Para concluir, en la lista de personajes bogotanos aparecen dos

Silueta del poeta José Asunción Silva en un muro de la ciudad.

intelectuales que se asocian a la ciudad y su historia. Uno es el periodista Francisco Santos, ex editor del periódico *El Tiempo*, vicepresidente de Colombia a partir de 2002 e inspirador del movimiento No Más, que en 1999 logró la movilización más grande que se haya visto en el país en contra del secuestro, flagelo del cual él mismo fue víctima. En esa oportunidad más de dos millones de personas, procedentes de todos los rincones de la ciudad, gritaron en contra de ese atroz delito. Cabe mencionar que son colombianos más de la mitad de los ejecutados en el mundo por causas políticas y que nuestro país compite con Brasil en número de secuestros atribuidos a la criminalidad común.

El otro personaje es el poeta bogotano José Asunción Silva, en quien se reconoce la entrada a la modernidad de las letras colombianas, pues fue él quien permitió que la literatura nacional pasara del verso rancio, costumbrista y retórico, característico de otros tiempos, a uno musical, desprendido de calificativos innecesarios y pleno de belleza y misterio. En la introducción a una de las primeras ediciones de las *Obras completas* de José Asunción Silva, solicitada en 1915 al escritor español Miguel de Unamuno, éste escribió:

«No puede decirse que diga alguna cosa. Silva canta, como un pájaro triste que siente el advenimiento de la muerte a la hora en que se acuesta el sol». ¿Qué le dejó Silva, muerto a los 31 años, el 23 de mayo de 1896, a la cultura bogotana y colombiana cuando el mundo se aprestaba a recibir el siglo xx? Nos dejó cantos, cantos de poderoso ritmo que introdujeron nuestra cultura en otro tiempo. He aquí su melodía, los versos más repetidos en Bogotá durante 100 años, que se oyen en boca de los espíritus universales que reconocen en el poeta bogotano a uno de los impulsores y creadores de la moderna poesía latinoamericana, la misma que renovó la literatura escrita en lengua española cuando ésta daba visos de agotamiento:

> Oh las sombras de los cuerpos que se
> [juntan con las sombras de las almas!
> Oh las sombras que se buscan en las
> [noches de tristezas y de lágrimas!

Puede decirse que el «Nocturno iii» de Silva es a la lengua castellana y a Colombia lo que «El cuervo» de Edgar Allan Poe es a la inglesa y a los Estados Unidos. Es una obra que se relaciona profundamente con esta ciudad, y parece paradójico que fuera escrita por las mismas delicadas

manos que dispararon el tiro mortal.
De él dijo otro poeta, Pablo Neruda,
que «abre las puertas de terciopelo
de un castellano, del cual siempre se
ha sentido orgullosa Bogotá, magní-
fico y tenebroso, de un idioma his-
pano nunca antes usado de ese
modo, conducido por un ángel
nocturno desde el bogotanísimo
barrio La Candelaria, a las últimas
decisiones y desvelos del ritual de la
vida. Por esas anchas puertas del
gran nocturno entra nuestra voz de
América a tomar parte en el coro
orquestal de la tierra»[11].

Son los versos que repetimos los
bogotanos cuando nos sentimos
tristes o alegres, cuando estamos
enamorados o huimos aterrorizados
ante la noche y la muerte. Con esos
versos extraños y a la vez nuevos,
frescos y juveniles, se despide Bogotá del siglo XIX, de un mundo cam-
pesino, casi pastoral, para entrar en
una lírica urbana propia de un siglo
signado por la industria, la maquina-
ria, las ciudades enormes, las carreteras y la irrupción de nuevos medios de comunicación, de un
inatajable progreso económico. Pero
también de guerras, muertes, mafias
del narcotráfico, bombas, ataques
guerrilleros a la infraestructura pública, odios entre partidos, descomposición social, corrupción política

y venganzas sin fin que se extienden
por toda la centuria y acompañan
desafiantes a la sociedad colombiana
cuando ingresa en el nuevo milenio.

Entre gris y amarilla

El frío, como emblema de la ciudad,
tiene explicación. Gabriel García
Márquez hizo popular la imagen del
hombre de tierra caliente que llega a
Bogotá (en su caso, en los años cuarenta) y casi muere de frío, por lo
que debe usar abrigo y sombrero. No
es que Bogotá sea muy fría —13
grados centígrados es su temperatura media—, aunque sí llueve cons-
tantemente: 140 días del año 2000 y
188 del siguiente fueron lluviosos
(*Bogotá Cómo Vamos*, 2001).

Bogotá es una ciudad nublada, y
sus cerros sirven de termómetro
natural cuando se quiere pronosticar
el clima: con frecuencia se tornan
grises y dan lugar a oscuros nuba-
rrones con formas de animales
mitológicos. Cuarenta por ciento de
los bogotanos percibe a su ciudad
fría y gris. Cuando quisimos saber
cómo representaban su carácter, de
nuevo aparecieron dos hitos en dos
escalas opuestas: en la negativa, Bogotá es melancólica; en la positiva,
es serena. Si hacemos esta proyección fantasmagórica:

Parque Central Bavaria.

Bogotá = gris + melancólica + serena,

tenemos la imagen de una ciudad fría. Para 70% de los consultados es fría. Pero algo, y mucho, cambia para el restante 30%, que sin excepción representa a una población joven, tanto de hombres como de mujeres, 88% de los cuales provienen de fuera, o sea que son inmigrantes de otras zonas del país. Ellos la ven con nuevos colores, amarillo, azul y rojo, que, curiosamente, son los colores de la bandera nacional. Estos jóvenes disfrutan de la música vallenata de la costa atlántica, de la salsa que proviene de Cali, de la costa pacífica o de las Antillas, escuchan rock en

inglés y en español, siguen el pop de Shakira y de Madonna, asisten multitudinariamente a los espectáculos de Carlos Vives, Juanes y Alejandro Sanz. La relación entre música y color es un hecho notable, pues los seguidores de los ritmos calientes ven a Bogotá coloreada, mientras los adultos y mayores la reconocen gris. Por esto, afirmamos que el color asignado a las ciudades corresponde a una construcción cultural. De este modo, en Bogotá la ecuación inicial tiende a convertirse en ésta:

Bogotá = amarilla, azul y roja + cálida + optimista.

Consultando un estudio sobre el castellano hablado en Bogotá (Montes, Figueroa, *et al.*, 1998) encontramos algo para corroborar lo dicho. Al preguntarles a 487 personas por el género del calificativo frío/fría, referido a Bogotá, 79,35% de las mujeres optó por el masculino, «Bogotá es frío», mientras que 61,9% de los hombres lo expresó en femenino, «Bogotá es fría». Esto induce a pensar que a la ciudad se le otorga el género del sexo opuesto. Las mujeres que sienten a Bogotá *frío*, en su mayoría son inmigrantes de otras regiones o son personas mayores, y por lo general sólo cuentan con educación primaria. Por el contrario, Bogotá es *fría* para buena parte de los hombres, gente nativa que ha alcanzado mayor educación formal.

Si admitimos la relación, por lo demás ya marcada por escritores y artistas como Kandinsky (Kandinsky, 1988: 62 y ss.), de sinestesia perceptiva entre música y color, pues el sonido se modifica en la imaginación por asociación con otras formas, debemos preguntarnos por la relación de los géneros musicales con Bogotá. Nos ha parecido significativo enfocar esta sinestesia desde el punto de vista de las edades, el género y las clases sociales de los entrevistados.

De entrada podemos decir que la música folclórica, la típica colombiana del interior y la de la costa atlántica son las preferidas por las personas adultas y mayores, mientras que la salsa y el rock en español y en inglés son las favoritas de los jóvenes que están entre los 13 y 24 años. Es generalizada la idea de que el rap tiene más cultores entre los jóvenes de los sectores populares, pero las encuestas demuestran que tiene impacto compartido en los de las clases altas, igual que el rock alternativo tipo tecno; en cambio, el alternativo tipo *trance* o metal encuentra mejor acogida en los sectores medios y bajos.

Las rancheras, definitivamente, se escuchan en los sectores populares, y la salsa y la música de protesta son del gusto de los jóvenes de clase media, en especial de los de formación universitaria; pero esos mismos jóvenes, en especial en las noches, en los últimos años han mostrado cada vez mayor interés por la música electrónica, que hace parte de sus ritos *afterparty* (después de la fiesta), ya que, desde 1995, los bares en Bogotá cerraban muy temprano, hasta el año 2002, cuando se implementó el nuevo horario de la «hora optimista». La música folclórica como el bambuco encuenta público entusiasta en sectores medios y altos, entre gente mayor, y se puede decir que en todas las clases y edades hay identificación con ritmos como la cumbia, el porro, el merengue y otros géneros bailables, y en especial con el vallenato. El vallenato y el rock son los tipos musicales más escuchados en Bogotá. Sin duda, el cambio de color de la ciudad, que del gris de los adultos evoluciona hacia ondas cromáticas más vivas y vistosas, como el amarillo y el rojo que perciben jóvenes por lo general provenientes de provincias, está relacionado con el gusto musical de los entrevistados.

Esta observación nos permite proponer otra ecuación, un tanto temeraria, pero que refleja la percepción imaginaria del color y la música en la Bogotá del nuevo milenio:

Bogotá = amarilla + joven + rock y
vallenato = Bogotá caribe

frente a

Bogotá = gris + vieja + bambuco
= Bogotá andina

La Bogotá vieja de los *cachacos*, de los *rolos*, la ciudad triste y serena, aparece enfrentada a la Bogotá de los inmigrantes provincianos, gente optimista y alegre. Dicho de otro modo, la Bogotá tradicional, la expresada por el lenguaje literario y por los poetas, se sitúa frente a la Bogotá moderna, la que se sume en la Internet, la que toma partido por el Occidente progresista, la de aventureros sin mayor historia en la ciudad que llegan con el propósito de salir adelante.

Como conclusión provisional, argumentamos que Bogotá está *colombianizándose* y, en algunos aspectos, *caribeñizándose*; que la cultura costeña, con su literatura, su música y hasta su clima, está dotándola de un colorido amarillo vibrante, estrategia con la cual una parte de sus pobladores quizá pretende enfrentar mejor su temible frío y burlar su lenguaje acartonado y gris. Quizá sea ésta la diferencia con otras ciudades andinas del continente, como Santiago o Quito, cuyos países no tienen costa en el Atlántico. Entre nosotros, *caribeñizar* debe entenderse *colombianizar*. Es cierto que podemos hablar de antioqueñizar, chocoanizar, vallunizar, boyacanizar, tolimizar o santandereanizar. Pero cuando se alude al Caribe se está diciendo de manera visual que el ambiente físico y cultural se calienta.

Entre las características de la ciudad que más les gustan a los bogotanos se cuentan el clima y la diversidad étnica y comercial. Las correspondencias del gris con la lluvia y el cielo cubierto de nubes y del amarillo con un clima agradable hablan del bienestar que produce entre sus ciudadanos su temperatura. La Bogotá fría que se va calentando por el efecto invernadero, y por su *caribeñización*, es deseada a partir del color con que se la designa. No ocurre lo mismo con su carácter, por lo general calificado de agresivo, triste, desconfiado y frío. Resulta interesante la carga semántica del adjetivo *frío*, que como clima puede entenderse como deseable para el espíritu,

mientras que, relacionado con el carácter, toma tintes agresivos e indeseables.

Emblemas físicos

Llamamos emblemas urbanos a los sitios, objetos, hechos, personas o personajes que, dado su alto poder simbólico, cuando son nombrados o evocados aluden a la ciudad como si la representaran de manera esencial. Resulta claro, pues, que la ciudad física interactúa con la construida por símbolos colectivos.

Como vimos, Bogotá se divide en veinte localidades, distribuidas en

Barrio colonial La Candelaria.

seis zonas geográficas, las cuales aportan distintos porcentajes de población: occidental, 33%; suroriental, 23%; suroccidental, 16%; norte, 12%; centro, 11%; Chapinero, 5% (*Bogotá Cómo Vamos*, 2001:3). Los siete sitios principales que reconocen los bogotanos como suyos aparecen asociados a preguntas indirectas, entre ellas las que tienen que ver con la arquitectura. En este aspecto, el sondeo arrojó los siguientes resultados: La Candelaria, 46%; Plaza de Bolívar, 16%; torre Colpatria, 13,3%; Monserrate, 12%; Catedral Primada, 10,7%; Plaza de Toros, 6,7%; Capitolio Nacional, 7,3%. Sin excepción, todos estos emblemas están ubicados en el centro, hecho que denota el alto poder simbólico concentrado en este sector, no obstante el escaso uso social que se le da, pues paradójicamente es uno de los menos preferidos para visitar cuando se trata de hacer recorridos por gusto. (En este caso algunos de los encuestados dieron más de una respuesta).

Cuando se revisan los datos obtenidos en la indagación sobre la riqueza arquitectónica de Bogotá, se evidencia que los capitalinos han elaborado unos mapas mentales en

Plaza Santander, Universidad Nacional de Colombia.

los que la belleza aparece construida en torno a seis elementos: barrios, plazas, iglesias, edificios, entidades y parques.

Entre los barrios característicos de Bogotá se mencionaron los siguientes: La Candelaria, Teusaquillo, Palermo, Santa Fe, La Soledad, Chapinero, El Chicó, el Centro, Usaquén, la Zona Rosa, Ciudad Bolívar, La Macarena, Centro Nariño, Colsubsidio, El Salitre, La Concordia, Las Cruces, Egipto, Santa Ana, Patio Bonito, San Victorino, Centro Internacional, Rosales y las invasiones de los cerros. Todos ellos están emplazados en el centro, Chapinero, el sur y occidente.

Entre las calles se mencionan avenida Primero de Mayo, avenida Jiménez, avenida Circunvalar, calle 26, calle 72, carrera 15, calle 100 y carrera séptima, ubicadas en el sur, el centro y el norte de la ciudad.

Las iglesias elegidas son la Catedral Primada, Lourdes, el santuario de Monserrate, San Francisco, Veinte de Julio y Santa Bibiana.

Entre construcciones y edificios públicos figuran la Biblioteca Nacional, Maloka, Museo Nacional, Museo del Oro, Museo de Arte Moderno, el Planetario, el Auditorio León de Greiff, la Plaza de Toros, el aeropuerto El Dorado, El

Campín, la Quinta de Bolívar y el Camarín del Carmen. Y entre aquellos erigidos por entidades tenemos: Colpatria, Bavaria, Avianca, Hospital Militar, Universidad de la Salle, Torres del Parque, hotel Tequendama, Centro Skandia, World Trade Center, Unicentro, centro comercial Ciudad Tunal, Centro Comercial Sao, Hacienda Santa Bárbara, Centro Comercial Suba, Centro Andino y almacenes Éxito.

Los parques más recordados son Jardín Botánico, Simón Bolívar, El Salitre, Parque de los Dinosaurios, Parque de la Independencia y Parque Nacional.

Y, por evocación personal, hay quienes dicen que Bogotá esta representada por su casa, su edificio, los alrededores de donde viven.

Llama la atención el hecho de que los bogotanos no escojan sitios fijos en el sur de la ciudad y muy pocos en el occidente para representar a su ciudad, pues de allí sólo se citan espacios de tránsito. Esta tendencia confirma el reconocimiento imaginario del centro y del nororiente. Ahora, no es que hacia el sur y el occidente no haya expansión poblacional: en estos sectores habitan 72% de los bogotanos, es decir, son las zonas de mayor concentración. Suba, en el noroccidente,

uno de los sectores más concurridos, también mereció escasas menciones. Hay que aceptar que el desarrollo de Ciudad Salitre ha dado un nuevo peso al occidente y al sur, y se espera que su impacto sea mayor con la creación de zonas verdes (lo que más extrañan sus habitantes), la construcción de ciclovías, complejos habitacionales y bibliotecas públicas.

Debe reconocerse que, en las primeras décadas del siglo xx, el sur era muy apreciado. Los alrededores del río Tunjuelito, donde se hacían piquetes, eran sitios que las familias escogían para pasear. Las estaciones del tren y las iglesias eran muy frecuentadas.

El nororiente, donde se ubican los sectores económicamente más privilegiados, también es visto como zona representativa de la ciudad. Esto deja una sensación desalentadora, ya que ni siquiera los habitantes de sectores occidentales como Suba o de los barrios del sur ubican sus áreas como distintivas de la ciudad. Algunas personas mayores incluso conservan la idea de que la Bogotá auténtica es la del centro de la ciudad; entre ellas hay quienes hablan de ir a Bogotá cuando visitan esa parte. Algo parecido ocurre en relación con la representación arquitectónica y zonal de la ciudad: la Bogotá imaginada aparece como un hecho cultural, es elitista y excluyente.

Conviene ahora examinar otra memoria, la de los hechos, para avanzar en el descubrimiento de las cualidades de esta urbe.

Bogotá herida

A partir de un sondeo de la memoria ciudadana (nos referimos al año 2001, cuando se aplicaron las encuestas de este estudio), se puede decir que la gente hace un reconocimiento colectivo de la recuperación del espacio público asociada al alcalde de entonces, Enrique Peñalosa (1998-2001), quien para el efecto realizó distintas actividades, como la instalación de bolardos, la reorganización del sistema de transporte, la recuperación de parques y la organización de eventos deportivos, artísticos y culturales de gran peso.

La Bogotá de 2002 es una ciudad que usa más racionalmente las calles y los espacios públicos, algo que ya se había iniciado 26 años antes con la instalación de las ciclovías. Distintos eventos masivos aumentan la percepción del espacio público, como los conciertos de rock, ópera, jazz y ballet en parques, los triunfos deportivos, la apertura de nuevos cinemas en centros comerciales, la construcción de Maloka, el desalojo de los

Protestas por desapariciones en la Universidad Nacional

Policía antimotines en medio de una manifestación en un barrio popular.

habitantes del famoso Cartucho —la zona más deprimida de la ciudad— y el sistema Transmilenio, paliativo de la necesidad de un metro.

La Bogotá del último año es optimista, siente menos inseguridad y se muestra orgullosa de varios de sus sitios, a lo cual han contribuido las campañas oficiales exhibidas por televisión en las que se la compara con algunas de las ciudades más recordadas en el mundo por sus ofertas culturales, comerciales y turísticas. Este esfuerzo se ha llevado a cabo en momentos en que el país vive la más grave crisis económica

de su historia, cuando ostenta el índice de desempleo más alto (más de 20%) y una parálisis de la economía (con un crecimiento del -4%), según las estadísticas correspondientes a 1999. Los ciudadanos, aturdidos por los desbarajustes que ocasionaban por todas partes las innumerables obras, se vieron reflejados en un célebre graffiti que por entonces apareció en algún muro y que solicitaba al alcalde: «Peñalosa, por favor más promesas y menos obras», y quizá en otro que, como respuesta a una propaganda oficial que insistía en el hecho de que Bogotá se encuentra 2.600 metros más cerca de las estrellas, prefería esta variación jocosa: «Bogotá, 2.600 metros más lejos de Colombia».

La memoria de los bogotanos en los últimos 30 años es más complicada. Cerca del 50% de los encuestados se refiere a dos hechos cruentos: la toma del Palacio de Justicia por parte del grupo guerrillero M-19 durante la presidencia de Belisario Betancur (1985), que terminó en la orden militar de evacuarlo a sangre y fuego (29,7%) y el asesinato del candidato presidencial Luis Carlos Galán, en 1989 (14,7%). Estas tres décadas representan, para la ciudad, muchos hechos delictivos imposibles de olvidar, como asesinatos, atentados dinamiteros de los narcotraficantes y de los grupos guerrilleros, torturas practicadas por el estamento militar en el gobierno de Julio César Turbay, y corrupción de los políticos. Entre ellos aparecen algunos momentos gratos, como el triunfo futbolístico de Colombia sobre Argentina con marcador de 5-0, los conciertos públicos o el

Premio Nobel de Literatura concedido a Gabriel García Márquez.

Si hablamos de la memoria en la historia de la ciudad, la situación no es mejor. La política y los acontecimientos Violentos pueden entenderse como íconos de las cualidades urbanas. La segunda parte del siglo XX nace en nuestro país en 1948 con el asesinato de Jorge Eliécer Gaitán. Según nuestra investigación, 60% de los encuestados consideran este hecho como la gran herida de Bogotá, que sincrónicamente coincide con el inicio del período conocido como la Violencia y con el surgimiento de las bases sobre las cuales se sostendrá el desarrollo urbanístico de la ciudad. Este drama también dejó profundas huellas en la creación cultural, la arquitectura, el arte, la literatura, el cine y los medios. La literatura, en particular, lo reflejó con prontitud.

En *La casa grande*, la obra maestra de Álvaro Cepeda Samudio, la fecha de la muerte de Gaitán origina la Violencia. Su antecedente está en *Viernes 9* de Ignacio Gómez y, como argumenta el crítico Cobo Borda, en *El monstruo* de Carlos Pareja, obra en la que el autor se permite hacer comentarios periodísticos sobre el día trágico. La trama de la violencia política se puede relacionar con otros hechos brutales tratados en la literatura continental, como los de la epopeya que tiene lugar en la selva y que son narrados por José Eustasio Rivera en *La vorágine*; la venganza contra sí mismo que aparece en *La tregua* de Mario Benedetti; la descomposición social en *La ciudad y los perros* de Vargas Llosa; la dictadura de los caudillos, retratada en *El señor presidente* de Miguel Ángel Asturias, o la maldad como un elemento abstracto, según es mostrada en una de las últimas novelas bogotanas*, Satanás*, de Mario Mendoza. Estos ejemplos demuestran que, a escala continental, la violencia es un trasfondo permanente de la narrativa del siglo XX; pero sólo en Colombia se enfoca como un hecho partidista[12].

Como una manera de contrarrestar la violencia política y dar paso a otras representaciones culturales, durante la década siguiente, la de los cincuenta, apareció la revista *Mito*, una de las primeras publicaciones culturales netamente urbanas, de enorme importancia por su actualidad mundial. Los textos originales, las traducciones, los colaboradores extranjeros, el diálogo y la polémica que instauró, constituyeron uno de los pocos intentos coherentes de situar el trabajo intelectual

Localidades

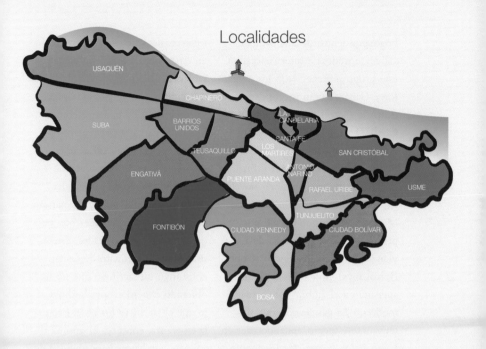

Parques

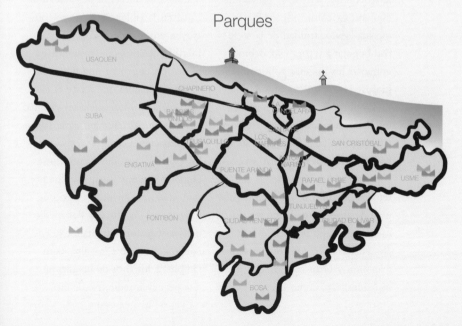

bogotano dentro de una órbita de validez novedosa e internacional. A este grupo pertenecieron los poetas Jorge Gaitán Durán (su fundador), Eduardo Cote Lamus, Fernando Charry Lara y Jorge Zalamea, y ensayistas como Hernando Téllez, Rafael Gutiérrez Girardot y Enrique Buenaventura. También novelistas como el mismo Gabriel García Márquez, quien publicó allí por primera vez el «Monólogo de Isabel viendo llover en Macondo» (Cobo Borda, 1975). *Mito* representa una apertura en el ámbito intelectual moderno. La generación que sustentó este esfuerzo, evitando caer en la repetición circular de los acontecimientos violentos, se echó a la espalda la modernidad de la sociedad bogotana y, para ello, debió enfrentar los dogmas políticos, religiosos y oscurantistas prevalecientes.

Proponer las distintas heridas que ha dejado la violencia en Bogotá como una cualidad que la simboliza nos permite relacionar acontecimientos de distinta índole que la retocan —como si se tratara de una obra de arte—, que la repiten en cada magnicidio político, que la comercializan en los noticieros de televisión y otros medios, que incluso la idealizan, como hacen algunos

intelectuales que se han convertido en especialistas en el tema de la violencia. Esta ingrata condición de una ciudad que no para de llorar a sus muertos y de pensarse como hija de la barbarie permanente la vemos en acción en varias nuevas estrategias con las que pretende romper el círculo de su tragedia.

La Bogotá que quiere superar esta condición no puede hacer otra cosa que cambiar sus cualidades. Éste es su desafío. El asesinato de Gaitán constituyó un sacrificio que no ha obtenido el perdón social. Ahora, si lo que el sacrificio fija en el rito es la esperanza, entonces él mismo apunta a establecer la posibilidad de canalizar la violencia. Si no se construyen esos canales aparece la culpabilidad colectiva, que, sostenida en el tiempo, engendra otra figura: la víctima siguiente que repite el círculo maldito y que suele ser elegida entre quienes pretenden darle salida a la situación. Gaitán se revela ante los espíritus bogotanos como un fantasma errante. Pagar la culpa por semejante magnicidio es algo que todavía está en proceso. Por medio del sacrifico fundamentador se encuentra el acceso a la culpa, pero también a los ritos de liberación que permiten redimirse de ella.

Momento del día con el que identifica a Bogotá

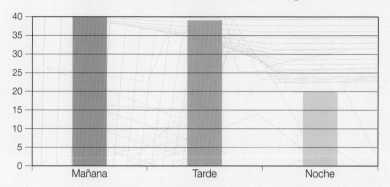

Color con el que identifica a Bogotá

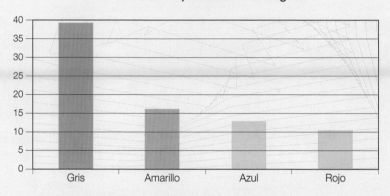

Sitios que identifican a Bogotá

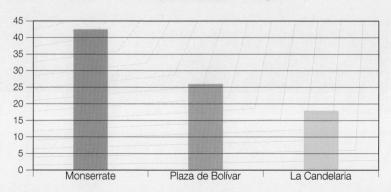

Anillo vial Avenida 68.

Calificaciones: Bogotá estética

Calificar es valorar con sentido grupal mediante una proyección aritmética. Los estudios sobre imaginarios se valen de ecuaciones para obtener abstracciones matemáticas a partir de datos tomados en encuestas y comparaciones. El resultado es la proyección visual de un deseo ciudadano. Las calificaciones, gracias a su efecto comparativo, nos conectan de inmediato con la construcción de lo otro. El impulso que hace que la gente se defina frente a un objeto (el interés por visitar un lugar, la creencia de que una calle es peligrosa, la percepción de ciertos olores en un sitio) a menudo brota de las profundidades afectivas de nuestra mente, mucho antes de que hayamos adquirido el conocimiento racional de aquello con lo que nos identificamos, rechazamos o padecemos. Esa línea divisoria entre el deseo individual y el interés colectivo frente al mismo objeto —la ciudad— es una frontera frágil pero definitiva en este tipo de estudios. Hay, pues, una energía social que se

redistribuye a diario en el ámbito de un mismo espacio y tiempo citadinos, que se transmite entre la gente para impulsarla a crear organizaciones —o desorganizaciones— colectivas estrechamente relacionadas con su urbe. Así, cada ciudad tiene unas estéticas que nacen de las proyecciones de sus habitantes.

¿Cómo reconocen los bogotanos a su ciudad cuando califican distintos aspectos de su vida diaria? En esas notas buscamos las proyecciones que la hacen única. Por ejemplo, hay una rivalidad entre el casco físico como cualidad y la forma estética de la ciudad, que es una marca proyectada por sus moradores. Por ello hablamos de formas y de calificaciones. No es extraño, pues, que propongamos una reflexión sobre cómo se concibe la forma en el arte, pues la creación artística es la operación mental más cercana a la construcción de una forma imaginada que produce efectos sociales. De modo parecido, el imaginario transporta lo sentido y percibido en calidad de verdad, cómo se vive emocionalmente en una colectividad. Lo bello, lo feo, lo horrible, es su verdad sensorial.

Geografía de la muerte

Cuando pedimos a los bogotanos expresar sus proyecciones sentimentales de agrado o rechazo sobre diez temas urbanos, con el fin de indagar sus formas de apropiación, nos encontramos con que la calidad de vida que hallan en su ciudad no es muy satisfactoria. Sus respuestas apenas pueden traducirse en un lánguido «regular». Distintas circunstancias, de

las cuales las más sobresalientes son la inseguridad y el desorden, hacen que de Bogotá derive esa imagen que la representa como poco vivible.

La tercera parte de los bogotanos consultados no vacilaron en afirmar que el Distrito Capital es inseguro. Una de las formas de descubrir los miedos y angustias que la ciudad inspira en sus habitantes consiste en averiguar los tipos de delitos por los que acuden a la policía. En los primeros meses del año 2002 el Centro Automático de Despacho de Bogotá (CADE) recibió en promedio 10.900 llamadas telefónicas diarias. Del total mensual, casi 30% tienen

Necrópolis del Cementerio Central.

que ver con contravenciones callejeras. Las localidades que más de-
nuncian son aquellas que, según la
percepción general, parecen más
inseguras: Engativá, Suba, Centro,
Kennedy y parte de Chapinero. Los
días más críticos son los viernes,
sábados y domingos (Sierra, 2002:
1). Como es natural, los fines de
semana permiten cambiar las rutinas
y no traen aparejada la responsabilidad por el trabajo. En consecuencia,
la población puede entregarse a
rituales que aumentan las emociones callejeras, y con ellas, la percepción de inseguridad.

No obstante, puede darse la
situación contraria, es decir, que una
percepción imaginaria se imponga
sin apoyarse en un fundamento real.
Por ejemplo, en 1992, por omisión y
desgreño de la administración del
entonces presidente César Gaviria,
el país entero, y por consiguiente
también la capital, debió soportar
un prolongado «apagón»: se cortaba
el servicio eléctrico seis horas al día.
Esto disparó el imaginario de inseguridad. La gente no salía en la noche o lo hacía con mil precauciones,
pues en su mente rondaba la sensación de peligro asociada a la oscuri-
dad. Tras un muestreo[13] que adelantamos en las estaciones de policía
descubrimos que el crimen, en ge-

neral, había bajado en 33% respecto
a los meses anteriores, cuando el
flujo de energía era normal. La explicación de este aumento en el
índice de seguridad es sencilla: la
gente, dominada por el temor al
crimen que se asocia con la oscuri-
dad, aumentó sus controles y redujo
así la posibilidad de ser blanco de
los delincuentes.

Algo similar se desprende del
informe presentado por la Veeduría
Distrital sobre la «geografía de la
muerte» en Bogotá. Al examinar los
índices anuales de homicidios en la
última década del siglo pasado encontramos que de 48 asesinatos por
cada 100.000 habitantes que se registraron en 1990 se pasó a 80 en 1993.
Esta cifra, que representa el pico
más alto, comenzó a descender hasta
llegar a 40 cuando finalizaba 1999, a
34 a principios del nuevo milenio y
a 25 en el año 2002. Así, en el período comprendido entre 1993 y
1999 se registró una reducción de
muertes violentas del orden de 50%.
A pesar de la desgracia que significa
este porcentaje, todavía alto, Bogotá
puede considerarse en una situación
privilegiada, pues en otras ciudades
del país las tasas de homicidios son
escandalosas: por cada 100.000 habitantes, en Barranquilla ocurren 99
homicidios, en Pasto 127, en Cali

177, en Bucaramanga 195 y en Medellín 247. En América Latina, durante el año 2001, Caracas presentó, como ejemplo, una tasa de homicidios equivalente a 66 por el mismo número de habitantes.

Si observamos el mapa de la muerte en Bogotá descubriremos otros datos sugerentes en la construcción imaginaria del peligro. Según la Veeduría Distrital, las muertes violentas en la ciudad se cometen, en su mayoría, en tres de las veinte localidades: Puente Aranda, Los Mártires y Santa Fe. Si descontamos los crímenes cometidos en estas zonas, en Bogotá se contabilizan once homicidios por cada 100.000 habitantes, cifra que estaría muy por debajo del promedio latinoamericano de veinticinco. (Véase mapa, página 109)

Si comparamos estos datos con la percepción que tiene la gente, encontramos que hay alguna correspondencia, pues los ciudadanos ubican la violencia en tres zonas: El Cartucho (ubicado en la localidad de Santa Fe), la avenida Caracas en todo su recorrido y Ciudad Bolívar, que en el mapa de la Veeduría figura como por debajo del promedio. Pero al preguntar si la ciudad en su totalidad es insegura, más de la mitad de sus habitantes respondieron que sí. El tema de la inseguridad quizá

sea el imaginario más fuerte que se manifiesta en las ciudades de América Latina, y Bogotá no es la excepción. Este hecho es altamente explotado por los medios de comunicación, que llegan a hacer su mejor esfuerzo por demostrar que las ciudades son en extremo decadentes. Se puede asegurar que la imagen que los televidentes extranjeros se forman de Bogotá es tenebrosa. Toda Colombia puede considerarse damnificada por el hambre que se registra en el mundo de noticias de muerte y terror.

A algunos extranjeros de paso por Bogotá se les preguntó cómo veían la ciudad (Silva, «Cómo nos ven», 2000b). Antonio Conforti, un italiano, respondió que aquí se daba un efecto de burbuja: «va uno al Parque de la 93, cena, habla, escucha a la gente expresarse eufórica. En ese medio se siente un estado de normalidad envidiable. A tres cuadras el efecto cambia, la calle está oscura, hay peligro. A las nueve de la noche se siente una soledad pesada y pasos de criminal al acecho. Asustado, uno se escapa». La burbuja aparece en muchos lugares: en la avenida Jiménez, en la carrera séptima.

Eduard Delgado, catalán, afirma que en el sur de la ciudad se siente más a gusto porque hay más vida en comunidad. Le impresiona cómo usan la calle los habitantes de Ciudad Bolívar y de otros barrios vecinos: «comparten trabajo, cosas, dialogan, cosa que no se ve en el resto de ciudadanos». Compara el sur con las fiestas de la barceloneta, las fiestas comunales de su tierra donde los vecinos salen para juntarse y vivir el barrio. Estuvo de visita un domingo y vio multitud de niños y niñas juntos y alegres. «En verdad, allí no había efecto burbuja».

Un uruguayo, Fernando Andacht, se asombra del color del ladrillo y del ocre tierra que descubre por todos lados, bajo el verde de los cerros. Encontró analogías entre el Río de la Plata de Montevideo y las montañas bogotanas. Eligió como sus barrios preferidos a Teusaquillo y La Soledad, tan cercanos al centro, con sus calles y casas grandes. Como opuestos a ellos mencionó a Chapinero, por su insoportable densidad y la ausencia de espacio público. Opina que el Parque Habitacional Bavaria es el mejor rincón de Bogotá y admira a los arquitectos por sacarles un provecho tan moderno a unos principios que no desconocen lo originario e incluso lo artesanal.

Katy Legrand, Engelbert Theuretzbacher y Roger Odin (una

Edificio en el barrio Bosque Izquierdo.

Indigente en una calle del centro.

norteamericana, un austriaco y un francés, respectivamente) se asombran de la seguridad que ven en Bogotá. El galo, que viene de visitar Moscú, me pregunta: «¿Dónde están los muertos que se ven en las noticias todos los días? En Moscú los muertos se ven en las calles». Según él, hay tres Colombias: la de la selva en guerra, la de las ciudades y la de los medios. Y remata: «Si uno viera las noticias de Bogotá sobre Bogotá, nunca vendría. En el mundo la imagen de Colombia se maltrata, pero en la televisión que se hace aquí mismo, esa imagen es terrorífica».

La calle de El Cartucho podría constituirse en el emblema del peligro de Bogotá. Pero lo será por poco

tiempo, dada la rehabilitación a que está siendo sometida desde el año 1998. En los años veinte y treinta esta zona estaba habitada por sectores de la burguesía criolla. El nombre lo recibió por unas flores conocidas como cartuchos, que invadían paredes y enrejados (Cortés, 2001: 1 y 14). Con el tiempo esas mansiones se volvieron inquilinatos, lugares de tráfico de armas y drogas y bodegas de basura para el reciclaje. Así, pronto acabó por convertirse en el punto de encuentro de las más temibles bandas de asaltantes callejeros.

Es interesante observar que en las mediciones que se hicieron en 1992 (Silva, 1992: 193), El Cartucho fue definido por los bogotanos como el sitio más peligroso de la ciudad. Cuando se examinó esta proyección según las clases sociales, resultó que sólo los sectores pobres y medios lo consideraban así. Esto permite concluir que la noción de peligro se construye socialmente, pues un sitio es riesgoso sólo para quienes lo transitan. En el caso analizado, es obvio que la gente de mejor condición económica no va a El Cartucho. Pero en las premediciones de 2000, base del presente estudio, El Cartucho aparece como emblema de peligro para todas las clases sociales, no porque la gente pudiente haya empezado a visitarlo, sino porque lo conoció a través de los medios, debido a que el alcalde de entonces hizo una campaña para informar sobre el estado de esa zona y promover un plan de recuperación. En ese lugar se ha diseñado, como juego arqueológico para sepultar lo inmundo, el parque Tercer Milenio, un regalo para el centro de Bogotá. Se trata de una intervención terapéutica a la memoria ciudadana. El 7 de agosto de 2002, en plena posesión del presidente Álvaro Uribe, un mortero de fabricación casera disparado por las FARC-EP contra la Casa de Nariño hizo blanco en plena zona de El Cartucho, asesinando a cerca de una veintena de sus pobladores. Este suceso revivió el imaginario de terror, alimentado por el contraste entre la indigencia que campea en ese sector y la opulencia del vecino corazón político y de gobierno.

La inseguridad imaginada por los bogotanos es el mejor ejemplo de una fantasía que idea modos de usar la ciudad. A pesar de que han bajado los índices de criminalidad de manera sostenida y considerable, la percepción de peligro no cede. Las proyecciones para el año 2004 confirman las conclusiones de nuestro estudio. Cuando más de 7.000 bogotanos fueron indagados por el Observatorio de Cultura Urbana —programa de la Alcaldía— sobre su representación de inseguridad, 23,1% contestó que la ciudad era medianamente insegura, para 32,5% era muy insegura, y 40,6% sencillamente opinó que era insegura.

Es significativo que Bogotá haya logrado índices reales de baja criminalidad con un cuerpo policivo realmente pequeño (en 2002 contaba con 12.000 agentes distribuidos en tres turnos, siendo que para sus dimensiones sería adecuado un número tres veces mayor). Si suponemos que la población de la ciudad asciende a 6,5 millones de habitantes, tenemos un promedio de un uniformado por cada 542 ciudadanos, cuando el ideal táctico sería de uno por cada 217. En Bogotá es común descubrir todas las noches algo increíble: no hay policías en las calles, y si se necesitan hay que llamarlos por teléfono y aguardar por un largo rato a que lleguen. Si llegan.

Índices rojos

Si puede hablarse de recuperación del espacio público en Bogotá, no puede decirse algo parecido sobre

temas como el tráfico, la educación, los medios de comunicación, la contaminación, el aseo y los servicios públicos.

Un tema desconsolador es el tráfico de buses, taxis y vehículos privados. La valoración de los ciudadanos lo dice todo: es el elemento peor calificado, ya que 79,3% de los consultados lo catalogan como malo y muy malo. La apreciación negativa aumenta con la edad, al punto de que las personas mayores lo asocian con atropello, posibilidad de accidentes y muerte. El tráfico está íntimamente ligado al transporte, otro de los temas calificados por la mayoría como regular y malo.

Antes de que empezara a funcionar el sistema articulado de transporte masivo, los capitalinos gastaban en promedio más de tres horas al día en desplazarse de un lugar a otro. Con la creación de Transmilenio, que empezó a funcionar en diciembre del año 2000, la percepción de la ciudad ha empezado a cambiar, pues se trata de un sistema orgánico de transporte con paraderos que además de velocidad garantiza comodidad a los pasajeros. Este sistema, según una consulta[14] que

Calle 57 con Avenida Caracas, durante la construcción de Transmilenio.

hicimos en abril de 2001, ha conseguido que la gente odie menos su ciudad, que la mire con optimismo y que disponga de más tiempo libre (el tiempo de transporte se ha acortado en más de 50%). Según un estudio de percepción ciudadana adelantado en 2001 por el programa Bogotá Cómo Vamos, de las entidades del Distrito, 93% de los ciudadanos favorecen con una calificación positiva a Transmilenio, si bien poco a poco se han hecho patentes sus debilidades, pues se instaló vendiendo la ilusión de que era un metro, cuando obviamente no lo es.

Respecto a la educación, es cierto que en la ciudad ha logrado una mayor cobertura, pero su enfoque sigue siendo bancario y acumulativo. Según la Secretaría de Educación, al comenzar el milenio 53,3% de la educación básica era atendida por el sector privado. En 1995 la cobertura, considerando los sectores público y privado, era de 85%.

En educación superior Bogotá cubre 40% de la oferta disponible en todo el país. Si esta suma se compara con la población de la ciudad, equivalente a 18% del total del país, se concluye que la capital de cierto modo ha asumido el papel de ciudad universitaria (Malaver y Perdomo, 2000: 40). En 1995, para

tomar un punto de referencia, había en Bogotá 554.386 alumnos matriculados en educación superior, los cuales representaban 42% del total nacional (Malaver y Perdomo, 2000: 47). Es revelador el hecho de que las áreas del conocimiento preferidas sean economía y carreras afines, ingenierías y ciencias naturales. Es decir, los jóvenes se inclinan más por una formación en asuntos técnicos y administrativos que en ciencias sociales, renglón que aparece en el cuarto lugar de preferencia.

Pero si bien Bogotá presenta un panorama relativamente superior al resto de Colombia en cupos educativos, también muestra una correspondencia muy débil en la relación conocimiento y ciudad: el énfasis se está dando en la administración del conocimiento antes que en las bases para su creación. Lo cual quiere decir que la ciudad tendría que preocuparse por crear doctorados e inculcar desde muy temprano la ciencia, la tecnología y la reflexión lógica en los programas académicos. Empero, este objetivo todavía está muy lejano, si se tiene en cuenta que las tres principales universidades de investigación —Nacional, los

Imágenes del Divino Niño en un almacén del barrio Veinte de julio.

Andes y Javeriana—, que en 1997 adelantaban 60% de los estudios patrocinados por Colciencias[15], fallan por distintas razones al no generar las bases para desprenderse de un conocimiento funcional o simplemente burocrático. Así pues, menos del 2% de los estudiantes de posgrado en Bogotá están estudiando para el desarrollo de ciencia y tecnología[16].

«No queremos medios de comunicación, los queremos completos», dice un mensaje enviado en el año 2002 a distintos correos electrónicos relacionados con la educación en Bogotá. Los efectos de los medios apenas se mantienen como ayudas para la educación y no ha sido posible transformar el enfoque tradicional montado sobre modos memorísticos o sobre el autoritarismo evaluativo. Por lo general las mismas universidades los ven como una forma de modernizarse, pero los emplean como simples ayudas audiovisuales. Si se sondea la calificación que los ciudadanos dan a los medios, se evidencia que encuentran muy atractivos el computador e Internet, hecho que con el tiempo puede generar algunas importantes transformaciones en los modos que la ciudad tiene de educar a sus jóvenes, a partir de los deseos de éstos y

de los intereses de las industrias, antes que por la intención de las universidades.

En Bogotá Internet, que en 1997 apenas era utilizada por 100.000 usuarios, en 2002 supera el millón de usuarios, lo que representa un crecimiento de 1.000% en cinco años[17]. El hecho de que un elemento tecnológico se califique como regular en el medio educativo, a pesar de que su uso y las esperanzas que se cifran en él son altos, demuestra que Bogotá está muy atrasada institucionalmente en el plano educativo, aunque se muestra optimista y pujante en el comunicativo. Es evidente que los ciudadanos quieren estar conectados. Prueba de ello es que en febrero de 2001, cuando el gobierno nacional, por intermedio de la Cámara Colombiana de Informática y Telecomunicaciones, impuso una tarifa plana para el uso de Internet, bajando el precio en más de 60% respecto a la tarifa que rige para tráfico de voz[18], el número de usuarios aumentó en 64% en el término de un mes.

Ahora, si echamos una ojeada al tema del ambiente, los bogotanos consideran que está viciado en todas las esferas: en las aguas de los ríos se vierte toda clase de desechos, el aire está polucionado por los gases que

Reciclador en la carrera séptima con calle 22.

expelen las industrias y los automóviles, en las calles abunda la contaminación auditiva y visual...

El mayor problema ambiental de Bogotá se concentra en las aguas residuales, la contaminación atmosférica y las basuras no recicladas. Entre los encuestados, 40% califican de malo el medio ambiente de la capital colombiana. La dimensión de este problema se evidencia cuando se llama la atención sobre especies nativas que están desapareciendo, como el nogal y el venado, las que ya nadie asocia con la sabana de Bogotá.

Uno de los casos más críticos lo constituye el río Bogotá, que recorre 370 kilómetros desde su nacimiento, en el municipio de Villapinzón. Este curso de agua, uno de los más contaminados del mundo, vierte diariamente 1.473 toneladas de sólidos en suspensión al río Magdalena en el municipio de Girardot, donde desemboca. La contaminación del aire, que proviene de las más de 27.000 industrias —de las cuales cerca de 3.000 son contaminantes— y del parque automotor, contribuye con 60% a la contaminación de la ciudad (Bermúdez, 2001: 6).

En cuanto a las basuras, es cierto que su recolección está más organizada desde 1994, cuando esta fun-

ción se delegó a consorcios internacionales, pero sigue siendo un problema la carencia de sitios de acopio
y el modo poco técnico como se
recoge. Esto ha dado lugar al aumento de los recicladores, personajes ambulantes que recorren todas
las noches las calles con sus modes-
tos carros para llevar las basuras a
sitios donde las seleccionan según su
material: papel, metal, vidrio. Estos
guerreros nocturnos, reconocidos
por el ruido de las ruedas de sus
carruajes o por sus zorras movidas
por caballos o mulas, en medio de
un loco parque automotor, avanzan
generosamente para limpiar a Bogotá. Bogotá genera en promedio
8.500 toneladas diarias de basura, es
decir, 1,3 kilos por persona[19].

Las lluvias constantes han agra-
vado el problema de las inundaciones, debido a que la cobertura de
alcantarillado apenas alcanza a recibir 70% de esas aguas y 87,6% de las
aguas negras. Según proyecciones de
la Empresa de Acueducto de Bogotá, en el año 2010 quedará solucio-
nado ese problema.

Según un estudio adelantado por
la firma internacional Mercer en
215 grandes ciudades del mundo,
con el propósito de medir la calidad
de vida a partir del medio ambiente
(se examinaron limpieza, higiene,

basuras y calidad del aire), en 2002 Bogotá ocupaba el puesto 130[20]. Esta calificación coincide con la mala percepción que inspira este aspecto en la ciudadanía. Si hay algo relacionado con el tema del medio ambiente que deba encomiarse en la ciudad son los parques barriales, que se están recuperando y dotando. En esta política se apoya la esperanza de que en menos de 10 años Bogotá tenga ocho metros cuadrados de superficie por habitante, es decir, que se doblen las medidas actuales de 4,2 metros por persona.

Bogotá se percibe aún más afectada en términos de contaminación auditiva. Hay ruidos provenientes de buses, de vendedores ambulantes, de bocinas y frenazos de automotores, de música que sale de los almacenes donde se venden discos, de los payasos y animadores callejeros que con gritos y voces estridentes intentan convencer a los transeúntes de que entren en un local comercial. Pero también se reconocen sonidos deliciosos y nostálgicos. El diseñador Mauricio Bejarano[21] compiló en un CD algunos sonidos y ruidos de Bogotá. Entre ellos se pueden destacar tres que le son característicos: las voces de los curas y pastores diri-

Avenida Jiménez con séptima.

giéndose a sus feligreses en las iglesias, las ofertas de los vendedores
callejeros y el murmullo del agua,
que es otro de los emblemas históricos de la ciudad.

En Bogotá, una ciudad muy
lluviosa, el rumor del agua despierta
recuerdos e imágenes que inevita-
blemente son nostálgicas. El golpe
de las gotas en las tejas de barro
cocido —herencia de la tradición
arábigo-española instaurada en Bo-

gotá desde la Colonia—, o su desli-
zamiento por las canaletas instaladas
en las edificaciones produce un
sonido en el que todos reconocen
una dimensión de su vida cotidiana.
A comienzos del siglo XX Bogotá
aún era bañada por varios ríos. Los
ecos de sus caudales le daban un
tono característico.

Por décadas sus ríos asombraron
a los visitantes foráneos e inspiraron
a sus escritores. No era para menos:

Plaza de Bolívar, al fondo el Capitolio Nacional.

Bogotá era una de las ciudades que más ríos tenía en el mundo. En 1623 el cronista fray Pedro Simón estimaba que su población rondaba los 3.000 habitantes. En sus escritos la describe como una ciudad bañada por clarísimos ríos de dilatadas aguas. Los dos principales ríos que se descuelgan de las serranías orientales son el San Francisco —llamado así porque pasa por la iglesia levantada en honor de este religioso— y el San Agustín, cuyo nombre deriva de motivos similares. Ambos atraviesan el centro de la ciudad. Arturo Alape (1999: 2E) cita este aparte de una crónica de Pedro Mercado, escrita en 1684: «Como a dos leguas cerca de la ciudad pasa un río de aguas muy saludables nombrado Bogotá, de donde toma la ciudad el apellido». Hoy nuestro río insigne está convertido en una espumosa y contaminada alcantarilla. Los olores que perciben los viajeros cuando salen por el suroccidente con rumbo a Cali y a la zona del Pacífico son nauseabundos y constituyen un recuerdo malsano difícil de olvidar.

El descuido gubernamental y social de nuestra riqueza hídrica hace que Colombia, apenas tres décadas atrás el país que más ríos tenía en el mundo, vea morir una quebrada cada día. Cuando se inda-gó entre los ciudadanos por el sitio de mayor contaminación olfativa, no dudaron en señalar al río Bogotá. Con tristeza debemos admitir, pues, que un siglo nos ha bastado para convertir el río, símbolo de sonido musical, de belleza, poesía y movimiento, en sinónimo de alcantarilla, residuo, pestilencia y muerte. Los dos sueños más caros a los pobladores de todas las clases sociales son la recuperación del río Bogotá, la posibilidad de verlo navegable y nuevamente poblado de peces, y la construcción de un verdadero metro.

Si nos detenemos en los distintos servicios que la ciudad ofrece, los bogotanos se sienten especialmente amparados en electricidad, agua y salud. Este último servicio, no obstante, es juzgado como regular, mientras que la calificación para servicios como el agua, la energía, la telefonía y los bancos oscila entre regular y buena. Hay coincidencia en que la atención a los usuarios en facturación y reclamos es pésima y detestable. La sensación de tener una cobertura relativamente buena en salud es llamativa, máxime si se tiene presente que ésta, en gran parte, se ha privatizado desde 1994 y que el Instituto de Seguros Sociales —organismo gubernamental— viene luchando contra la quiebra desde hace más de tres años. No obstante, debe reconocerse que Colombia figura entre las naciones del área con mayor cobertura en salud, si se tienen en cuenta variables como cantidad de camas hospitalarias por habitante, costos de la atención, número de médicos y tecnología.

En cuanto a la administración de los servicios públicos, Bogotá vive en un polvorín, pues las quejas a bancos por el mal servicio aumentan en una cuantía de 32% de un año a otro. Durante el año 2002 los cobros por el servicio de energía eléctrica aumentaron el equivalente a tres veces la inflación nacional, con el argumento de que la población debía costear los arreglos de los destrozos que los grupos guerrilleros infligen a la infraestructura energética del país. En cuanto al agua, más de 70% de sus ingresos se destinan a cubrir las conquistas salariales de sus sindicatos glotones. El oportunismo de las empresas productoras de electricidad, que no dudan en aprovecharse de un desastre social —los atentados de los guerrilleros contra las torres de transmisión— para aumentar de manera taimada las tarifas, es apenas un ejemplo de las maniobras con las que las empresas de servicios públicos, privadas o públicas, explotan a la ciudadanía y

desprecian los principios de una ética social.

Esta situación ha generado demostraciones de descontento. Por ejemplo, se han dado casos en que grupos de ciudadanos han golpeado con garrotes las puertas de las empresas de servicios, mientras otros protestan contra las tarifas sobrevaluadas quemando colectivamente los recibos, y unos más llevan a cabo conatos de linchamiento contra los funcionarios que no atienden sus quejas o cobran sueldos exorbitantes amparados por los sindicatos. En este aspecto Bogotá presenta un serio atraso administrativo que hace prever manifestaciones de inconformidad en los años venideros.

Buenas notas

Pero no todo es negativo. Entre los elementos que obtienen calificaciones relativamente favorables se encuentran los lugares de trabajo, considerados agradables por 68,7% de los encuestados. Por lo general se los tilda de tranquilos, saludables, cómodos, felices, alegres, limpios y vitales. No obstante, hay quienes los califican de estresantes; de este gru-

Edificio de la facultad de ingeniería de la Universidad Nacional.

Parque El Tunal.

po, la mayoría son mujeres. Quizá tras esta percepción subyace el temor a perder el empleo y la dificultad de encontrar uno nuevo, pues la tasa de desocupación en los años 2001 y 2002 llegó a 18%, la más alta en la historia reciente de la ciudad.

El trabajo constituye un imaginario asociado con recreación, cultura y deporte. En esta investigación obtuvimos suficientes evidencias de ello, pues en numerosas ocasiones los interrogados subrayaron virtudes de sus sitios de trabajo, como el hecho de que quedaran cerca de un gimnasio, de una sala de cine, de

sitios acogedores para caminar o de restaurantes. En cuanto a la recreación, por lo general es concebida como un modo de obtener descanso para estar bien en el trabajo.

En los últimos 10 años Bogotá ha aumentando su oferta de recreación y distracción. En efecto, hace una década sólo el 44% de la población estimaba que el entretenimiento posible de encontrar en la ciudad era satisfactorio (Silva, 1992). En la actualidad, sumadas las calificaciones que lo sitúan entre bueno y regular, se obtiene 77,4% puntos. Por otra parte, si en la muestra de hace 10 años se proponían como sinónimos de recreación las diversas actividades deportivas, ahora este término se relaciona más con cultura, definida como «aquello que nos permite ser de los mismos, parecernos o participar al tiempo en algo divertido». Este juicio está relacionado con la buena nota concedida al Parque Simón Bolívar, que por esta misma razón se encumbra como emblema de la ciudad. A distancia, pero de todas maneras reconocidos, aparecen otros lugares de recreación también asociados con el concepto de cultura, tales como parques, zonas verdes, la Plaza de Toros, cinemas, y además sol y playa. Que se mencione la playa como un anhelo no es un hecho aislado. Con frecuencia los bogotanos desean playa para su ciudad, si bien no puede haber algo más descabellado en un lugar frío y montuno situado a 2.600 metros sobre el nivel del mar. Pero sitios como las ciclovías y los parques en los domingos soleados remiten a imaginarias «playas bogotanas».

La recreación, si seguimos con los lugares mencionados que manifiestan asociaciones metafóricas, se puede entender como nicho social donde se comparte, se hacen amistades y se disfruta de las que ya se tienen. Si entendemos por metáfo-

ras urbanas el modo de hacer y generar sentidos sociales dentro de una ciudad, se puede concluir que la lista de asociaciones que inspira el concepto *recreación* conduce a la idea colectiva de que ésta es vida pública. La cultura es, en lenguaje bogotano, aquello que permite estar con otros y disfrutar públicamente una experiencia social. El término *cultura*, pues, se está empleando para hablar de recreación en el nuevo milenio. En contraposición, no se registraron como recreación acciones individuales como la lectura o el disfrute solitario de escuchar música. En este sentido, una buena intervención gubernamental para aumentar la recreación bien podría estar acompañada de publicidad en favor de las acciones públicas.

Bogotá estética

En el libro *Imaginarios urbanos* (Silva, 1992: 223) se decía que la invención de una forma profunda es característica de quien hace arte. Lionello Venturi nos recuerda que una obra de arte es única: las formas del arte son infinitas y no existe la perfección de la forma. Decir que una forma es perfecta significa que la imaginación creadora de un artista está completamente expresada en ella (Venturi,

Recicladores en El Cartucho.

1980: 24 y ss.). Que la gente califique la ciudad como hecho del arte significa que la entiende como forma inventada que rivaliza, interroga y dialoga con las formas materiales ideadas por los arquitectos, los diseñadores y, en fin, los operadores físicos. Pero tal forma es validada, si no creada, colectivamente por los habitantes mediante ejercicios grupales que hacen de cada centro urbano una gran experiencia estética construida desde el diario vivir.

Todo sentido —entre ellos el estético— se construye históricamente. Toda actividad mental es fuente de conocimiento, y por ello a través del arte es posible conocer.

Pero cuando decimos que la ciudad puede estudiarse a partir de los signos del arte, ¿qué atendemos? El *homo habitants* no produce arte porque viva bajo las formas de la arquitectura urbana. No hay que olvidar que ésta es producida por unos individuos especialistas en una materia. O sea, el resultado de su trabajo tiene una dimensión artística destinada a los ciudadanos, pero no es creada directamente por éstos. Esto obliga a estudiar la estética urbana de otra manera, donde la forma es construida por distintas marcas hechas por sus moradores. No se trata de que toda la población salga a la calle a dibujar sobre los muros y a hacer arte. Nos referimos a la tentativa de comprender la construcción de formas imaginarias que habitan en la mente de la gente y que se crean por segmentación e interiorización de sus espacios vividos, así como la proyección de los mismos mediante croquis grupales.

En las últimas décadas un impulso crítico ha hecho que el llamado *arte público* deje de cumplir su función de representación del poder establecido para ensayar en cambio la tarea —mucho más difícil— de convertir a la audiencia en público políticamente activo[22]. Esto es, se busca que mediante sus manifestaciones artísticas y comunicativas la sociedad se concientice de los problemas que afectan su interés y se apropie de la conducción de su destino en los sentidos cultural y social. Interesa destacar que el arte expresa lo que callan o desatienden los medios masivos —esto permite que se materialice su dimensión pública—, medios que se convierten en un territorio abierto para ser conquistado por las distintas intervenciones estéticas. Esta tendencia es una respuesta a la homogeneización, y en ella se revela la función social del arte, pues hace de lo público la conciencia lúcida del interés general, del bienestar[23].

Este bienestar no debe entenderse como una comodidad o tranquilidad pasajeras. Estamos hablando del bienestar del hombre proyectado hacia el futuro, de una confrontación con todas aquellas expresiones del poder capaces de impedir —como lo pensaría el filósofo Herbert Marcuse— el desarrollo de las fuerzas eróticas y liberadoras del hombre en un lugar específico, y de la humanidad como género. Existen profundas relaciones entre el arte público y los imaginarios sociales[24]. También existen estrechas conexiones entre este arte y la arquitectura, pese a que tienen diferentes modos de expresarse y construirse sobre distintas sensibilidades (Acconci, Buren *et al.*, 2002). No deben confundirse, pues, el arte público y los imaginarios con la obra del creador solitario y encerrado; tampoco deben homologarse con el arte de masas, pues los primeros no buscan masificar, intimidar ni desconocer a los ciudadanos como seres subjetivos y activos.

La producción imaginaria colectiva podría entenderse como la última expresión de la evolución del arte público. Esta interpretación explica la profunda relación mencionada entre arte e imaginarios sociales. Los teóricos del arte público recalcan que éste introduce elementos de ruptura en la lógica del monumento y de la conmemoración, pues no pretende constituir objetos de perduración o argumentos de recuerdo, sino testimonios efímeros de la intensidad del tiempo, del ahora, del instante, de lo pasajero. La producción imaginaria se preocupa por la creación colectiva de una forma con la que se representa y se vive la ciudad a partir de las calificaciones que les dan sus habitantes, por la producción de un dominio público políticamente activo, por la discusión razonada de los intereses compartidos y su conducción política.

Ante un concepto de la tradición filosófica que ha dominado desde Platón a Kant, según el cual el arte debe ser valorado, a pesar de su inutilidad, como actividad social no productiva pero destinada a trascender y a embellecer, o útil sólo como ornamento (una síntesis de

Mural en la calle 26 con tercera.

este pensamiento podría decir que «el arte es bueno porque no sirve»), en la premisa que emana de los creadores y teóricos del arte público los elementos se invierten: el arte es bueno porque es útil a la ciudad como hecho estético. Esta materia artística se revela como una construcción fantasiosa que determina el uso de cada ciudad. Por esto el es-

pacio público es siempre político, y el arte público siempre estará predispuesto a serlo.

Bajo los signos del arte no estudiamos el objeto en su materialidad, en su esencia de cosa, sino en su manifestación sensible, como hecho estético que deriva de la representación cultural. Por ejemplo, cuando los habitantes de Bogotá concluyen

que la carrera 15 es femenina mientras la Caracas es masculina, están asignando formas sensibles a un espacio, lo están antropologizando, están asociando a unas calles una marca que imaginariamente dota de sexo al ámbito urbano.

Las tentativas del arte público suelen levantarse como protesta contra el diseño y las convenciones, y sus armas son evocaciones o fantasías con las que se sugieren modos distintos de vivir o dimensiones que son más estéticas que funcionales. Veamos unos cuantos casos: cuando un grupo de jóvenes londinenses escenifica obras de teatro en el metro para romper la lógica del viaje cotidiano de los pasajeros, se constata un atentando contra un diseño urbano de transporte establecido. De manera semejante, algunos jóvenes artistas de Berlín obligan a los transeúntes a circular por la izquierda y no por la derecha de una calle peatonal para hacerles sentir que están alienados por ciertas normas de diseño. Más cerca de nosotros, las famosas Madres de Mayo de Buenos Aires, cuando dibujan siluetas de sus hijos desaparecidos en las aceras para de esta manera «hacerlos aparecer», cuentan con la complicidad de los transeúntes, que evitan pisarlas porque sienten que allí hay un ser humano. En Kassel, Alemania, un grupo de artistas[25] que trabajan en una parte muy deprimida de Hamburgo presentó en 2002 la obra *Park fiction*, con la cual, valiéndose de distintas estrategias, como el uso del video, se proponían articular los deseos de los

Malabaristas en un semáforo de la Zona Rosa.

habitantes con la construcción de los espacios físicos.

Cuando el arte abandona los museos, la ciudad, como la vida, se torna un ente cambiante, y los puntos de vista urbanos se transforman bajo los efectos de la imaginación, que da un nuevo color a la vida diaria. En estos casos el arte revela una función pública.

Hay casos en los que el arte, la arquitectura y el espacio público confunden sus límites. Examinemos uno, relacionado con un nuevo emblema de Bogotá: el arco iris de luces —como ha sido denominado por algunos titulares de periódicos— que cambian permanentemente y que bañan de arriba abajo la fachada de la torre Colpatria[26]. Este edificio de 48 pisos se ha convertido en una nueva atracción urbana. Desde diciembre de 1998 su último piso, acondicionado con modernos telescopios —como los utilizados en el Empire State de Nueva York o en la torre Eiffel de París[27]—, se ha convertido en uno de los mejores miradores públicos de la ciudad. Su ubicación es extraordinaria, pues queda en la parte más vistosa del Centro Internacional, cerca de los puentes de la 26 y de la iglesia colonial de San Diego y, hacia el oriente, del Museo de Arte Moderno, la Biblioteca Nacional y los bellos cerros capitalinos.

La seducción visual hace de esta torre uno de sus mejores puertos. El ejercicio se repite en la moda de jóvenes de estratos altos que en los fines de semana frecuentan La Calera, pequeño pueblo situado en las alturas del nororiente. Ese paseo nocturno incluye paradas en distintos sitios para admirar desde lo alto, y desde el campo, las luces de la ciudad. Se da entonces aquello que los expertos llaman *arquitectura panorámica*, cuando la ciudad se mira como ensueño, algo que quizá comenzó con el primer globo aerostático que voló en las cercanías de París en 1783 y que continúa siempre que divisamos paisajes urbanos como una totalidad y desde arriba.

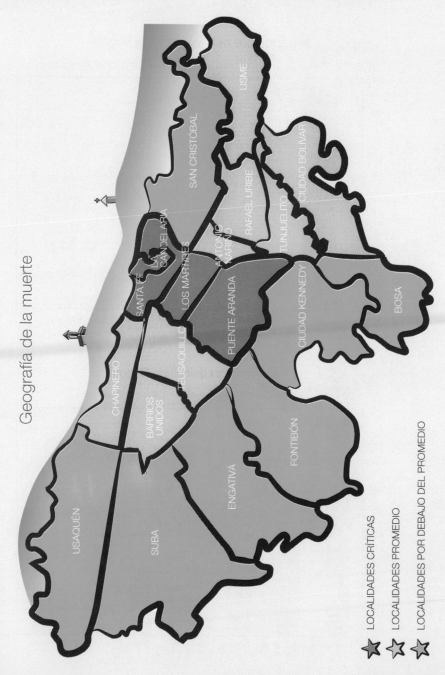

Geografía de la muerte

★ LOCALIDADES CRÍTICAS

★ LOCALIDADES PROMEDIO

★ LOCALIDADES POR DEBAJO DEL PROMEDIO

USAQUÉN

SUBA

CHAPINERO

BARRIOS UNIDOS

ENGATIVA

TEUSAQUILLO

SANTA FE

LA CANDELARIA

LOS MÁRTIRES

PUENTE ARANDA

FONTIBON

CIUDAD KENNEDY

ANTONIO NARIÑO

RAFAEL URIBE

TUNJUELITO

SAN CRISTÓBAL

USME

CIUDAD BOLÍVAR

BOSA

Aspectos que más le gustan de Bogotá

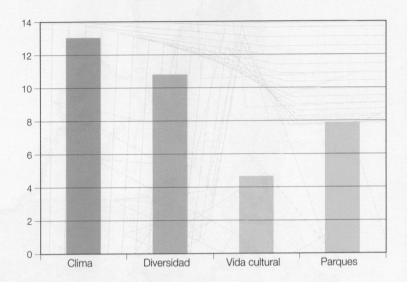

Necesidades básicas de Bogotá

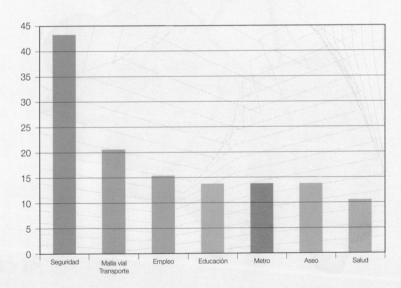

Religión o culto de los bogotanos

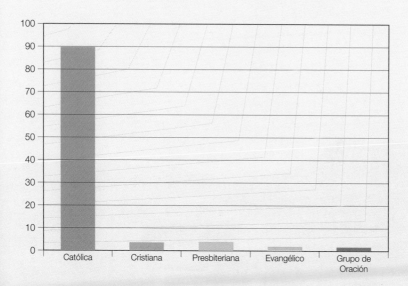

Calificación del transporte público

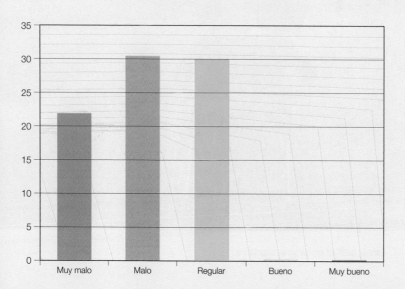

Escena habitual en las calles bogotanas.

Escenarios: Bogotá desafiante

La escena es el lugar donde ocurren hechos, los sitios donde interactúan los sucesos y las personas. Una visión teatral de la metrópoli hace de los ciudadanos unos personajes que ponen en escena sus deseos construyendo a diario lo que bien se ha denominado comedia humana.

Los *temas urbanos* son las evocaciones ciudadanas, los modos como las personas se imaginan sus actividades diarias. A partir de esta representación se elabora un cuadro de comportamiento social. Toda escena objetiva tiene otra paralela al nivel inconsciente de lo no dicho y muchas veces no expresable, un otro sitio desde donde los sujetos también hablan. A pesar de la racionalización del saber, los seres humanos del mundo moderno son susceptibles de verse afectados por aspectos mágicos o fantásticos del pensamiento, algo esencial en las organizaciones sociales. Los rumores, miedos y temores, así como las alegrías desbordadas, para mencionar algunas situaciones límite, son contundentes revelaciones fantasmagóricas, o, si se las emplea para sacarles provecho, pueden ser armas letales. Fomentar el miedo desde los escenarios mediáticos, desalentar a la gente con una permanente corrupción institucional, deteriorar o engrandecer ciertas imágenes, son mecanismos que deben estudiarse como manifestaciones de los fantasmas sociales. Algunos temas fronterizos entre lo real y lo fantástico quizá sean puntos útiles para detectar las fantasías urbanas.

En nuestra búsqueda de lo que da un sentido de ser a los bogotanos, pasaremos a estudiar los escenarios del amor, del peligro, del sexo, del comercio, de las visitas, de los recorridos, de las religiosidades, de los encuentros...

Emociones hogareñas

Las mujeres y los hombres bogotanos se autoproyectan como personas de hogar, asumen de manera un tanto forzada las presiones familiares para vivir en grupo, suelen salir los fines de semana —sin distinción de clases sociales— a los lugares aledaños para visitar a sus familiares y disfrutar del paisaje rural, cada día se encierran más en centros comerciales, van a parques cerrados, usan con alguna frecuencia restaurantes, viajan bastante y desean hacerlo aún más, en general se muestran imbuidos de un gran sentido de progreso y se dejan acicatear por la modernidad (eso explica que acudan a centros de formación para aprender o, en algunos casos, para ascender en la escala social).

¿Dónde se citan los bogotanos? Esta pregunta pone en evidencia los puntos urbanos de mayor cambio. Según las proyecciones de 1990, en ese entonces los lugares favoritos de encuentro eran las cafeterías y panaderías; ahora, como en los comienzos del siglo XX, se privilegian las casas, pero también los centros comerciales. Esta especie de retroceso se asocia directamente con las tradiciones, pero también con el descenso de la capacidad de compra y, en especial, con la percepción de inseguridad. Esta última condición se constata sobre todo en las clases altas, donde casi la mitad de los consultados reconoce la casa como el lugar privilegiado para verse con

otros; la proporción se eleva aún más entre la población mayor de 65 años.

Pero un sitio más significativo, en la medida en que todas las clases sociales lo frecuentan como punto de encuentro, de consumo y diversiones, lo constituyen los centros comerciales. Igual que las viviendas, son lugares cerrados y seguros. La asociación entre estos dos ámbitos es interesante, ya que el último representa una extensión de abrigo y vigilancia. La ubicación estratégica de los centros comerciales los convierte en referencias topográficas. En el norte de la ciudad podemos formar un triángulo entre: Uni-

Centro Comercial Salitre Plaza.

centro, Bulevar y Granahorrar o Unicentro, Hacienda Santa Bárbara y Centro Andino. El occidente ya se caracteriza por Salitre Plaza, como el sur por Sao y El Tunal; este último es el de mayor proyección en la zona, por su uso y reconocimiento social.

Otros sitios de encuentro son las cafeterías, las esquinas, los restaurantes, las iglesias y los parques. Las iglesias son escogidas para tal fin sólo por adultos mayores; el hecho de que las cafeterías aún cumplan esta función demuestra la vigencia de algunas tradiciones; en cuanto a las esquinas, ponen en evidencia rezagos de costumbres pueblerinas. De los parques puede decirse que constituyen el nuevo escenario público de los bogotanos en los últimos cinco años, a raíz de la recuperación de algunos que estaban abandonados o se habían dejado inconclusos, y la creación de otros nuevos.

Junto a los sitios de encuentro están los de diversión, que han aparecido siguiendo el estilo de los parques temáticos de los Estados Unidos, lugares donde la osadía y el riesgo son propuestos como la esencia del entretenimiento. Allí se encuentran las montañas rusas, los martillos voladores, las máquinas de vértigo, los parajes acondicionados para saltar desde grandes alturas. En el sur de la ciudad se encuentra Mundo Aventura, en el antiguo aeropuerto de Techo, en el occidente está El Salitre, y en el norte Camelot, dentro del centro comercial Bima. Tanta acogida han tenido estos parques que se han convertido en una de las principales atracciones turísticas para gente de provincia que visita Bogotá.

Otros escenarios de diversión son El Campín, las ciclovías, el Palacio de los Deportes, la Plaza de Toros, el velódromo, algunos centros comerciales —en especial Unicentro, Centro Andino, Plaza de las Américas y Sao—, museos como el del Oro, Maloka, Nacional y Moderno; teatros, como el Colón, La Castellana, la Media Torta, el teatro Libre y el de La Candelaria; ciertos barrios, calles, restaurantes, clubes, universidades —en especial la Nacional y la Javeriana—; sitios aledaños a Bogotá como Chía, La Calera, Cajicá, Facatativá y Madrid. En lo que respecta a los medios, los bogotanos reconocen que la televisión hace las veces de un lugar que propicia el encuentro con la familia y donde

halla diversión, sobre todo luego del trabajo y en los fines de semana.

Deseos en pantalla

Quizá sea el humorista Jaime Garzón quien mejor haya captado en nuestro medio la relación entre ciudadanos y televidentes. Debido a su amplio reconocimiento como figura bogotana y a su identificación como personaje de la televisión, transcribimos una nota publicada inmediatamente después de su multitudinario entierro (Silva, 1999a):

«Nadie pensó que Garzón fuera tan importante. Luego de su muerte violenta se ha podido ver a un pueblo movilizándose con ira y desconsuelo, celebrando un duelo obligado. ¿Qué poseía Garzón para hacer llorar a tantos bogotanos? ¿Estamos ante un fenómeno de masas que toma su cuerpo justo cuando su líder es inmolado? Habría dos motivos para intentar explicar su designio como líder moderno.

»El primero responde a factores identificatorios y consiste en haber creado y logrado, por medio del humor, la representación de unos individuos reales, personajes populares, que usualmente la literatura social entiende como bárbaros e incapaces de transgredir un orden social dominante. Si en Cantinflas sus personajes fueron agachados, nacidos para perder, o acaso para despertar lástima y, en el mejor de los casos, triunfar por equivocación, para lo cual el mismo lenguaje es timador y en permanente tartamudeo, como el de un discapacitado, en Garzón se da lo contrario. Sus creaciones son vivas e inteligentes. El lustrabotas golpea con el cepillo la rodilla de su cliente y le enrostra su picardía y poder egoísta. La empleada del presidente sabe sus secretos y le maneja el menú para obtener resultados. Lo mismo puede decirse del vigilante, quien conoce todo el funcionamiento del edificio y es capaz de vaticinar acciones, y así todos los demás. Sus personajes populares vehiculan sujetos de cambio, transgreden reglas y se atreven a pensar y soñar otra sociedad, resquebrajando la existente.

»De otro lado los poderosos (con los cuales también Garzón gozó de sus gracias) son llamados, como en sermón cristiano, a cuentas ante el tribunal simulado de la justicia. El más rico del país es mostrado arrogante y en contubernio con la clase política. Los presidentes o presidenciables aparecen en situaciones indecorosas como en baños turcos o bailando lambadas mientras sus cuerpos se descomponen; el militar es señalado en su despiste de guerrero y aterradora incompetencia verbal. Es posible que varias de sus fantasías sean exageradas o injustas, pero son creíbles. Así, en la confrontación simplista entre ricos, feos o poderosos y pobres o listos, que podría ser el guión de una telenovela de claro gusto popular, encontró Garzón algunas claves para un programa político en donde se dirime cierta justicia social posible. Por esto su humor fue político, por político lo mataron y por eso mismo es llorado.

»El segundo motivo es comunicativo, y nos referimos a la televisión. Garzón nació con la televisión y ha sido una de sus mejores realizaciones. Sus noticieros respetaron el modelo por secciones y les agregó la contrainformación; sus personajes nacieron de contextos dramáticos y fueron llevados a la pantalla sin la grandeza de la literatura o el cine, sino como trazos de caracteres fragmentados para TV; sus *clips* siempre fueron efímeros y punzantes y se cuidó, con inteligencia práctica, de no dejarse agotar por la repetición. Conservó así algo que lo hizo siempre fresco: la novedad. Y éste es un secreto de la publicidad televisiva, hacer desear lo que se ofrece, mostrándolo siempre fresco».

Según la ANIF[28], hace 15 años más de la mitad de los bogotanos admitía querer ir a los parques en su tiempo libre. Una década después, el Observatorio de Cultura Urbana comprobaba que más del 75% del tiempo libre era ocupado en ver televisión. Si bien en los primeros años del nuevo milenio la gente ha vuelto a utilizar el espacio público, éste debe compartir las preferencias con la pantalla chica[29].

Garzón encontró casi que en estado de inocencia la televisión, y decidió usarla como arma lúdica y política. Así pudo proyectar los desacuerdos del público con la dirigencia del país tanto como sus deseos de venganza. De este modo forjó un humor distinto del chiste bobo de Montecristo, de los cuentos verdes de la *Nena* Jiménez o de los familiares y fofos de *Sábados felices*, el más antiguo de los programas humorísticos producidos por la televisión colombiana. Por la novedad podría relacionarse con el humor de Mr. Bean, sólo que el del inglés es universal, mientras que el de Garzón fue siempre colombiano. De todos modos, el suyo fue un tipo de humor concebido y montado para la televisión, lo que indica un avance hacia la modernidad de nuestras representaciones. Su capacidad simbó-

lica quedó más que demostrada con la masiva movilización que concitó su sepelio. Era la primera vez que en Colombia la ciudadanía se concentraba en tales proporciones ante el asesinato de un hombre de medios.

Ese crimen, a todas luces perverso por el efecto de carambola que previó, digno de una mente u organización alucinada, movió a una colectividad que niega ser masa mediática y que acude a distintos argumentos para defender su derecho de ser dueña de su destino. En este caso la televisión no hizo bobos y adormecidos televidentes, sino ciudadanos beligerantes.

Miedos en escena

El estudio sobre *Territorios del miedo en Bogotá* (obra de Soledad Niño y otros autores) coincide con el nuestro en los sitios de percepción de peligro: El Cartucho es la zona más tenebrosa, y destaca ejes norte-sur que son especialmente intimidantes, como la avenida Caracas. Pero dicho estudio llegó a la conclusión de que 73% de los encuestados le tienen miedo a la ciudad[30], mientras que, según el nuestro, sólo 45% declara ese temor.

Sobre la aprensión que inspira el centro deben hacerse algunas observaciones. Las mujeres otorgan mayores marcaciones de recelo por este sector. Varias reconocen que cuando pasan por allí, como medida de seguridad se hacen acompañar por varones. La carrera décima es especialmente intimidatoria para mujeres de edades entre 15 y 40 años. Ahora, si atendemos no al género sino a la edad, los jóvenes son el grupo que más desconfianza expresa por el centro, a pesar de ser un sec-

tor de universidades y centros educativos. Ellos prefieren hacer gestiones en otros lugares de la ciudad. Si nos concentramos en la percepción de los individuos clasificados por clases sociales, encontramos que los estratos populares desconfían más de los lugares céntricos (en las encuestas aparecen representados con más del 50% de las marcaciones).

El centro atrae por ser el escenario de la cultura, de la banca, de las

Manifestaciones de violencia en el centro de la ciudad.

Celador de un establecimiento comercial.

universidades, de la historia, de la memoria, pero produce miedo por sus fantasmas de robo y asalto. Su riqueza cultural es incuestionable: concentra 22 universidades, 85 sedes culturales, 160 colegios públicos, 183 organismos estatales, alrededor de 400 oficinas financieras y 12 hospitales[31]. Además, es el punto de evocación ciudadana: cuando se piensa en Bogotá, este sector gana 84% del reconocimiento entre personas de todos los géneros, clases, edades y ocupaciones.

Los sanandresitos son sitios hechos con mentalidad muy colombiana, donde se venden artículos de contrabando y objetos de segunda o de dudoso origen; no tienen marcaciones atemorizantes, pero son reconocidos por su desorden. Los paraderos y los puentes merecen especial desconfianza entre los ancianos bogotanos. La percepción de la avenida Caracas, considerada la arteria más terrorífica hasta finales de siglo, cambió radicalmente cuando entró en servicio el sistema de transporte colectivo Transmilenio. Son pocos los sectores que obtienen marcaciones relacionadas con el peligro. El sector nororiental es percibido como el más seguro. Esto nos lleva a pensar que Bogotá sólo es peligrosa en ciertos lugares y, que al contrario de lo que se piensa, como totalidad, al menos en el 50% de las marcaciones, es sentida como confiable.

Aromas que se esparcen

Los escenarios relacionados con malos olores tienden a asociarse con el peligro: El Cartucho, la zona industrial, el centro, la avenida Caracas, los puentes, los paraderos, los buses y las plazas de mercado. En esta clasificación también deben contarse algunas zonas abiertas, como las salidas sur y occidental de la capital; en la primera domina el hedor del río Bogotá, y en la segunda el del río Amarillo.

El mal olor también está relacionado con la venta de comidas callejeras. Un sector significativo de la población asocia el mal olor con comidas criollas como la morcilla y el cerdo, con ventas de cerveza y con vendedores ambulantes de comida. Los croquis de peligro, malos olores y ventas callejeras están vinculados por una misma raíz: la pobreza. Estamos, pues, frente a una segregación espacial que se expresa por imaginarios olfativos. Curiosamente, no se trata de una discriminación de clase, ya que incluso los sectores populares y medios que habitan estas zonas las identifican como sectores de olores desagradables. Esto hace pensar que o existe un fuerte reconocimiento social por las apreciaciones olfativas de los poderosos, que por tal virtud son aceptadas como válidas por los demás estratos sociales, o bien que los sectores populares reconocen que los sitios donde viven y algunas de sus prácticas efectivamente son fuentes de tufos desagradables.

Hay sitios que a pesar de no oler bien no son asociados de modo relevante con el peligro: Chapinero,

El Campín, Usaquén, Siete de Agosto, Corabastos, La Perseverancia, Paloquemao, Venecia y la plaza Kennedy. Todos ellos tienen algo en común: una plaza de mercado. Esto hace pensar que en la mentalidad bogotana se está expresando una fuerte tendencia de rechazo por estos lugares, o que se desea su emplazamiento en construcciones más higiénicas y limpias, cuando no su completo reemplazo por supermercados, que por cierto no obtienen ninguna marcación negativa. Si es así, esos reductos provincianos que son las plazas están a punto de desaparecer, y con ellas muchos elementos nostálgicos y rasgos pintorescos de la vida pueblerina. Sus posibilidades de subsistencia son escasas, a no ser que medien transformaciones modernistas. Esta tendencia va en contravía de una nueva cotización social que en muchas ciudades del mundo han ganado los mercados móviles callejeros donde se venden verduras, lácteos y frutas frescas.

A partir de 1998, con la llegada de hipermercados como Carrefour, Makro y Éxito, y la ampliación de otros como Carulla y Ley, así como la apertura de macrocentros dedicados al hogar, como Home Center y Sentry, se constata una evolución de los lugares donde se adquieren bienes de consumo. A pesar de ello, Bogotá es una de las ciudades grandes del mundo donde menos se compra en supermercados. Según un estudio de Fenalco, las ventas que realizan los grandes hipermercados equivalen al 22% del total transado en el comercio formal, mientras en Suecia la participación de estos almacenes equivale a 95% y en Chile a 45%. Esto implica que los tenderos de barrio, así como las plazas y tiendas especializadas, todavía se quedan con buena parte de las transacciones.

Mientras en España y Francia hay un supermercado por cada 7.000 habitantes, en Colombia hay uno por cada 35.000[32], y en Bogotá uno por cada 22.000. No obstante, se registra una curva ascendente en su participación comercial entre 1999 y 2000, que apenas se mantiene en nuevos estudios adelantados por Fenalco en 2002, luego de que las ventas crecieran en 3,5% durante el año 2001. Los productos que lograron incrementar ventas en estos centros fueron comidas, revistas, libros, papelería, recreación y cinemas. La mayor parte de estos elementos está asociada a descanso y cultura, lo que indica que este escenario comercial

Puesto de fritanga.

tiene cada vez más proyección cultural y sabe cubrir las necesidades relacionadas con el ocio familiar.

Los bogotanos tienden a percibir los mejores olores en sitios verdes, abiertos y arborizados, como los parques. En especial se citan el Parque de la 93 y el nuevo Parque del Virrey. Un buen olor se asocia con seguridad, tranquilidad, belleza, y la imaginación colectiva lo representa con carácter femenino. Los croquis olfativos nos revelaron que éstos no sólo poseen un alto componente de género, sino también de condición social: mientras el Parque de la 93, la carrera 15 y otros sitios nororientales se asociaron con mujeres caminando o en vitrina, la vieja avenida Caracas, la carrera décima y otros sitios céntricos se relacionaron con hombres vigilantes o groseros. Los lugares reconocidos por sus buenos olores corresponden a sectores habitados por estratos altos.

Resultó muy significativo que en la Navidad del año 2000, cuando la Alcaldía invitó a los ciudadanos a disfrutar del Parque de la 93, donde instaló una pista de hielo gratuita, hubo una gran afluencia de gente humilde que llegó con sus ollas para calentar sus alimentos, que acompañaban de cerveza. Los habitantes del

Puestos ambulantes de comida en San Victorino.

lugar, de estrato alto, gritaron por todos los medios que su parque les olía mal. A pesar de que esta invasión también estuvo acompañada de ruidos e imágenes displacenteros, el olfato fue el sentido escogido para argumentar que esta fiesta popular no podía repetirse.

Un nuevo escenario que proyecta cierto optimismo, asociado con buenas fragancias, es el Parque Central Simón Bolívar. Optimismo porque es un lugar popular visitado por toda clase de gente, porque en poco tiempo se ha erigido en un nuevo símbolo de la ciudad, y porque es una especie de laboratorio de convivencia donde la segregación social parece haberse desvanecido. Llama la atención que otros espacios vecinos y de similares características, como el Jardín Botánico, que alberga la mayor muestra de árboles nativos de la ciudad, un lago, una gran variedad de aves y otros animales, además de un bello jardín de rosas, no se asocien de manera significativa con los gratos aromas. Quizá el motivo radique en que el parque Simón Bolívar está hecho para disfrutar del tiempo libre, para celebrar la Navidad con espectáculos pirotécnicos, para pasear por extensas zonas, mientras que el Jardín Botánico puede estar más asociado con la pedagogía, con guías que explican y enseñan las riquezas naturales de la ciudad.

Estudiantes en el Parque de la Independencia.

De manera indirecta también son recordados por sus buenos olores algunos centros comerciales, en especial Centro Andino, Hacienda Santa Bárbara, Sao y El Tunal. En estos casos la buena percepción sensorial se ve acompañada de seguridad, amplitud y posibilidad de emprender relajantes caminatas.

Entre los sectores populares, el Parque El Salitre, con sus almuerzos familiares al aire libre, sus ruedas y diversiones mecánicas, sale muy bien librado cuando se establece una relación entre clases sociales y escenarios olfativos. Con el pasar de los años este parque se ha convertido en sitio de desenguayabe tras las fiestas navideñas, también en sitio ideal para llevar a la novia los domingos —función que antes cumplía el Parque Nacional—, y, además, en lugar donde concurren los colegios para que los alumnos disfruten entre semana de los juegos mecánicos. Como punto de rituales urbanos de sectores medios y populares, merece un unánime reconocimiento.

Bogotá desafiante

Una nueva Bogotá, la del porvenir, crece al suroccidente, entre los sectores de Fontibón, Kennedy y Bosa. Se trata de un nuevo espacio público que permite nuevos recorridos y rutas a los peatones. Cuenta con un novedoso esquema de parques de barrio y metropolitanos que ha triplicado y pronto cuadruplicará el espacio verde de la ciudad, con un sistema de transporte organizado y rápido. Allí, en medio de los viejos olores de la tradición harinera de la ciudad, surgen nuevos escenarios. Se proyecta una Bogotá desafiante de sur a norte que evoluciona de lo informal a lo formal, una ciudad de jóvenes que se impone sobre la de los viejos, una metrópoli que crece y se hace sentir. Muchos de estos nacientes escenarios constituyen una auténtica subversión estética y apuntan a inéditas figuraciones ciudadanas.

Esto en parte se debe a los nuevos mandatarios, representantes de la academia antes que de la clase política pícara y feudal, en parte a la investigación que diversos sectores vienen haciendo sobre los temas con ella vinculados[33] (junto con Ciudad de México, Bogotá es la capital latinoamericana que más estudios sobre la cultura citadina y

vida cotidiana propias ha concitado), en parte por su presencia en los medios, por su literatura y su música y, en especial, porque sus habitantes han empezado a exigir. Efectivamente, la gente se ha politizado, pero no para adherirse a un partido sino para reclamar por valores urbanos en las diversas dimensiones de su existencia: se demandan servicios, honradez pública, sitios para disfrutar, modas, buen gusto, relax, goce, calles para caminar, calidad del aire, ciclovías, descontaminación, educación, tecnología y valores estéticos. Se reclama, en fin, modernidad.

Quizá sea el espacio público el elemento que en Bogotá más se transforma en un sentido positivo. Según un sondeo de opinión adelantado en 1999, la percepción que los moradores tenían del espacio público era muy mala; en 2000 esta calificación se mantuvo entre 64,6% de los consultados. Pero en la muestra del año 2001, 56% empezó a considerarlo como bueno, en contraste con 23% que lo calificó como muy malo. Como es de suponer, los afectos que despierta la ciudad en gran medida están condicionados por la percepción del espacio público. Si la valoración de este tema continúa ascendiendo, podrá llegarse a un punto de salud mental que

Panorámica del sur de Bogotá

hará que los pobladores asuman la ciudad como suya, que asimilen lo público como extensión de su individualidad. No hay que olvidar que los sujetos de la ética son los individuos aunados en comportamientos sociales; a fin de cuentas son ellos los responsables del bienestar o malestar que haya en el mundo.

La parte suroccidental de la ciudad fue redescubierta desde el aire, desde helicópteros[34]. Desde lo alto se divisaron las relaciones de continuidad entre tres zonas de estratos medios y bajos —Fontibón, Kennedy y Bosa— con sus vasos comunicantes: zonas verdes y vías. Se diseñó un plan urbanístico que incluyó bibliotecas, colegios, ciclorrutas, parques y polideportivos que se construirían en el sector, atravesados por una gran avenida, la Ciudad de Cali, que actuaría de nuevo límite entre la ciudad informal, situada detrás de las zonas del porvenir ya mencionadas, y el occidente y norte, donde habitan sectores medios altos y altos.

Recorrimos las ciclorrutas del porvenir[35], 17 kilómetros que en buena parte atraviesan zonas despobladas, pero que también unen varios sitios de la comunidad en un trazado imaginario que poco a poco se va volviendo realidad. Decimos *imaginario* porque aún en el año 2002 estas vías no llevan a ningún lugar específico y sus límites son en su mayoría zonas despobladas y potreros. Pero también es *realidad*, porque alrededor de ese diseño de vías solitarias se están construyendo, en el sur, viviendas que unen los barrios existentes. Uno de los aciertos de este programa consiste en haber vislumbrado un espacio de encuentro entre bibliotecas y parques, de los que los habitantes, muchos recién llegados de zonas rurales, se han apropiado con familiaridad.

Sitios de referencia como las bibliotecas están preparados para recibir nuevas y modernas demandas: Internet, chateo, libros, videos, televisión. Los edificios de las bibliotecas representan hitos de reconocimiento, haciendo las veces de las iglesias de barrio, lo que de por sí significa una secularización de la sociedad bogotana. Los colegios donde estudian los niños de estas zonas son coadministrados por instituciones escolares de estratos altos o por

entidades culturales que han demostrado capacidad y honestidad administrativa. Por eso son también lugares de recreación y están dotados con piscinas y cafeterías comunales, antiguo privilegio de otros sectores.

La biblioteca El Tintal, situada en la avenida Ciudad de Cali con la calle séptima, cuenta con una sala dedicada a libros y producción visual sobre Bogotá, auspiciada por la Cámara de Comercio. Al año de su fundación, en mayo de 2002, dicha sala presenta índices de lectura y consulta muy halagüeños: cerca de 40.000 visitantes por año, en su mayoría varones (62%) entre los 13 y 55 años, pertenecientes a las localidades de Bosa, Kennedy y Fontibón, estudiantes de bachillerato y universidades. Los libros más leídos, según nos informa su directora, son los relacionados con los equipos de fútbol de la ciudad y con datos concernientes a Bogotá[36], para tareas de colegio o investigaciones.

La Alameda El Porvenir es el parque lineal más grande del mundo, y conecta, además de las tres zonas mencionadas, al municipio de Soacha, donde se podrá llegar a pie o en bicicleta desde distintos puntos del sur y del occidente. Según testimonios, una persona que vive en Soacha y trabaja en Bosa, que podía

Biblioteca Virgilio Barco, diseñada por Rogelio Salmona.

tardar más de una hora[37] caminando para encontrar un bus que lo transportara, gasta ahora en bicicleta, hasta su lugar de trabajo, 20 minutos. Estos cambios, en conjunto, proponen el desafío de asimilar nuevos hábitos y maneras novedosas de usar la ciudad. Su gestor, el ex alcalde Enrique Peñalosa, comprendía el significado de proyectar una metrópoli más igualitaria. «No es posible —decía— darles a todos los ciudadanos automóviles, computadores o viajes al exterior y otros bienes de consumo individual donde se expresa la subjetividad capitalista moderna. Pero lo que sí es posible darles a todos son bienes y

con variadas comodidades de infra-estructura, se levantó una soberbia escultura de Bernardo Salcedo, uno de los viejos iniciadores del arte urbano en Bogotá. Esta obra, unos álamos gigantes propuestos en esca-la de mayores a menores, con ritmos cambiantes, es usada por los niños para jugar a las escondidas y por los mayores para disfrutarla como paisa-je limítrofe entre un barrio y otro. Cuando se usa el arte, desaparece esa aura restrictiva que sólo admite la mirada. *Los álamos* de Salcedo han contribuido, además, a transferir la referencia identificatoria de unos olores nauseabundos, debidos a unos canales de aguas negras que ya se están canalizando, por unas miradas emocionadas. Es decir, los malos olores se volvieron buenas vistas.

Tres escenarios concluyen el panorama del porvenir de nuestra ciudad: las panaderías, Transmilenio y las ciclorrutas.

Pan caliente a toda hora

En una investigación de 1990, las panaderías donde se vende pan ca-liente a toda hora fueron escogidas como el primer lugar de encuentro ciudadano. Ahora apenas ocupan un modesto tercer lugar, pero sus olores siguen siendo reconocidos entre los

servicios públicos de buena calidad como escuelas, educación, bibliote-cas, parques, andenes, transporte rápido y moderno y posibilidades de recorrer su ciudad a pie para disfrutarla y apropiársela».

En el límite que separa la biblio-teca El Tintal de la ciudadela El Recreo, donde se levanta una urba-nización para estratos medio bajos,

favoritos de los bogotanos. Se puede decir que no hay barrio que no tenga varias panaderías y que incluso por cada cuadra haya más de una. Con frecuencia, en los sectores medios y populares, a medida que se urbaniza, luego de terminada la primera calle y cuando apenas se han levantado unas cuantas edificaciones, el primer negocio que se abre es una panadería, que a veces también oficia como cafetería. Es un excelente punto de encuentro con los amigos y vecinos, quizá porque nunca han sido señaladas como portadoras de malos olores, y porque no se las concibe tristes ni peligrosas.

Las panaderías constituyen el escenario tradicional que más respeto merece a los bogotanos. Por algo, cuando se invita a alguien a casa, se le ofrecen unas onces con pan. Esta costumbre de las onces tiene su explicación. Se trata de una tradición campesina que la ciudad hereda: las onces aluden al mismo número de

Ruta de Transmilenio en el eje ambiental.

horas contadas a partir de las cinco de la mañana, hora en que la gente se levanta. Es costumbre que todavía se mantiene y ha sido revivida en sitios públicos como Casa Medina, las panaderías de Carulla, el salón de onces Yanuba, Centro Chía, y en panaderías situadas en las salidas sur y norte de la ciudad. El ritual de tomar café con leche y pan a las cuatro de la tarde, o un poco más tarde, cuando se aproxima el crepúsculo, se ha vuelto tan característica que los adultos la tildan de «costumbre santafereña», recordando el tiempo cuando Bogotá se llamaba Santa Fe. Quizás el lugar más emblemático relacionado con esa costumbre sea la pequeña tienda Puerta Falsa, ubicada en el barrio La Candelaria, que ya cuenta con 70 años de antigüedad.

Metro soñado

Las percepciones que nos dan nuestros sentidos producen relaciones curiosas y reveladoras. En un sondeo sobre Transmilenio, un porcentaje significativo de encuestados confesó que cuando veía uno de esos gusanos rojos se imaginaba comiendo sandía, sentían ese fresco sabor del agua roja con pepitas negras. Hay quienes, en cambio, no trasladan a sabores su percepción, sino que la definen en términos de vértigo: creen que van en una montaña rusa o que son pasajeros de una bala. Como quiera que sea, en lo que más se insiste es en la imponencia de su color: casi la totalidad de los entrevistados constataron un cambio en la percepción cromática de la ciudad, que de gris pasó a roja. Ahora, si se trata de averiguar por las evocaciones olfativas, un gran porcentaje coincide en que el nuevo sistema de transporte les huele a postre de fresas. E imaginan que es un metro. De hecho, por su condición de sustituto, comenzó llamándosele, con desilusión, el metro de los pobres.

Transmilenio aparece cuando Bogotá empieza a trazar una curva ascendente de amor por sí misma. Su significado es apenas comparable con otro hecho iniciado hace más de 26 años, que también produjo un tipo de movilización: las ciclovías. Ciclovías y Transmilenio han dotado de una sensibilidad distinta a los habitantes de una ciudad siempre considerada como lluviosa y nublada. El cambio de generaciones viene acompañado de unas maneras de ser más acordes con lo que se registra en el resto del mundo. Por eso Bogotá ya no se identifica con los melancólicos y enruanados bambucos y torbellinos, sino con el rock y la música electrónica. No es descabellado, pues, establecer conexiones entre un bus que se mueve como una bala y huele a fresas, y el rock que nos estremece con sus notas impulsivas y sus ritmos frenéticos y corporales.

Por su parte, la percepción del tiempo, siempre complejo y subjetivo, sufre un proceso de aceleración. El incremento de velocidad en las actividades nos exige experimentar más cosas, y a veces, incluso, vivir de manera casi simultánea en distintos lugares. Hasta hace poco, la celeridad del mundo contemporáneo no era percibida en nuestra capital por efecto de los trancones o atascos vehiculares. Quienes se movilizaban sentían que no avanzaban, que perdían el tiempo. Ahora, con Transmilenio, se desbocan hacia la percepción de la velocidad, algo que los conecta con un mundo más global, con la vida característica de otras grandes ciudades modernas, y que les descubre que pueden ser felices viajando por su ciudad, algo que antes resultaba impensable.

Los busecitos de juguete fabricados en China volaron entre los ciudadanos deseosos de tener en su propia casa una representación del más veloz de los *gusanos*. Es como

llevarse un pedacito de la ciudad para convertirla en un juguete familiar. Muchas luchas vendrán, incluso de carácter totémico, en las que se intentará destruir o divinizar este reciente ícono bogotano.

A pesar de los cambios favorables que introdujo, a dos años de funcionamiento Transmilenio ya empieza a mostrar inconsistencias, en especial provenientes de su incapacidad de reemplazar a un verdadero metro. Las largas colas de espera en las estaciones, los accidentes originados por las escasas medidas de seguridad ante la alta velocidad de unos enormes vehículos que siguen cruzando calles de tránsito tradicional, y el desencanto de no ver solucionados de modo definitivo todos los problemas de transporte público, hacen que la ciudadanía vuelva a soñar con el metro como solución a futuro. El espejismo de Transmilenio funcionó, pero llega a sus límites. Si bien este sistema ha incrementado la velocidad del transporte masivo, no ha logrado reducir al máximo la accidentalidad ni crear nuevos ambientes urbanos, sitios de encuentro distinguidos por sus puestos de revistas y servicios de *clips* televisivos, como se observan

Parque El Virrey en la carrera 15.

en las estaciones subterráneas o elevadas de los metros.

Ciclovías como playas

En opinión del 76% de los bogotanos encuestados, el aumento de la calidad de vida está relacionado con el mayor acceso a la cultura, la recreación y el deporte; en un estudio paralelo al presente por parte de «Bogotá Cómo Vamos», el 72% relacionó los progresos en tal sentido con las mejoras en el transporte; finalmente, otro sondeo reveló que para el 70% de los indagados la calidad de vida aumentaba con el arreglo de parques y zonas verdes.

En Bogotá, el gran escenario de diversión asociado al deporte son las ciclovías. En rigor, El Campín, las ciclovías y ciclorrutas, y el Palacio de los Deportes suman cerca de 34% de las preferencias de la gente a la que le gusta practicar algún deporte, disfrutarlo desde las tribunas o divertirse. Aunque estos sitios son frecuentados todos los días de la semana, resultan especialmente concurridos los domingos.

Dado que en Bogotá el automóvil tiene una connotación elitista, las ciclovías y ciclorrutas son vistas como un elemento de una sociedad más igualitaria. Si bien se han ejecu-

tado más de 400 kilómetros de ciclorrutas, hay que reconocer que el éxito de esta iniciativa se debe más a la participación ciudadana que a la construcción de una infraestructura adecuada para el desplazamiento de ciclistas con suficiente seguridad y confort. De acuerdo con cifras del Instituto de Medicina Legal y Ciencias Forenses, las lesiones fatales por accidentes de tránsito en ciclistas se incrementaron en 61% entre 1999 y 2000, pasando de 59 casos en 1999 a 95 en 2000. En 2001 la cifra ascendió a 102 muertes (Flórez, 2002a: 7).

Entre semana, las ciclorrutas son de particular uso masculino: 95% de quienes las transitan son hombres; en cambio, los domingos es igualitaria la participación de ambos géneros en las ciclovías. La preferencia también demuestra ser esencialmente juvenil: 41% de los usuarios están entre los 21 y 30 años, y los individuos del grupo que le sigue, representado por 26% de los ciclistas, están en un rango de edad que oscila entre los 31 y 40 años.

Además de las ventajas que habitualmente se le reconocen a este medio de transporte —no contamina, es económico, y al tiempo que moviliza permite hacer deporte—, en Bogotá cumple el papel de civilizador urbano. El hecho de que se use sin distinciones de clase, que se implemente cada vez más como transporte cotidiano y que sea la excusa perfecta para que la gente salga los domingos a exhibir sus cuerpos, demuestra que la bicicleta puede convertirse en un emblema ciudadano. Si se logra el propósito de hacerla parte del Plan de Desarrollo del sistema Integral de Transporte, estaríamos *ad portas* de un fenómeno social en el que la gente, dueña por fin de las calles, empezaría a pedir y a defender sus derechos, a reclamar más vías, seguridad, aire limpio y, en fin, belleza.

Las ciclovías han inspirado variados símiles y metáforas, pero hay uno que refleja un profundo deseo bogotano: tener playa y mar a 2.600 metros de altura. Como ello no es posible, las ciclovías y ciclorrutas han sido propuestas como sustitutas. A las ciclovías se acude para ver, en domingos y días festivos, mujeres en pantalones cortos, para caminar sin prisas y hasta seductoramente; en ellas se usan cremas para el sol, se llevan gafas oscuras y hasta se habla con otros caminantes, así sean desconocidos; en ellas se recrea la vida de un buen día playero: son un lugar al que se va para disfrutar mirando y para ser mirado. Las ciclovías y ciclorrutas han nacido como un desafío al frío bogotano, a su carácter andino cerrado, a conceptos moralistas que niegan el cuerpo, al elitismo excluyente, donde el placer se practica a escondidas y es derecho de unos pocos.

A manera de síntesis se puede decir que los escenarios placenteros elegidos por los bogotanos, cuando se trata de estar en movimiento, son las ciclovías y Transmilenio (50,4% de los consultados); si se indaga por lugares cerrados, son los centros comerciales (60%); si se interroga por espacios abiertos, es el Parque Simón Bolívar (71,6%).

Notas

1. Según información del Ministerio de Comercio Exterior, en el año 2001 ingresaron a Colombia 610.319 millones de dólares por exportación de flores. En esta área el país participa en el mercado internacional con 21,3% de la producción global, y de ese porcentaje Bogotá aporta una cuota muy significativa. Pueden consultarse datos al respecto en la página web www.mincomex.gov.co

2. Alusión a una reunión de artistas celebrada en Bogotá en agosto de 1985, en la que Alejandro Obregón, el crítico francés Pierre Restany y el autor del presente libro hicieron las veces de coordinadores.

3. Nos referimos al ex alcalde de Bogotá de origen boyacense Jaime Castro (1992-1995).

4. Véase www.lonjadebogota.org.co

5. Julio Dávila citando la obra de Fabio Zambrano *Historia de Bogotá,*Villegas Editores, Bogotá, 1998.

6. «Viva la nueva Jiménez», El Tiempo, 24 de febrero de 2001, pp. 1 y 6.

7. Taller de indicadores urbanos de Bogatá, http://web.minambiente.gov.co/oau/nucleo-arriba.php

8. Véase una ampliación de este tema en Armando Silva, *Incontro: Italia en Colombia,* 2000c.

9. *Novena y oración al Divino Niño Jesús,* véase bibliografía.

10. http://www.terra.com.ni/ocio/articulo/html/oci27862.htm.

11. Información bibliográfica sobre el tema en Armando Silva, «Bogotá y su cultura contemporánea», 2001a.

12. Para mayor información véase mi ensayo «Cultura de Colombia en el siglo XX» próximo a publicarse en el libro de Felipe Domínguez *Quiénes somos Colombia,* ed. Bogotá, 2003, donde me ocupo de la relación entre ciudad, literatura y arte; y el texto de Juan Gustavo Cobo Borda, *Mito, selección de textos,* Bogotá, Instituto Colombiano de Cultura, 1975.

13. Realizado con estudiantes de la clase de comunicación visual de la Facultad de Artes de la Universidad Nacional de Colombia, seminario-taller sobre ciudad, 1994.

14. Muestreo adelantado por los estudiantes Camilo Salazar, Leonardo Rodríguez, Germán Ramos, Camilo Castillo, Pablo Estrada, Ingrid Numpaque, Juan Moncaleano y Liliana Quevedo, del curso de contexto Pensamiento visual contemporáneo, Universidad Nacional, a cargo de Armando Silva y con la asistencia de Marcela Guzmán.

15. Subidirección de Programas de Ciencia y Tecnología, Colciencias, convocatorias entre 1996-1997.

16. Según cuentas de Malaver y Perdomo, quienes demuestran también que Colombia —y por ende Bogotá— está muy apartada de los estándares internacionales: mil investigadores por cada millón de habitantes. Debiera tener 42.000 en el año 2003, pero en 1997, valga la fecha como muestra, sólo tenía 7.000, lo que da un promedio de 194 por cada millón de habitantes, o sea, apenas 20% de la media internacional e inferior al promedio de 209 de América Latina. En grupos de investigación, según Colciencias, en 1997 Bogotá concentra el 40% del país, al menos en cuanto a sus convocatorias.

17. Véase www.pricewaterhouse.com

18. Información obtenida de uno de los operadores nacionales (007) el 15 de marzo de 2001.

19. Según estudio de la Agencia Japonesa de Cooperación Técnica JICA, citado por Olga Bermúdez, 2001, p. 7.

20. *El Tiempo,* «Colombia, un mal vividero», Bogotá, 26 de abril de 2002, pp. 1-2.

21. Véase bibliografía.

22. José Brea, presentación en el seminario internacional Arte Público (Medellín, 1997) de su libro *Un ruido secreto...* (véase la bibliografía).

Calle o sitio más alegre

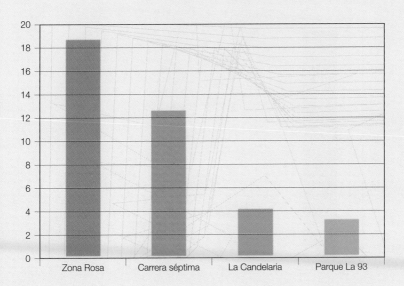

Sitios de diversión

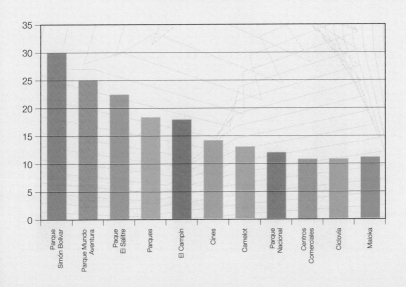

Calle más peligrosa

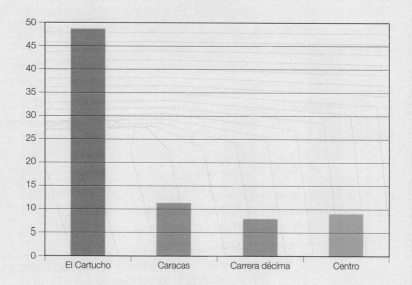

Calle o zona más transitada por jóvenes

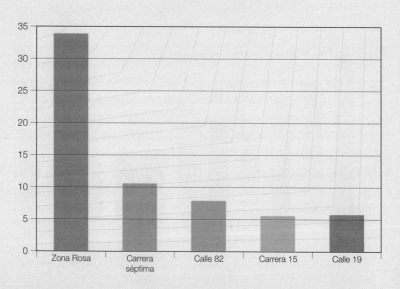

23. El proyecto sobre culturas urbanas, del cual este libro es una parte, se adelanta simultáneamente con el programa de representaciones paralelas, que consiste en actuar en distintos medios (televisión, prensa, radio) con figuras o relatos, no tanto para crear nuevos contextos como nuevas oposiciones en las imágenes públicas sobre cualquier tema de la ciudad: política, deportes, noticias. De esta manera se busca desplazar su comprensión social y sus efectos emocionales de las imágenes originales. Este material se puede consultar en Bogotá en el Convenio Andrés Bello. http://www.cab.int.co

24. En este caso, los «croquis ciudadanos» son modos estéticos como se expresa públicamente la ciudadanía.

25. Margit Czenki, Günter Greis, Dirk Mescher, Thomas Ortmann, Klaus Petersen, Christoph Schafer, Sabine Stoevesand y Axel Wiest.

26. Estuvo a cargo de la firma E. Pombo y compañía, asesorada por el ingeniero Robert Daniels, y formó alianza con la firma italiana Space Canon, que diseñó el sistema de iluminación. Los ingenieros a cargo del proyecto fueron los italianos A. Gianni Canepa, Massimo Moratti y Fabio Novarese. Véase Silva, 2000c, p.p. 68 y ss.

27. El Tiempo, 26 de enero de 1999, sección Bogotá, p. 2.

28. Asociación Nacional de Instituciones Financieras, Bogotá, retomado por Juan Rodríguez y Clara González en El Tiempo, 5 de mayo de 1985.

29. Observatorio de Cultura Urbana, Alcaldía de Bogotá, Bogotá, 1997.

30. Véase en la bibliografía «Los bogotanos, unos muertos del miedo», 1998, p. 3E.

31. Editorial de El Tiempo, 27 de octubre del 2001, sección principal.

32. «Supermercados: hay cupo para más gente», Datos de la Federación Nacional de Comerciantes, El Tiempo, 24 de julio de 2000, pp. 2-6.

33. El arquitecto Fernando Viviescas (1991: 354) sostiene que los estudios de arquitectura en Bogotá se consolidan cuando crece el interés por la ciudad desde distintos ángulos. Así los ciudadanos tienen elementos para interpretar las edificaciones.

34. Con el alcalde Enrique Peñalosa y su equipo, binóculos en mano.

35. Por invitación del ex concejal Juan Carlos Flórez y su grupo de asesores: Clara Cabrera, Hugo Parra, Diana Guzmán, Juan Camilo Macia, el día sábado 12 de mayo de 2002.

36. Información suministrada por la bibliotecóloga Nelly García en nuestra visita el día sábado 12 de mayo de 2002.

37. Testimonio del señor Jorge Gutiérrez, conductor de bus, en el documento: «Alameda del Porvenir», Concejo de Bogotá, abril 25 de 2002, p. 8.

Páginas siguientes: **Escultura de Eduardo Ramírez Villamizar en el Parque Nacional.**

CIUDADANOS

SE ESTÁN PONIENDO BELLOS

¿Dónde están los nuevos bogotanos? Entre una ciudad que todavía tiene rezagos coloniales y otra que se abre al futuro, en medio de penurias, elitismos y optimismo, crece un habitante hecho a puro pulso. Sí, estamos ante una urbe que finalmente ha resuelto aceptar a los provincianos de todas las etnias nacionales que la visitan, muchos de los cuales se quedan a hacer su Bogotá, para así poder afirmar que ella se ha colombianizado. Bogotá también es provinciana, si bien se va inclinando hacia el mundo moderno, se conecta, se informa, se publicita, se cruza en muchas redes, participa de las nuevas seducciones colectivas, de espectáculos, modas y nuevos espacios públicos. Muchas de sus aspiraciones tienen una meta fuera de sus fronteras.

En buena parte la estética recae en los ciudadanos. De tanto pedir que el arte se popularice, de tanto exigir belleza en su medio, ellos mismos terminan por convertirse en sus principales gestores. Podría decir-se que pasamos de una estética de las cualidades, de las sensaciones, a otra del gusto. Si la ciudad es sensaciones, sus habitantes son gusto y emoción. Encontramos tres usos de la palabra *estética*: uno para el arte, otro para la belleza, y el último para la unión de ambos en los imaginarios, territorio grupal donde se fabrican las fantasías colectivas. Y no decimos que la estética sólo apunte a lo bonito, también comprende lo agrio, lo feo; la emoción y su placer, sea o no grato. Hay, pues, una estética de las bellas artes, de la fotografía, del cine, de las imágenes virtuales. Quienes las estudian incluso hablan de estéticas oficiales, marginales y rebeldes, pero todas tienen un punto en común: definen y al tiempo regulan la práctica y la apreciación de una expresión artística o de una experiencia que exige descargar emociones y que busca ofrecer y exhibir lo bello. La gente aligera el término y llega a hablar de estéticas del peinado, de la conversación, del suicidio (Aumont, 2001: 60) y, por qué no, de hacer el amor o de traicionarlo.

La ciudad, entonces, es mucho más que un espacio físico construido por sus arquitectos: se convierte en un espacio estético que es materia ciudadana. Salir de casa, caminar, oír ruidos, sentir o padecer olores, ir de compras, ver el propio reflejo en los vidrios de una vitrina, chocar con tantos objetos, admirar unos, desear otros, sentirse asediado por otro caminante, por un pícaro o un policía, contemplar la llegada de la noche, ver o admirar el cielo azul petróleo, recibir unos cuantos lapos de sus vientos que en remolino empujan al caminante de occidente a oriente, dejarse deslumbrar por las luces artificiales que prenden sus millones de habitantes, refugiarse en cualquier centro comercial, café o restaurante, o irse en un bus a casa, son todas experiencias del gusto, de las emociones que fabrica en nuestras mentes la belleza de la ciudad.

El arte puede estar en las obras, en las esculturas y el arte público, en las instalaciones que recuerdan el caer de las aguas en el Jardín Botánico, convertido en museo ambiental en el año 2000, en las construcciones arquitectónicas insertadas en el paisaje, como varios de los edificios de Rogelio Salmona. Pero la

estética está en el gusto. En Bogotá hay quienes disfrutan de comer en la calle empanadas adornadas con los colores de la zanahoria y la cebolla, a quienes satisface la barroca decoración de los buses, tendencia que por tiempos se expresa en el recargo de adornos del vestuario, quienes se vuelven minimalistas y sólo ofrecen lo esencial. La estética opera desde los conceptos, y esto se puede ver hasta en las fachadas de las casas. Cada cual es dueño de sus gustos, hecho que permite homologar la estética con el deseo individual, aunque la ciudad en su conjunto genera distintas estéticas grupales.

Observada desde un punto de vista social, Bogotá tiene estéticas clasistas que se manifiestan en el uso del castellano o en el desarrollo de diversos ritos urbanos (comida o música preferida, maneras de vestir, entre otros), característicos de ciertas clases. Hay estéticas femeninas que en algunos casos se hacen relevantes, como lo demostraron unos colegas en un estudio sobre imaginarios relacionados con Pereira. Según ellos, ésta es la ciudad colombiana que más concentra seminarios de negocios de hombres que viajan desde Bogotá convencidos de que allí las mujeres, querendonas, trasnochadoras, morenas y sabrosas, los esperan (Bedoya, Castiblanco *et al.*, 1999: 9). Otras estéticas femeninas tienen que ver con ciertos oficios. Por ejemplo, nuestras secretarias, comparadas con las del resto del continente, quizá sean las que más se arreglan. Cualquiera diría que, con su maquillaje tan cuidado, sus faldas impecables, sus peinados exagerados, sus escotes calculados, se han preparado para ir de fiesta. Pero también hay estéticas juveniles que se manifiestan en peinados rebuscados, en su ropa estrafalaria, en sus modismos, y que parecen calculadas para enfrentar las estéticas de la gente adulta.

Y junto a las clases sociales, a los géneros, las edades, los sitios donde habitamos, la formación que tengamos o los oficios que desempeñemos —elementos que perfilan nuestro gusto y nos ayudan a clasificar las apetencias—, hay tecnologías que nos adentran en facetas misteriosas de la estética, donde ver, oír, saborear, recordar, vigilar, evocar, se convierten en experiencias nuevas. Es imposible separar a las personas de hoy de las cámaras que les hacen tomas o ante las cuales se muestran; de la televisión que exhibe más cosas de las que un individuo puede ver materialmente en su vida real;

de los sonidos y los tiempos que impone la radio, esa fiel acompañante que no nos abandona en los buses, en las oficinas, en lugares públicos ni en los hogares; de la publicidad que se eleva triunfante por sobre los edificios.

Luego de cobrar vida filosófica, la palabra *estética*, acuñada en el siglo XVIII por el pensador alemán Alexander Gottlieb Baumgarten, quien la entendía relacionada con el arte de reproducir lo bello y con la sensibilidad humana, se emparenta más hoy en Bogotá y en otras ciudades del mundo, así se trate de una derivación vulgar, con lo que hacen las personas para embellecerse. En la actualidad su significado llega a abarcar asuntos conexos con la apariencia corporal, como los salones de belleza, los expertos en maquillaje, los peinados y cuidados de la piel, los centros médicos donde se practican masoterapias para eliminar carnosidades y papadas, los gimnasios para reducir barriga, destacar músculos o quitar gordos que perturban la vista. Esta ampliación de su sentido hace que dicho término se popularice, se convierta en una especie de pan de cada día. Pues bien, es el ciudadano, el consumidor permanente, quien ha construido los nuevos significados del vocablo. En otros tiempos las revistas dedicadas a tratar el hecho estético se escribían con el lenguaje culto de los críticos de arte. Hoy han surgido otras sobre la misma materia, sólo que muestran abundantes imágenes de pasarelas, reinas y gente de farándula. Como las antiguas, tienen texto, sólo que son breves cápsulas que nunca se exceden de unos cuantos renglones, atendiendo al riesgo de desencantar a las observadoras y observadores. El parentesco entre las bellas artes y esta simple estética mundana no es tan lejano. Tanto el arte como la estética *light* buscan mostrarse, y el gusto los acoge a ambos, mientras un grupo social los legitima.

En visitas hechas al suroccidente de Bogotá, al nuevo sector de El Porvenir, en el tipo de urbanización llamado Metrovivienda —nombre cargado de un sentido de ciudad que avanza rápido—, hecha para personas de escasos recursos y donde a los propietarios se les permite adaptar con fines comerciales el frente de su residencia, descubrimos que en ocho manzanas construidas había ya instaladas dos panaderías, dos salones de belleza, una marque-tería, y un aviso señalaba la presencia de una masajista con conocimientos de mesoterapia facial. La belleza y el pan se vuelven a encontrar. La gente gana derechos para mostrarse bella.

¿De dónde provienen los bogotanos? ¿Cuáles son sus orgullos, sus tristezas y desilusiones? ¿En qué trabajan, como enamoran, qué comen, dónde se divierten? ¿Es tan malo su carácter como creen ellos mismos cuando se definen como agresivos y pendencieros? ¿Cuáles son sus tiempos, sus marcas, sus rutinas? ¿Por qué en los últimos años se sienten orgullosos y optimistas a pesar del ambiente de guerra que domina en el país? Estos temas están relacionados con las cualidades, las calificaciones y los escenarios. Tantas preguntas, por otra parte, esbozan un ser humano muy particular, no ajeno a los movimientos mundiales que tienden a darle cada vez más poder al individuo para que se defienda de la imposición de las corporaciones, de la corrupción de los políticos y la saturación vehicular que ha invadido las ciudades y les ha expropiado sus espacios.

Páginas 146 a 148: **fotos de documento de ciudadanos.**
Página derecha: **colegiales en la Avenida Jiménez.**

Jóvenes en noche de fiesta.

Se podría definir el tiempo como lo que pasa, pero también como aquello que es construido en su transcurso, lo que sucede mientras hay movimiento y, en el plano subjetivo, las percepciones que tenemos de ese proceso. El tiempo es memoria y olvido, pues lo uno está estrechamente vinculado con lo otro. La memoria se relaciona con lo que ya pasó y queda como testimonio, pero también con lo que viene y se vive como expectativa. Si en los sueños viajamos hacia atrás, hacia el recuerdo inconsciente, en el día producimos imaginarios sociales de una memoria futura. El futuro obedece al pasado. Las promesas hechas en el pasado deben realizarse en el futuro. La fuerza social del olvido no significa debilidad de la memoria; por el contrario, manifiesta que ésta se burla y dirige sus propios asuntos (Bertrand, 1977: 39 y ss). La aparente debilidad de no acordarse en realidad es provocada. La memoria es activa: selecciona y olvida. En el tiempo de un individuo no sólo está la percepción de lo que se mueve, sino la percepción de su origen, de sus prácticas, de sus afectos, de su mismo carácter. A partir de eso establece sus ondas perceptivas, su memoria activa, discrimina lo que debe y no debe olvidar.

Los bogotanos sienten el tiempo en diferentes temas: hay tiempos de desplazamientos y otros de quietud, los hay para compartir en familia o para cultivar las pasiones, está el tiempo para estudiar, para trabajar o para permanecer en las calles. Y también está el tiempo interior, el llevado a la materia psíquica, que reconocemos en el carácter temperamental que identifica a los diferentes niveles socioeconómicos, y en el cual nos detendremos para indagar por algunas mitologías ciudadanas.

Muchos llegan, otros se van

Bogotá, la primera ciudad del país, cuenta con alrededor del 18% de la población nacional, concentración

que crece con el tiempo, pues hace
10 años albergaba a 14%. El bogotano es una persona de carácter seco,
poco amable. Su modo de ser corresponde al de los habitantes de
montaña, a la gente de clima frío, y
se acentúa con la imparable y abru-
madora llegada de inmigrantes de
provincia. Sin embargo, en la última
década parece haber aceptado los
designios de su ciudad y ha empezado a caribeñizarse a colombianizarse y a calentarse, términos con
los que aludimos, en el plano cultural, a algunos cambios generales de
sensaciones que permiten percibirla
amarilla cuando antes se la sentía
gris: ahora le encanta la salsa traída
de Cali, el vallenato que aprendió
de su ídolo samario Carlos Vives y
el pop y las baladas juveniles de la
cantante barranquillera Shakira. Si
se habla de comida, ahora al bogotano le apetecen los platos de mar y
el arroz con coco, y si se trata de
moda, distintos sectores sociales
visten como si vivieran en tierra
caliente. Basta ver noticieros como
el de City TV, donde las periodistas
visten de manga corta, o donde
aparecen chicas trigueñas y de color,
como las que abundan en cualquier
ciudad de la costa. Si nos detenemos
en la literatura, el autor más leído,
sin discusión, es García Márquez; en

arte se reconoce al paisa Fernando
Botero pero también a Alejandro
Obregón, otro barranquillero, y sus
ídolos deportistas son casi todos de
las costas pacífica y atlántica; los
encuestados citan especialmente al
Pibe Valderrama, a quien muchos
creen bogotano.

En Occidente, la expresividad
individual tiene como antecedente
literario a un nuevo público lector
(Hauser, 1974: II, p. 255 y ss.), origen
emancipatorio del ciudadano estético que nos interesa ubicar aún en
Bogotá. Durante los siglos XVIII y
XIX este público, antecedente del
sujeto deliberante de hoy, se concentraba en los salones domésticos y
en los cafés, y luego en los teatros y
salas de concierto. Allí no sólo se
encontraban los aristócratas e intelectuales burgueses, sino gente de
clase media. En el siglo XIX aparecen
los periódicos como el vehículo de
comunicación urbana por excelencia; la filosofía, que tomó un cariz
de pensamiento social, asumió
como suyo, poco a poco, el papel de
conciencia crítica; en tanto, la literatura empezó a expresar la subjetividad, el individualismo moderno. La
cultura aristocrática basada en el
«buen gusto», impuesta por las élites
de sangre y abolengo, se desvaneció
como modelo. A las nuevas clases

medias les esperaban otros mecanismos de dominación (las ideologías y el capital, por ejemplo). En el siglo XX, la subjetividad autónoma, erigida sobre bases éticas y estéticas, terminó por transformarse en autonomía política y en arma de reacción contra el poder público.

Son múltiples las etnias que se han cruzado hasta formar la población actual de Bogotá. El mestizaje de la ciudad tiene orígenes europeos (en su mayoría hispanos, y en muy escasa medida italianos, alemanes e ingleses), también pequeños grupos de árabes y judíos y, sobre todo, ancestros de las distintas familias indígenas nativas (al terminar el siglo XX, según datos oficiales, convivían en Bogotá herederos de 47 etnias indígenas que representan con suficiencia un gran universo pluriétnico donde figuran descendientes de los ingas, wayuus, paeces, huitotos, kamsás, guanaños, guambianos y arhuacos, entre otros, Muñoz, 1998:4 y ss).

Por otra parte, en los últimos 10 años se ha incrementado la presen-

Escultura de Antonio Seguí en la Avenida El Dorado.

cia de negritudes que han llegado de departamentos como Chocó, Valle del Cauca y San Andrés, lo que permite prever nuevos mestizajes. Bogotá, pues, es una ciudad híbrida, hecha con población que llega de todos los rincones del país.

En cuanto a géneros, la población femenina supera ligeramente a la masculina. Según proyecciones del DANE a partir de datos tomados en 1993, en el año 2005 habrá en la ciudad 3.461.566 varones y 3.724.323 mujeres (DANE, 1995: 265). Respecto a las edades, 60% de la población es menor de 35 años. Una característica cultural de los capitalinos es que hablan bien el castellano, de lo cual ellos se sienten orgullosos y no vacilan en definirse, sin vergüenza, como quienes mejor lo hacen entre todos los hispanoparlantes.

Si rastreamos el origen de sus habitantes, encontramos que 45,3% no han nacido en la ciudad. Del otro segmento, correspondiente a los naturales de la ciudad, 34% tienen padre o madre bogotanos, y 20,7%, aunque nacidos en Bogotá, tienen antecedentes generacionales en otras zonas.

Los departamentos que más aportan a la formación étnica capitalina, en orden descendente, son Cundinamarca y Boyacá, los San-

tanderes, Tolima y los Llanos. En menor proporción, Antioquia, los departamentos de la costa atlántica y, últimamente, los del Pacífico (Silva, 1992: 149). Bogotá, pues, es una ciudad de inmigrantes y etnias cruzadas[1], de foráneos, de gran flujo flotante, de temporalidades mutantes y de espacio abierto a nuevos moradores. Como reflejo de su carácter multiétnico y multirregional, en los últimos años se han abierto diversas casas correspondientes a las varias regiones de donde procede su gente: la Casa de Boyacá, la de Antioquia, y así la de tolimenses, santandereanos, vallunos, costeños y chocoanos. A ellas acuden los nativos para discutir sus problemas de

adaptación, pero también para probar sus platos típicos y encontrarse con sus coterráneos.

El panorama descrito ha operado un cambio sutil pero significativo: bogotanos son quienes habitan, disfrutan y padecen la ciudad, independientemente de que hayan o no nacido en ella. Estos bogotanos han conquistado a los cachacos, hecho que signará el futuro de Bogotá, modificará sus memorias y le impondrá nuevos ritmos en el tiempo.

Entre 1973 y 1985 la población urbana del país aumentó en 6 millones (en Bogotá se registró el mayor índice de crecimiento), mientras que la rural sólo se incrementó en 2,4 millones. El período

que cubre los últimos años del siglo XX se ha caracterizado por el desplazamiento forzado, en su mayoría por amenazas de muerte[2], de la población rural hacia los cascos urbanos. A partir de 1997 a Bogotá llegan 300 personas por día (o sea, 60 familias de cinco miembros cada una), para un consolidado total, al terminar el año 2001, cercano a los 500.000 desplazados que provienen sobre todo de Huila, Meta, Santander, Antioquia, Cauca, Santander y Casanare. Los nuevos habitantes por lo general llegan a los siguientes barrios: Ciudad Bolívar, Usme, Tunjuelito, Rafael Uribe y Bosa. En los últimos años también han empezado a instalarse en Kennedy, Fontibón, Engativá y Suba.

Pero al mismo tiempo que unos llegan, otros se van. En el período aludido ha ocurrido la mayor migración de ciudadanos hacia el exterior. En 1999 salieron 705.718 personas, de las cuales regresaron 618.618. Las 87.100[3] faltantes decidieron quedarse a vivir en Miami, Nueva York, San José de Costa Rica, Tulcán (ciudad ecuatoriana fronteriza con Colombia), Caracas y Madrid. Ahora bien, si al número de desplazados que llegan se le resta el

Indígenas con una venta ambulante.

Desplazados en la sede de la Curz Roja.

de emigrantes al exterior, provisionalmente se podría conjeturar, tomando el año citado como modelo y ante al ausencia de datos precisos, que Bogotá tiene cada año unos 22.400 pobladores nuevos, o sea, 112.000 personas en el lustro mencionado. Son distintas las calidades de quienes llegan y de los que se van. Es de suponer que la mayoría de quienes emigran —por pertenecen a estratos medios y altos— tienen mejor formación; consigo se llevan conocimientos y capital para invertir en otra parte. En cambio, la mayor parte de quienes llegan —por lo general campesinos— no tiene educación formal ni dinero, circunstancia que en parte explica el descenso de la calidad de vida en los últimos años, sobre todo en lo que atañe a aspectos como circulación vehicular, movilidad en algunas áreas, desempleo e insuficiente cobertura de servicios como la salud pública.

Diplomas de papel

El estudio, la preparación técnica o académica son condiciones que sustentan el desarrollo individual. Las distintas capas sociales de Bogotá presentan cuadros alentadores en tal sentido, pues todas confiesan cursar estudios o expresan su deseo de hacerlo. La calidad de la educación, así como los programas y las exigencias de rendimiento al estudiantado, en general son deficientes en todo el país. Pero el deseo de progreso social, que implica estudio, es uno de los imaginarios sobresalientes de la

Vitrina de estudio fotográfico exhibiendo un mosaíco de graduados.

ciudad, quizá porque es el único medio legal con que cuenta la gente de escasos o medianos recursos para ascender en la escala social.

La obtención de un diploma es una de las metas más ansiadas por los bogotanos. Como símbolo de éxito, este pergamino ocupa un lugar especial en el escenario visual de quienes lo han conseguido[4]. La culminación de los estudios es una de las vías para conquistar la individualidad, y es concebida como una garantía de éxito en la constitución de nuevas familias, pensada a partir de criterios igualitarios en derechos y obligaciones de ambos géneros.

Un aspecto negativo de la educación en Bogotá es la proliferación de planteles concebidos exclusivamente como negocios lucrativos. De hecho, algunas de las universidades que más alumnos tienen —entre ellas la Antonio Nariño, que llegó a contar con cerca de 70.000 matriculados, y la Universidad Cooperativa de Colombia— son propiedad de políticos que poco interés han demostrado por reinvertir socialmente sus ganancias o en buscar la excelencia.

En los años setenta más del 70% de los estudiantes de educación superior estaban matriculados en planteles públicos. Hoy ocurre lo contrario, y la tendencia a privatizar la instrucción tiende a radicalizarse aún más. Parejo a la privatización corre el descenso de la calidad de la enseñanza. Las llamadas «universidades de garaje» o piratas, con sus precarias instalaciones, afloran por doquier y están transformando el pasaje diurno y nocturno de la ciudad.

Quien haga un recorrido de observación por la avenida Caracas descubrirá que en las ventanas de los edificios polvorientos y descuidados de Chapinero abundan las ofertas educativas[5], entre las cuales predominan cursos y programas regulares y técnicos: modistería, hablar bien en público, inglés, modas. Pero la audacia de estos empresarios llega más lejos: han abierto centros de estudios superiores que ofrecen carreras a precios mínimos, con créditos concedidos por ellos mismos. Esos lugares, donde se trafica con los deseos de progreso de la gente, han terminado por desvalorizar los títulos profesionales, que se pueden obtener sin contar con los méritos para merecerlos.

Abundan los chistes sobre el *doctorismo* bogotano. Los profesionales de cualquier carrera se hacen reconocer como tales, los presidentes del país piden ser tratados como excelentísimos doctores, en las juntas directivas de las empresas y en los comités de administración de edificios no se permite llamar de otra manera a los representantes. Se ha llegado al extremo de que en las universidades publicas, el personal del sector administrativo, si tiene algún poder de mando, debe ser

tratado con ese título, mientras los maestros deben conformarse con el abreviado remoquete de profes. No obstante, Colombia es uno de los países más rezagados en formación doctoral, incluso entre las naciones de la región.

La Universidad Nacional, con una población estudiantil aproximada de 30.000 alumnos, es la institución que concentra más doctores en Bogotá; no obstante, en el año 2002 apenas disponía de 161 entre casi 3.000 docentes. A pesar de ser uno de los centros más preocupados por promover programas de doctorado, su interés se ve entorpecido por una fuerte desidia para autorizarlos y gestarlos, debido no tanto a la falta de rigor académico como al insufrible exceso de cargas y trabas burocráticas. Colombia invierte sólo el 0,33% de su PIB en investigación, mientras en países vecinos, como México y Venezuela, se destina el 1%. Según Colciencias, en 1997 el Estado colombiano apenas invirtió 90.000 millones de pesos en este rubro, y en los últimos años el presupuesto de Colciencias ha venido disminuyendo: 80.560 millones de pesos en el año 2000, 61.842 millones en 2001, 40.874 millones en 2002[6]. Y la cuantía también baja en el reparto del PIB: en 2002 descendió a 0,23%. El Sistema Nacional de Ciencia y Tecnología ratifica que en Colombia se invierte entre 0,1 y 0,2% del PIB en ciencia y tecnología, mientras países como Suecia, Japón y Alemania destinan a dichas áreas entre 2,9 y 3,2% de su producto interno bruto. En esta área, en el año 2000 Colombia ocupó el vergonzoso puesto 52 entre 59 países.

Ingresos de vergüenza

En Bogotá, una ciudad con notables contrastes y con algunos importantes avances en infraestructura, la mayoría de los habitantes son pobres. La reducción de los niveles de necesidades básicas insatisfechas en las zonas urbanas, en el período comprendido entre 1973 y 1985, fue de 45,2%, frente a 17,9% en las rurales. Esta diferencia muestra una gran capacidad de asimilación del éxodo rural y de la pobreza por parte de las economías urbanas, y explica las razones que tiene la gente del campo para emigrar a las ciudades (Fabio Giraldo, 1995: 164). Este desplazamiento poblacional cobra significativas proporciones a partir de 1999, ante al aumento en la confrontación de grupos insurgentes y paramilitares que no pudieron superar los frustrados diálogos de paz con el gobierno de Andrés Pastrana (1998-2002).

El reparto de los ingresos en la ciudad es escandaloso, por no decir ultrajante. Si se examinan la riqueza y los ingresos de los hogares, las diferencias son dramáticas, ya que 10% de los más ricos supera en 54 veces al 10% de los más pobres[7]. La situación registrada en la capital es un fiel reflejo de lo que sucede en el ámbito nacional: según cifras del DANE, en 2002, 20% de la población más rica era dueña de 63% de la renta nacional, y en el otro extremo, el 80%, representado por los más pobres, apenas poseía 2,4%.

Según un simple y ya famoso axioma expuesto por el escritor

Peatón en la carrera 15.

mexicano Carlos Fuentes, si el mundo fuera representado por una aldea de 100 habitantes, 57 de ellos serían asiáticos, 21 europeos, 14 de las Américas y 8 africanos. No obstante, la mitad de la riqueza estaría en manos de seis personas, todas ellas de los Estados Unidos; 80 vivirían en casas de calidad inferior, 70 serían iletrados, 50 padecerían desnutrición, uno estaría a punto de nacer y otro de morir, sólo uno tendría educación universitaria y mucho menos de uno tendría computador (Fuentes y Herzog, 1999).

Si aplicáramos este juego de aprietos a nuestro ámbito inmediato, al caso específico de Bogotá, descu-

briríamos que las proporciones revelan un similar dramatismo: 54 habitantes son mujeres y 46 hombres; 6 tienen más de 60 años, 60 son menores de 35 años y hay 34 adultos. Aproximadamente, 94 viven en los barrios más pobres y 6 en los más ricos, o sea, en zonas de estratos 5 y 6. Los 10 hogares más pobres reciben 0,38, pesos, mientras que los 10 más ricos tienen un ingreso de 54,76 pesos. El crédito bancario está concentrado en 10 grandes empresas que absorben 75% del mercado nacional[8]. Este círculo de vergüenza puede representarse con una pirámide soportada por muchos pobres en la base, en cuya cúspide unos pocos ricos viven muertos de la risa.

Si se compara la capacidad adquisitiva de los bogotanos con la de habitantes de otras capitales del subcontinente, nuestra ciudad se evidencia como una de las más costosas de la región. Para comprar un galón de gasolina una persona que devenga el salario mínimo debe trabajar en Buenos Aires 1,46 horas; en Caracas 0,33, en São Paulo 1,46, en Ciudad de México 0,54, y en Bogotá 2,10. Mientras en Buenos Aires si un empleado de salario mínimo quiere ir al cine debe laborar 3,20 horas, en Quito debe hacerlo 5,20, en Santiago 8 y en Bogotá 7. El salario mínimo por hora en Bogotá es de 0,57 centavos de dólar, mientras en Ciudad de México y Santiago es de 0,63, en São Paulo es de 1,76 y en Caracas de 0,72[9].

Teléfonos públicos en la calle 17 con carrera décima.

Estas bárbaras iniquidades, además de la alta tasa de desocupación y del ingente número de inmigrantes no asimilados, hacen que Bogotá esté llena de *rebuscadores*, sonoro apelativo aplicado a quienes se ven obligados a salir a la calle a vender lo que sea. El rebuscador es un aventurero que bajo el sol ardiente o bajo lluvias permanentes recorre la ciudad tratando de conseguir unos pesos para pagar el pan de cada día. Las diversas ocupaciones que se amparan a la sombra de ese sustantivo acaban convirtiendo espacios públicos en especies de talleres creativos donde se inventa de todo. Muchas personas se dedican a vender mientras caminan, conducen un vehículo o van en un bus. El espacio se torna tiempo para ganarse la vida.

En unos segundos

En las calles de Bogotá el tiempo de los ciudadanos no sólo se multiplica debido a sus acciones impetuosas: también se acelera y se hace más productivo. Además de servir para caminar, las vías son útiles para divertirse y realizar infinidad de compras, ventas y actos políticos. Ellas cobran un sentido desafiante y contestatario cuando se convierten en escenario de impresionantes marchas, como las feministas o gay, o se prestan para manifestaciones políticas de diversa índole, como aquellas que en 1999 impulsó el periodista Francisco Santos, a la cabeza del movimiento No Más, contra los secuestros emprendidos por la guerrilla y los paramilitares. En las calles también tiene lugar una actividad que día a día se incrementa: los actos circenses de malabaristas desocupados que hacen su show en avenidas congestionadas mientras el semáforo está en rojo. Las calles acogen a un impresionante número

Puestos ambulantes de frutas en la Avenida 19.

de desocupados y desplazados que venden de todo aprovechando los trancones. Gracias a ellos, innumerables operaciones mercantiles se cierran en cuestión de segundos. Algunos conductores dicen que pueden hacer mercado de frutas mientras conducen pues en las esquinas se consiguen con facilidad papayas, zapotes, mandarinas, guamas, cerezas y ciruelas.

En 1992 la gente de los sectores medios y populares gastaban en transporte, mientras realizaban sus acciones cotidianas, entre tres y cuatro horas por día, mientras que las personas de los sectores altos y medios altos gastaban entre una y dos horas. Las zonas de mayor conflicto de tráfico eran Suba, la Autopista Norte, la avenida Primero de Mayo y la Autopista Sur. En 1999, el promedio general era de 1,56 horas para los sectores medios y populares que usaban transporte público. Pero en el año 2001[10], una vez instalado

Las fiestas de música electrónica se han popularizado en los últimos años en Bogotá.

Transmilenio y después de implementarse la medida de pico y placa, que inmoviliza a 40% de los autos particulares en las horas de mayor congestión y a un buen número de buses y taxis durante todo el día, ciudadanos de sectores medios reconocen ganar 1,15 horas y los altos, con vehículo privado, alrededor de 30 minutos. A partir de estas cuentas se puede decir que los bogotanos economizan en promedio, respecto a 10 años atrás, alrededor de dos horas, que se utilizan, según reconocimiento expreso, en disfrutar de la compañía familiar o de amigos, en ir al cine, de compras o a restaurantes,

o en caminar. O sea que la ciudad gana en afectos ciudadanos, en vida privada y en uso del espacio público. El tiempo ganado se vuelve fuente de goce estético, en la medida en que los seres lo emplean para disfrutarse. La relación entre espacio público y disfrute ciudadano vuelve a hacerse evidente.

A comienzos del nuevo milenio en Bogotá hay un automóvil por cada 10 habitantes. Cada día casi un millón de vehículos transitan por sus calles. El aumento de la movilidad corre a la par con el uso de nuevos medios de locomoción. Si se considera que los habitantes de esta ciudad hacen en total alrededor de 14 millones de viajes diarios para llegar a sus puestos de trabajo y cumplir con sus actividades cotidianas de estudio y placer, se tiene que 4% de esos recorridos, o sea 560.000, se hacen en bicicleta (Flórez, 2002a); 5% en Transmilenio (en el año 2002 este sistema cubría 700.000 pasajeros diarios[11]), 6% en taxi, 19% en vehículos privados y 60% en el viejo transporte público de buses y busetas (el 6% restante no está identificado).

Las ciudades que resuelven el problema de transporte público con eficacia, seguridad y comodidad desarrollan espacios que la gente puede utilizar porque tiene más tiempo libre. Esto se traduce en mayor consumo cultural. Hay que darles la razón, pues, a quienes afirmaban que una mejora en el transporte redundaría en seguridad, bienestar y salud metal. Por esto en nuestra ciudad hay razones para estar optimistas.

Erótica trasera

Cuando se les pregunta por su vida íntima, los bogotanos se declaran satisfechos de su vida sexual con su pareja y de sus ocasionales iniciativas. Si bien un alto número de los consultados (34%) no quiso responder el cuestionario sobre temas privados, la mayoría declaró tener relaciones sexuales más de una vez por semana (los hombres y las mujeres lo reconocieron en proporciones similares). Esta apertura hacia el tema de la sexualidad es una novedad en nuestro medio.

Al respecto, cabe recordar que a finales de los años sesenta la ciudad fue testigo del primer espectáculo nudista, cuando el grupo de teatro La Mama, dirigido por Kepa Amuchástegui, montó la obra de Paul Foster *Tom Paine*. Quienes querían ver cómo las osadas bailarinas se desnudaban tenían que hacer interminables colas. El siguiente montaje que mostraba cuerpos desnudos lo hizo el teatro La Candelaria en 1970; bajo la dirección de Carlos José Reyes llevó a las tablas *Las divinas palabras* de Valle-Inclán, una extraña mezcla de fervor religioso y provocación corporal. A finales de los setenta la sexualidad se tomó la pantalla gigante con una película barata procedente de Bélgica, *Cuando las colegialas crecen*, en la cual sin ningún recato se mostraba a adolescentes con uniforme de colegio que en los fines de semana o cuando la tristeza las invadía, con ternura e ingenuidad se masturbaban frente al espejo de su alcoba. La temática y el hecho de que fuera uno de los filmes más taquilleros del año, y quizás de la década, hicieron que el escándalo se desatara. Los distribuidores se defendieron diciendo que no se trataba de pornografía sino de sanas lecciones para que los padres supiesen lo que podían llegar a hacer sus niñas al caer la noche, cuando enfrentaban la soledad, sus miedos y enamoramientos.

En 1986 el fotógrafo e instalador urbano Ángel Beccassino arremete contra las sanas visiones de los bogotanos y le regala a la ciudad un desnudo femenino que escenifica en uno de los sitios más espiritualizados de sus entornos, la Catedral de Sal de las minas de Zipaquirá. El escándalo es testimoniado por muchos medios y el fotógrafo y su modelo van a parar a la cárcel en uno de los primeros casos en los que se acusaba a alguien por mostrarse sin pudor públicamente.

A mediados de los noventa, *Noche prohibida*, un show producido por la televisión española y presentado por el Canal Capital de Bogotá que demostró ser tan amarillo como el de las colegialas, logró la mayor audiencia televisiva. Otros cuantos escándalos sexuales o de exhibición pública de los genitales han sacudido a la ciudad: en 1994 el entonces rector de la Universidad Nacional, Antanas Mockus, en plena conferencia, se bajó los calzones, acto que todavía recuerdan los ciudadanos cuando asocian a Mockus con la imagen mojigata de Bogotá. El escándalo moral fue tal que el presidente de la República, César Gaviria, le pidió la renuncia por su grosería. Esto dio lugar a un estupendo graffiti: «Mientras el país se derrumba al presidente le importa un culo».

Pero también son parte del repertorio del escándalo los múltiples debates que cada noviembre se ventilan a raíz del reinado de belleza de Cartagena, porque al concurso se presentan candidatas casadas o que han perdido la virginidad. Estos

Desnudo en la Catedral de Sal de Zipaquirá, fotografía de Ángel Beccassino.

Desnudos a la cárcel

A un año de prisión por ofensa a la moral pública

El publicista argentino Angel Bocassino y la modelo colombiana Flor Alba Devia, apresados ayer en Zipaquirá cuando el primero hacía fotos al desnudo de la modelo, en el altar de la Catedral de Sal de Zipaquirá, quedaron hoy a disposición de la justicia penal.

El sacrilegio, puesto al descubierto por la Policía, provocó revuelo en los medios ofi-

ciales y religiosos de Bogotá y Zipaquirá.

Según la versión del alcalde de ese municipio, la mujer posaba desnuda sobre el altar mayor de la Catedral de Sal para que Bocassino hiciera las tomas, al parecer con destino a su publicación en una revista de Argentina a la cual está vinculado el publicista.

(Va a pág. 3)

Tres muertos en balacera

(Léase pág. 3)

Publicada con Licencia 002016 de 1984 del Ministerio de Gobierno. Impreso en talleres propios por Editora Vélez Cabrera SEA, carrera 46 No 16-24, Bogotá

5 pm diario

NOTICIA DE HOY... HOY MISMO

Año 1 - No. 133

Bogotá, miércoles 20 de marzo de 1986 $40.oo

Liberan un

Artículo de prensa sobre el escándalo Beccassino.

episodios revelan un moralismo anacrónico y una negación del cuerpo, los genitales y la sexualidad.

Poco a poco, las situaciones descritas están cambiando. Con el recurso legal de las tutelas y haciendo valer los dictados de la Constitución del 91, se ha conseguido que las niñas embarazadas no sean discriminadas y puedan seguir estudiando en los colegios públicos; las críticas insistentes a los reinados de belleza permitieron que en el año 2001 una hermosa y descomplicada negra fuese reina nacional; en 1999 se tomó las calles de Bogotá un desfile de homosexuales que desde entonces se ha institucionalizado y se repite cada año como demostración de que en esta ciudad mojigata y pacata existe una comunidad gay significativa que reclama un trato digno; el descenso de matrimonios religiosos y el proporcional aumento

171

de los civiles y de las uniones libres, así como la creciente proliferación de vínculos de separados donde cada cónyuge aporta sus hijos, dan señas de que la sociedad está encarando la sexualidad de manera más libre, de que el moralismo se está superando, de que empiezan a imperar criterios seculares y civiles.

El pudor bogotano ha recurrido a términos y eufemismos casi infantiles para referirse a una parte del cuerpo que poco a poco ha ido ganando reconocimiento como símbolo de belleza y erotismo: trasero, pepe, pompis, cola, rabo y *derrière* (extranjerismo sólo usado para referirse al de las reinas). El «alias de cuatro letras» (culo) huye de las bocas castas, quizá porque los imaginarios colectivos lo han dotado de una carga semántica impúdica y vulgar. Como quiera que se le quiera llamar, se lo encuentra por doquier anunciando la nueva visión erótica del cuerpo en el nuevo siglo: prolifera en portadas de revistas, en el cine, en la publicidad, en la televisión, y ya se atreve a aparecer en las fotos familiares. La industria de las prótesis estéticas, de los implementos que tonifican los músculos y los gimnasios encuentran cada vez más demanda a sus ofertas de embellecimiento corporal, y no sólo de parte

de las mujeres y de la comunidad homosexual. Sin duda, en nuestra época merece ser considerado el órgano del destape. Un graffiti aparecido en las calles bogotanas, el día en que los gays emancipados hacían su desfile, reclama con humor un sitial de importancia: «El culo también tiene derecho a ser revolucionario».

Hemos sido muy bien educados con las reglas de extensos manuales de urbanidad que han merecido estudios sociológicos[12] y que nos han condicionado para que nos sonrojemos si pronunciamos la palabra *culo*. Por fortuna estamos superando tanta gazmoñería y afectación. Cada vez somos más libres de escribir y decir las cosas por su nombre, y de mostrarlas sin vergüenza por doquier. La revolución sexual nos está liberando de tanta represión verbal.

Hay una relación profunda y candente entre la televisión y la anatomía de la sexualidad, un vínculo que sólo podría expresarse en los términos de una nueva sociología, y que cubre desde el arte excremental de Manzoni hasta los *clips* de Madonna o a las pantallas del rock-pop del alemán Klauss Nomi. La televisión, órgano social de desechos, lo es también de seducciones. En ese sentido, sin duda, es anal: por allí salen (y entran) no sólo fantasías, sino frustraciones ante un consumo imposible de saciar, del mismo modo como cada día, al sentarnos humildemente a defecar, según dice el gran poeta peruano Jorge Eielson, una parte inútil de nosotros vuelve a la tierra.

Esta apertura hacia el cuerpo, a una mayor demostración de la sexualidad, a sus expresiones aún prohibidas o hasta perversas, viene cambiando el paisaje del comercio en la capital de Colombia. Hoy en nuestro medio se encuentran *sex shop*, se hace pornografía y se ampara todo tipo de encuentros amorosos. En la Zona Rosa, uno de los almacenes más frecuentados es Kondonmanía, que ofrece toda clase de condones y vestimentas punk para sadomasoquistas; como un atractivo enganche para sus ansiosos clientes, algunos moteles del occidente y de Chapinero ofrecen en avisos de prensa el servicio de sillas sexoergonómicas. Un informe de prensa notifica del aumento de reuniones donde los bogotanos que quieren experimentar nuevas sensaciones sexuales practican cambios de pareja (Dueñas, 2002). En televisión se adelantaron campañas contra el sida y el comercial ganador en 1998, realizado por la firma Leo Burnett, fue el de unos pollitos, uno de los

Desfile gay, carrera séptima con calle 69.

La comunidad gay ha logrado crear espacios de expresión en la ciudad.

cuales decía con gracia: «Sin condón ni pío», hasta cuando la Iglesia intervino y fue sacado del aire por inmoral y decadente. Este último hecho demuestra que la sexualidad sigue creando conflictos ético-religiosos.

Una nueva y pujante industria es la de los gimnasios. Hace pocos años hombres y mujeres esperaban la noche para declarar su amor o, al menos, para atraer al otro. Los sitios preferidos eran bares, cafés, el cine o las calles de la ciudad, cuando no una fiesta —que por cierto luego se volvió *fiesto*, palabra que connota más relajo y promiscuidad—. Eran días de picardía y bohemia, donde al cuerpo se le sacaban emociones más bien relajadas. Hoy la gente se conoce de día. Sus cuerpos, plenos de poder y

cuyas paredes son en realidad vidrios, ofrece tres turnos y está dotado con más de 400 aparatos. Los enormes ventanales, como si fueran vitrinas concebidas para exhibir muñecos adorables, dejan ver los cuerpos en plena actividad física, ejercitándose en movimientos en los que fácilmente se descubre un contenido erótico. La moda se expandió. Ahora tenemos infinidad de gimnasios-vitrinas: AC Maraton y Blue Gym en el norte; en el occidente está Body Health y Beauty Gym, en el centro comercial Plaza de las Américas; Phisical Gym en el sur, y Boss Hoss en el centro. Hay de todos los precios, desde aquellos que cobran 20.000 pesos mensuales hasta los que piden 300.000. Todo depende del sitio, de las máquinas, de los servicios que presten. La mayoría de los gimnasios en Bogotá llevan nombres en inglés, sin duda porque esta práctica se asocia a una ilusión de modernidad copiada del modo de vida estadounidense.

belleza, son desafiantes. Los gimnasios, en la actualidad uno de los principales sitios para encuentros con fines amorosos, han reemplazado a los cafés, y los ejercicios físicos, diestros y calculados, a las conversaciones. Hombres y mujeres, más que hablar, ahora se admiran. Cada uno se declara escultor de su propio cuerpo.

En la zona de Chapinero, sobre la carrera séptima, el gimnasio Body Tech Gym, con sede en un edificio

En línea paralela, las mercancías asociadas al cuidado del cuerpo prometen resultados cada vez más milagrosos. Se trata de productos novedosos que cada día se tornan más atrevidos y desafiantes. Prometen cuerpos limpios para toda la jornada, buenos olores, plenitud física en el trabajo y en la vida cotidiana. Por lo general son publicitados desde el sexo o para él. Quien siga sus consejos tendrá virilidad al instante o humedades corporales llenas de emociones desconocidas.

A comienzos del nuevo siglo, los jóvenes bogotanos desarrollan nuevas rutas y adoptan lugares de rumba. La carrera séptima es la ruta regia. A principios de los años noventa se inaugura el bar Cinema, donde se reúnen los jóvenes interesados en ritmos house y techno. En 1999, en Chapinero, nace In Vitro, donde los jóvenes acuden a oír música y saltar al ritmo del techno. Meses después en la zona se han regado bares como El Antifaz y El Chango, cada cual con distintas propuestas de baile, música y estilos.

Estos bares se cerraban a la una de la mañana, hora en que comenzaba la rumba caliente de los *after*. Pero en agosto de 2002 el alcalde levantó la llamada Ley Zanahoria, nombre que aludía a la vida sana, natural y ecológica, como la de los conejos. Durante los casi 10 años que imperó esta ley, los bogotanos aprendieron a hacerle el quite a la sanidad impuesta, y la noche no se dejó morir. Uno de los mejores inventos consistió en crear los sitios *after party* (después de la fiesta). Em-

pezaron su acción en la misma zona de Chapinero y en los pueblos cercanos, como Chía, Cota y La Calera. En el año 2002 varios de estos negocios funcionaban en casas viejas de La Candelaria, como Lavandería, una discoteca agitada. A los *after party* los sucedió otra moda de encuentros musicales y rumbas: los llamados *love parades*, como los programados en el Parque Jaime Duque en 2002, consistentes en 36 horas continuas de música, baile y pepas. Esta nueva modalidad de diversión corre paralela con los bares *rêves* o delirios, donde circulan el éxtasis, las anfetaminas, la cocaína y mucha agua (una botella llega a valer tanto como un whisky en un bar tradicional).

El graffiti como manifestación ciudadana.

Las rumbas pesadas y extenuantes, asociadas a consumo de drogas y a píldoras del amor tienen en Bogotá uno de los más excitantes escenarios. En estas fiestas se expresa una enorme capacidad para la desobediencia y el desafuero.

Bogotanos temperamentales

Las fiestas programadas en parques de diversión ofrecen la posibilidad de usar los carruseles, las ruedas, los deslizadores y toboganes. En un solo paquete se mete la evocación de la diversión tipo Disney con el rock y el tiempo festivo de los fines de semana. Los ritmos de este mundo onírico se abren en una variada gama (techno, tribal tech, acid trance, break beat), que se corresponden con las tendencias del público juvenil: pokemones (no se sabe si son hombres o mujeres), candy babies (con pintas infantiles)[13], los góticos (con aspectos macabros y nocturnos) o las actitudes alternas que se oponen a los horarios tradicionales, a los ritmos tropicales, a los discursos oficiales.

En gran proporción los bogotanos reconocen que su carácter es agresivo. Se autodefinen estresados, intolerantes, defensivos, desconfiados, prevenidos. Pero también melancólicos, ensimismados y serios. Sin embargo, en los últimos tiempos, luego de 2001, aparecen dos reconocimientos inesperados: alegres y optimistas. Si se comparan las escalas de percepción de los últimos 10 años, nunca los ciudadanos habían sido tan optimistas como parecen serlo en el año 2002, a pesar de la recesión económica y del conflicto bélico con los grupos insurgentes.

En muchas ocasiones esta ciudad se sale de los parámetros de medición continental y aparece derrotada cuando las demás creen triunfar, o se muestra victoriosa cuando el mundo condena al país por los excesos de violencia. Se podría representar como una medusa de mil rostros que se expresa de muchas y discontinuas maneras. Y esto no es nuevo, ya que desde los tiempos de la fundación no pocos visitantes extranjeros la han sentido triste y alegre al mismo tiempo, hecho que les ha causado admiración y espanto al mismo tiempo.

Los cronistas de los tiempos de la Conquista alcanzaron a recoger algunas leyendas indígenas. Según una de ellas, en este territorio había vivido un líder llamado Bochica o Nemqueteba, quien además de reglas morales les enseñó a los nativos los oficios y las artes. Una inundación anegó el poblado, ahogó mucha gente y sepultó prósperos sembradíos. Entonces Bochica, con una especie de vara mágica, golpeó las rocas que impedían el drenaje del agua. Así se formó el salto del Tequendama (Forero, 1950: 55 y ss.), uno de los sitios que todavía hoy despiertan el asombro de los bogotanos y es frecuentado como lugar de recreo. Esta magnífica historia asustaba a los conquistadores, quienes al llegar vieron de lejos las cabañas y las siluetas de los indígenas, pero resultó que se trataba de una aldea con gente bastante alegre. Esa primera impresión hizo que el primer

nombre que le dieran fuera el de Valle de los Alcázares.

Esa lejanía de carácter es característica de los bogotanos. Debido a este rasgo, y sin considerar diferencias sociales, muchos los consideran simultáneamente maliciosos, vivaces y afirmativos. Los sectores populares han tenido íconos representativos popularizados por la televisión. Un caso paradigmático, en la década de los ochenta, fue el seriado *Don Chinche*, creado y dirigido por Pepe Sánchez y caracterizado por un obrero que se las sabía todas y que, sin ser cantinflesco, siempre daba con una salida inteligente y suspicaz a sus enredos con patrones, amigos y vecinos. *Don Chinche* fue la primera producción colombiana que trabajó con cámaras de video, lo que facilitaba entrar en casas verdaderas y presentar al protagonista en interacción con sus vecinos. La salida de los escenarios de estudio permitió situar la acción en lugares emblemáticos de la tradición popular bogotana, y la hábil y fresca utilización del lenguaje en los diálogos afirmó los particulares modos de hablar citadinos y la particular interacción social de las clases bajas y medias.

Don Chinche —caracterizado por Héctor Ulloa— y otro obrero de la construcción, don Salustiano

Tapias —interpretado por Humberto Martínez, quien comenzó su carrera en los años sesenta en el programa radial *El pereque* y luego fue parte del elenco humorístico del programa de televisión *Sábados felices*, emitido desde 1972—, son dos figuras que los bogotanos recuerdan como expresiones de una mitología popular moderna. El hecho de que ambos sean maestros de obra no es una casualidad: esta actividad es la mayor fuente de empleo de personas sin educación formal, grupo percibido por la mencionada serie como un emblema social de la ciudad. En los tiempos de Jorge Eliécer Gaitán los bogotanos de la calle eran los choferes; en las primeras décadas de la segunda mitad del siglo fueron los obreros, que con el tiempo darían paso a otra figura urbana: los porteros de edificio, representados por Néstor Elí, una de las más destacadas creaciones de Jaime Garzón para la televisión. En todos esos personajes sobresale el carácter urbano y afirmativo.

Choferes, obreros de la construcción y vigilantes de edificios han hecho creíble la existencia de un carácter popular bogotano distinto del mexicano o argentino —países que más imágenes mediáticas han hecho circular—, y han sentado las bases de una picaresca de humor mordaz y ácido que en distintas partes de Colombia empieza a relacionarse no sólo con los personajes de la ficción que la ha hecho famosa, sino en general con todos los capitalinos.

Esquina carrera séptima con calle 22.

La clase media también ha inspirado personajes emblemáticos, sobre todo a las nuevas telenovelas bogotanas. Uno de los casos más representativos es *Betty la fea*, emitida durante el año 2000, cuya protagonista era una modesta secretaria con fundadas aspiraciones de ser propietaria de una empresa. La concentración de medios de comunicación hace que Bogotá brinde especiales oportunidades a la clase media para que se muestre. Los reinados de belleza, así reciban furibundas críticas por su trasfondo machista y sexista, son, no obstante, el sueño dorado de muchas jovencitas de este sector social, que ven en ellos un trampolín para ganar reconocimiento a partir de sus encantos y terminar como modelos, presentadoras o actrices de televisión. Recogiendo estas aspiraciones, en nuestro medio han tenido buena acogida los *reality shows* impulsados durante el año 2002 por las cadenas privadas de televisión (Caracol con *Las Popstars* y RCN con *Protagonistas de novela*), donde jóvenes de ambos sexos hacen de todo con tal de aparecer en la televisión, como tolerar que una cámara registre hasta sus momentos más íntimos, o hacer *striptease* delante de sus compañeros. No obstante, el medio preferido para salir del anonimato siguen siendo los reinados de belleza, capaces de paralizar los medios y el país entero aun en tiempos de guerra o de aterradores desastres naturales, para ver desfilar a unas niñas casi púberes o para oírlas decir «burradas», como suelen juzgar sus intervenciones los críticos. Ellas representan un grupo en ascenso social caracterizado por un arribismo desbordado que quiere triunfar por encima de todo.

En nuestro medio la farándula no se reduce a las estrellas de la televisión y a las figuras de página social. Éstas deben disputarse el tablado con reinas, militares, futbolistas e incluso protagonistas de oficios ilícitos, como burócratas corruptos y narcotraficantes. Estos últimos, los más arriesgados y osados, representan una clase en ascenso que podría proponerse como antípoda de las viejas burguesías, resguardadas en valores morales, familiares o profesionales. Si algo caracteriza a estos herederos de la clase media de los años setenta y ochenta es su carácter feroz, ambición desmedida y principios maquiavélicos.

Los sectores altos también muestran carácter. Esto podemos verlo en las reminiscencias de Cordovez Moure, en los escritos de viajeros, como los recuerdos de Pierre

Carácter de los ciudadanos

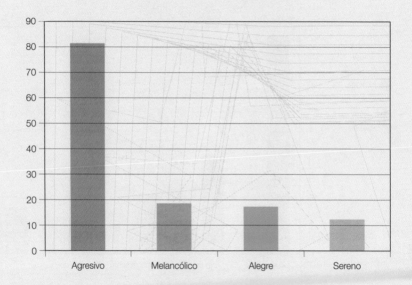

Origen por nivel socioeconómico

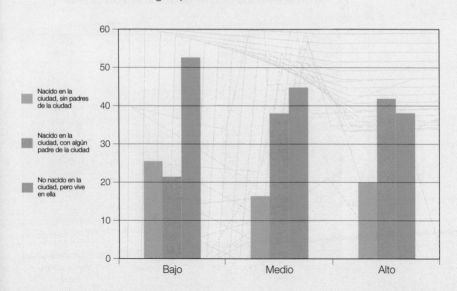

Relaciones sexuales por género

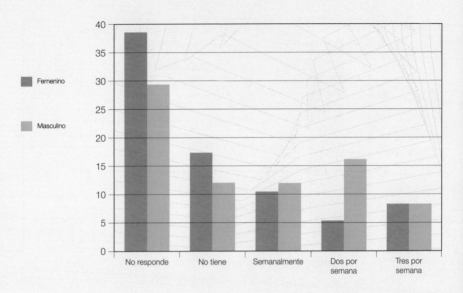

Horas de la semana que se dedica a la vida familiar

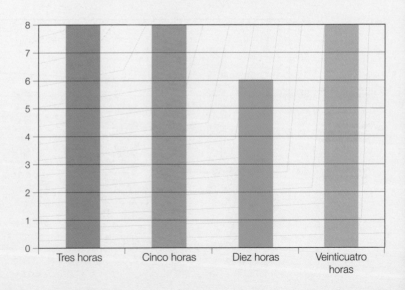

D'Espagnat, en las primeras novelas del siglo XX que adoptan a Bogotá como escenario (como las de Osorio Lizarazo, donde como contraste a las turbas de zorreros y limpiabotas se dibuja a individuos poderosos y un tanto cultivados pero distantes) o en el autorreconocimiento de que la capital colombiana merece ser recordada como la ciudad del lenguaje bien hablado (representantes de esta cualidad son Miguel Antonio Caro y Rufino José Cuervo, en cuyo honor se fundó el instituto de estudios lingüísticos Caro y Cuervo, el más importante de Latinoamérica). Durante muchos años se dijo que Bogotá era la Atenas Sudamericana, título que aludía a su sensibilidad cultural. Pero en los años noventa, en plena era del narcotráfico, esta aclamación fue encarada por un graffiti picante dedicado a la dirigencia bastarda de la ciudad, la misma que gustaba sentirse culta: «Bogotá, la tenaz suramericana».

Cuando se quiere remedar al bogotano de estratos altos se adopta un tono una tanto escenificado pero seguro y fuerte, con el que quiere conquistar. La figura que lo evoca corresponde a la de un hombre bien vestido, de porte enhiesto, con paraguas, culto, inteligente y bien hablado, pero sarcástico. En el presente se lo rememora como un personaje más bien popular, de clase media, sin la buena educación del «cachaco» de buenos modales que no se permitía decir malas palabras. La palabra *cachaco* deriva de la francesa *caché*, que en nuestro medio aún se usa. La palabra original es *cachet*, incluida en algunos diccionarios como galicismo con el significado de estilo propio, personalidad, calidad superior de alguna cosa, carácter (Vargas, 2002: 3). Y la palabra inglesa *coat* (abrigo) se le unió para formar *cachet coat* (abrigo de marca), término que acabó evolucionando en *cachaco*.

Una característica fonética del habla de los cachacos o típicos *rolos* es la manera como arrastran la *erre*. Este rasgo parece tener doble origen: cuando esta pronunciación se presenta a comienzos de una palabra (como en rápido), parece haber influencia quechua o de sus herederos, que en Bogotá corresponden a las etnias ingas. En cambio, cuando se reproduce en medio de una palabra (como en carro) se da por cierto que la influencia es española, posiblemente de Navarra[14].

Página siguiente: eje ambiental de la Avenida Jiménez.

Malabaristas callejeros.

Marcas: bogotanos virtuales

La gente marca la ciudad y a su vez es marcada por ella. A la par que la ciudad es calificada como ente físico, recibe marcas evocativas de quienes la habitan. Estas marcas operan como huellas que dejan rastros. Si hiciésemos el ejercicio de rastrear esas improntas en cada ciudad, encontraríamos que las hay de diversas clases. Unas son de carácter material —como las dejadas por edificios, calles o señales—, otras provienen de un sentido de memoria —como recordar hechos o visitar lugares que agradan y evitar los que disgustan, o adentrarse en ficciones que describen la ciudad—, unas más están relacionadas con las señales que cruzan por el aire, como las tecnológicas y las que provienen del uso de los medios.

Una ciudad acelerada comparte su ritmo con el de sus veloces habitantes, mientras que un lugar lento y pacífico genera individuos apacibles y meditabundos. Una ciudad caótica, con tráfico loco, sin suficientes señales viales, llena de vendedores ambulantes, ruidosa y estridente, genera ciudadanos aturdidos, desordenados y hasta agresivos. Bogotá tiene mucho de lo último, pero cada vez atenúa más estos rasgos. Su marca de ciudadanos caóticos, individualistas e intransigentes va cediendo en favor de unos expectantes, dispuestos a sacrificar el interés privado por bienes comunes, a reclamar por sus derechos. Su marca fundamental de carácter, pues, está en transición.

Enfocaremos a los bogotanos a partir de cinco marcas, las más reconocidas por ellos mismos: tecnológicas; mediáticas (radio, prensa y televisión); ficticias (cine, novelas y plástica que tienen como trasfondo a Bogotá); religiosas; corporales (alimentación e higiene). Terminaremos con una apuesta al futuro de la Bogotá del aire, en su desarrollo de un nuevo urbanismo virtual.

Estamos conectados

La sensación de cosmopolitismo y de nuevos climas culturales que experimentan los bogotanos tienen como base el desarrollo tecnológico, la creciente cobertura de Internet, la variedad de medios de comunicación, la recuperación del espacio público y la constatación de que estamos conectados con el mundo, que formamos parte de la red mundial de ciudades, lo que implica diversidad. El avance en esta materia hizo que en el año 2000 Bogotá subiera 15 puestos, para ubicarse entre las 120 ciudades del planeta que tienen mejor calidad de vida[15].

Cuando preguntamos sobre el invento de mayor trascendencia en el siglo XX, 32% de los consultados eligió el computador, respuesta que concuerda con las obtenidas en toda América Latina, excepto Ciudad de Panamá, que eligió la vacuna. Es evidente que este imaginario tecnológico está extendiendo su influencia de manera inusitada. A mediados del siglo pasado primaba la valoración de la tierra; tal era su importancia que en Bogotá llegó a adquirir valores impredecibles, al punto de que se montaron planes de vivienda que generaron modalidades de especulación inmobiliaria asfixiantes, como el sistema UPAC (unidad de poder adquisitivo constante), cuyo desmonte se inició comenzando el nuevo milenio.

Unas décadas después asistimos a la valoración de una ciudad que prácticamente crece en el aire por efecto de las telecomunicaciones[16].

Así como hay una enorme distancia entre los lejanos y primitivos cantores de palabras y aquellos que crearon la escritura, quizá haya una mayor entre estos últimos y quienes hacen trazos en computadores, sentados ante una pantalla. Porque con estos últimos nace el navegante virtual, emparentado con la inteligencia artificial. En nuestro tiempo, pues, ha surgido un nuevo paradigma de temporalidades. El resultado es que el mundo global cada vez es más virtual. Esto se refleja en el aspecto urbano, sustentado cada vez más sobre bases etéreas cuyo funcionamiento implica el reemplazo de seres racionales. Un cajero automático, por ejemplo, cuenta billetes, controla, alerta. En los próximos años podrá detectar a la persona que se le acerque y validarla o no según sus patrones dactilares. De esta manera se está modificando la relación entre cuerpo y cotidianidad.

La aceptación entre el público de estas máquinas ha sido lenta, porque en principio le merecían desconfianza. No obstante, en el año 2001 se habían puesto en circulación 1,9 millones de tarjetas en todo el país, 40% de las cuales estaban radicadas en Bogotá (10% de los hogares cuentan con una). Esto supone una buena penetración, más si se tiene en cuenta que sus usuarios ya son definitivos (eran «usuarios de paso» aquellos que a principios de la década de los noventa tenían tarjetas porque se las habían regalado con fines de demostración y publicidad; en ese tiempo, 16% de los hogares llegaron a poseerlas). El dinero plástico cada vez gana mayor confianza, aunque esta afirmación parece contrariar algunos estudios

de Nielsen[17] según los cuales, comparada con otras capitales latinoamericanas (de Brasil, Argentina, México y Chile), Bogotá es la que usa menos dinero plástico.

Pero ¿qué relación existe entre los imaginarios y el objeto postindustrial? Jacques Derrida (1995), al referirse al *e-mail,* expresaba que, como ningún otro objeto contemporáneo, estaba en vías de transformar tanto el espacio público como el privado, y sobre todo de romper el límite entre lo privado, el secreto y su público conocimiento. Empero, no es sólo

Casino.

Escultura de Bernardo Salcedo frente a la biblioteca Luis Ángel Arango.

técnica. A su sombra se está imponiendo un nuevo ritmo, cada vez más instantáneo, con una instrumentalización dirigida hacia la producción y bajo la amenaza de romper su misma noción de archivo. Se ponen sobre el tapete los derechos de autor y la privacidad de los actos íntimos, como sucedió recientemente con dos casos memorables, recibidos en Bogotá como si fueran propios, y que fueron seguidos por los ciudadanos en la última década de los noventa.

Fueron episodios de la vida privada que giraban en torno a los más reiterados imaginarios mediáticos de hoy: la muerte y el sexo. El segundo tiene que ver con las revelaciones que sobre la conducta sexual del presidente Clinton hizo un fiscal que seguía su caso, quien puso dicha información a disposición del público en una página web que, según información de la prensa, llegó a recibir 340.000 visitas por minuto en 1999. La magia de Internet recogió en las cuatro esquinas del universo una audiencia planetaria, y todos nos convertimos en mirones.

Pero los informes del fiscal son una continuación de los de la inquisición, como argumenta el diario parisino *Le Monde*, cuando descarriados y herejes eran perseguidos hasta lo más profundo de sus almas. El hecho es que se impone un terrible orden moral donde el sexo no está alejado del pecado, donde hasta la relaciones sexuales entre adultos conscientes se convierte en algo reprobable o se ve como algo horrible. El otro episodio es el de la muerte de la princesa Diana, ocurrida en 1997. Sus hijos se pronunciaron enfáticamente contra los medios, a los que pidieron no reproducir tantas veces y de modo tan mórbido las escenas del momento fatal, cuando su madre falleció en un accidente automovilístico. Estamos, pues, ante la utilización de los medios más estrechamente relacionados con el crecimiento urbano, la televisión y la Internet, para divulgar lo íntimo y de paso hacer un gran negocio de auténticas características citadinas.

Hoy se pregona que el desarrollo en comunicación y educación es la base de la modernidad. Una ciudad que logre buena infraestructura en comunicaciones y se valga de las nuevas tecnologías, y que a la vez consiga elevar el nivel educativo y especializar a los individuos en campos productivos clave, pero también humanísticos, crecerá con el perfil adecuado para responder a las necesidades y deseos de sus habitantes.

Colombia y Bogotá, en particular, comparadas con el resto del subcontinente, presentan razonables indicadores en telecomunicaciones. Así, por ejemplo, según www.pricewaterhouse.com, el país pasó de tener 100.000 correos electrónicos en 1997, a 500.000 en 1999[18]. Para el año 2002, teniendo en cuenta que cada una de las 320.000 cuentas activas pueden tener unos cinco usuarios factibles, se calcula que 1.600.000 personas usan este medio. Este enorme crecimiento ha tenido lugar luego de que el gobierno local impusiera tarifas planas[19] a partir del año 2001, con lo que se consiguió un crecimiento anual, entre 1998 y 2003, de 35%. De este porcentaje, 44% lo cubre Bogotá, lo que demuestra, junto con los datos obtenidos de otras ciudades populosas del país, que este medio se concentra en las grandes urbes y, en cambio, registra escasa penetración en las intermedias[20]. Ahora bien, cerca de la mitad de los usuarios capitalinos usan la red con fines académicos, lo que evidencia que ésta es una de las pocas ocasiones en que la productividad y el sector empresarial secundan las iniciativas de la inteligencia profesional y estudiosa.

Starmedia ubica a Colombia como el tercer mercado latinoamericano en ascenso, luego de Brasil y México, en el uso de Internet. Ahora, el hecho de que Bogotá represente casi la mitad del país en red activa significa que se proyecta como una de las ciudades más conectadas del subcontinente. A su vez, para lo que más se usa Internet es para comunicarse mediante el correo electrónico. Según cifras de la Network Access Point (NAP)[21] de Colombia, en 1999, 41% del volumen de información que circuló por la red correspondió a mensajes electrónicos y 36% a navegación por páginas web.

La base de desarrollo de las nuevas tecnologías de comunicación es el teléfono celular, es decir, la comunicación satelital. En este aspecto Colombia ha tenido un crecimiento significativo. Así por ejemplo, si en 1993 tenía 8,2 teléfonos instalados por cada 100 habitantes, en 1998 llegó a tener 18 líneas por la misma cantidad de personas, con lo cual se colocó, junto con Argentina y Uruguay, a la vanguardia en densidad de instalación telefónica entre los países

del subcontinente (Mauro Flórez, 1999). Al terminar el siglo, Colombia ya contaba con 32 teléfonos por cada 100 habitantes, y Bogotá en particular llegaba a 42, aunque en algunas áreas, como el centro y en urbanizaciones nororientales, llegaba a 60 aparatos, cantidad comparable a las que se encuentran en ciudades europeas desarrolladas. El nuevo auge sectorial está asociado a la liberalización, flexibilidad, desregulación, globalización y privatización. Esto último, al menos en el presente caso, parece traer beneficios, como se puede comprobar en el rotundo descenso de tarifas de llamadas de larga distancia desde 1998. Algo parecido ocurre con la telefonía celular y algunas empresas de televisión por cable.

El sector de las comunicaciones es uno de los que más han crecido en Colombia en la última década. En 1997, cuando aumentó en 32%, la venta de servicios asociados con este rubro alcanzó los cuatro billones de pesos, equivalentes a 2,3% del PIB, y de acuerdo con el Plan Nacional de Telecomunicaciones, en el año 2005 podría equivaler a 8%. En Bogotá ha habido un gran desarrollo de la industria informática. Para citar un ejemplo, la firma Heinsohn, la primera establecida en Amé-

Calle 26, Parque Centenario.

rica Latina, inició actividades en nuestra ciudad en 1977 y hoy es el primer proveedor de software para administradoras de fondos de pensiones del subcontinente. Si se tiene en cuenta que en el año 2000 el mercado en esta área produjo 3.600 millones de dólares y que para 2004 se espera que deje utilidades por 5.300 millones, puede asegurarse que este sector de la economía es uno de los que presenta niveles más altos de crecimiento (Espinosa, 2002).

Los resultados de nuestras encuestas señalan que en Bogotá son las clases medias y altas, aparte de un reducido número de sectores populares, las que utilizan Internet. Un sondeo por edades reveló que 82,4% de los adultos y 90,6% de los mayores de 65 años no lo usan. Por el contrario, 21,6% de jóvenes entre los 13 y 24 años son los que más la frecuentan, seguidos por 13,9% de jóvenes adultos (entre 25 y 40 años). En cuanto a géneros, la proporción de usuarios es de 100 hombres por cada 49 mujeres.

Al comparar el uso del computador con Internet, salta a la vista que el primero supera a la segunda en 21,6%. Esto significa que un buen número de personas que tienen computador no están conectadas, sobre todo en los sectores populares. Contrastan estas cifras con el uso de la televisión, pues mientras 32,7% de los sectores más pobres la ven de manera permanente, sólo la frecuenta con asiduidad 16% de la población de los sectores altos. El panorama se invierte cuando se mide el uso del computador por clases sociales: 32% de los sectores altos se valen de él, en contraposición a 10% en los sectores bajos. Así, la relación entre Internet y televisión parece evidenciar una nueva manera de segregación social y de identificación generacional. Por ejemplo, en Canadá —el segundo país que más consume Internet en el mundo después de Estados Unidos—, 33% de los jóvenes le dedican más tiempo a navegar por la red que a ver televisión[22]. En cambio, según nuestras estadísticas, en Bogotá los jóvenes entre 13 y 24 años prefieren la televisión (34,2%) al Internet (21,6%), si bien en los estratos altos hay una tendencia a utilizar más este último medio. Algo más que descubrimos es que, en general, el uso de la televisión no es tan frecuente como suele creerse, ya que como suma general sólo 35% de la población (considerando todas las variables) reconoce ser televidente regular.

En Bogotá, el computador se usa en tres actividades preferenciales asociadas a ciertos grupos de edades: los adultos se valen de él en el traba-jo; este mismo grupo y los adultos mayores lo utilizan como medio de comunicación; como entretenimiento lo prefieren los hombres jóvenes y las mujeres menores de 24 años (66,7% sobre los demás grupos de edades). Como canal de comunicación entre familiares, los consultados reconocen al teléfono como el medio ideal (98%), pero otorgan un significativo segundo lugar al correo electrónico (24,7%). El correo postal, el fax, el celular y el beeper aparecen con porcentajes mucho menores. Así, la ciudad a distancia empieza a dar muestras de existir con significación familiar en Bogotá.

Espejismo de los medios

Los medios de comunicación generan profundas marcas culturales en Bogotá. En especial, nos referimos a la radio, la prensa y la televisión.

Días y noches de radio

La radio de comienzos de la tercera década del siglo XX transmitía información de interés nacional. Así comenzó a configurar una imagen de país a pesar de la fuerte tendencia regionalista de Colombia. En las primeras décadas se transmitían discursos políticos, pues la oratoria constituía una de las artes ciudadanas más admiradas. Además de políticos, intervenían estudiosos de la lengua y la literatura, atendiendo a ese matrimonio tan particular que durante un tiempo se dio en Colombia entre pasión literaria y actividad política. Desde entonces, la radio es el medio más popular entre los bogotanos. Una amplia muestra entre oyentes de varias emisoras[23] —Caracol Stereo, FM 88.9, Candela, Javeriana, Radioactiva, Caracol, RCN y Todelar— la señalan como el medio que más espacios le brinda a la audiencia, pues la escucha, permite que exprese sus opiniones al aire y a diario la introduce en los problemas del momento, sin descuidar la tarea de sugerir soluciones.

La radio, como ningún otro medio, ha sido testigo y ha acompañado a los ciudadanos en las cuatro grandes «marcas de desolación y abandono» que han sufrido en los últimos 55 años, correspondientes a igual número de magnicidios: el de Jorge Eliécer Gaitán en 1948; el de Luis Carlos Galán, en 1989; el holocausto del Palacio de Justicia en 1985 y el asesinato del humorista y periodista Jaime Garzón en 1999. En

todos esos casos la ciudadanía ha seguido de cerca el itinerario asesino por la radio, lo que ubica a este medio en un umbral psicológico de compañía en el duelo social.

Su nacimiento data de 1929, cuando el presidente Miguel Abadía Méndez creó, con sede en el Capitolio, la HJN, primera radiodifusora de Colombia. En esa época los aparatos receptores eran tan costosos, y el entusiasmo de la gente por el novedoso medio era tan grande, que en la Plaza de Bolívar se hacían corrillos para escuchar las voces que salían de los parlantes que astutos

Interior de tienda tradicional.

comerciantes habían dispuesto para atraer a los primeros radioescuchas. Sobrevivientes de antiguas generaciones aún recuerdan de esa época la publicidad radial de algunos productos, como el fijador Glostora: «Si su pelo se le arruga, aplánchelo con Lechuga» (Toledo, 1999); otro, de un analgésico, decía: «Mejor mejora Mejoral». Y naturalmente estaban los jabones Palmolive, marca preferida por las reinas de belleza, o las aromas finos del jabón Reuter, delicadamente perfumado; el aliento puro y fresco de Colgate y las finas hojas de afeitar Gillette. Pero de esos tiempos también datan tres géneros radiales que siguen marcando de modo preferencial los gustos de los radioescuchas bogotanos: el deporte, las noticias y los dramatizados.

De mediados del siglo pasado quedaron en la memoria bogotana las voces de los locutores que prácticamente empujaban a Efraín Forero, el ciclista zipaquireño que la ciudad hizo suyo, quien enfrentaba al paisa y pentacampeón Ramón Hoyos. Las emisoras salían a acompañar a los ciclistas y tenían que arreglárselas para transmitir las emociones de la vuelta desde deterioradas carreteras. Los niños de entonces plasmaban lo que escuchaban por radio en un juego de canicas

consistente en escribir el nombre del corredor favorito en una tapa de gaseosa Kist, Súper o Leona Pura, que se echaban a rodar por el suelo.

No sólo los colegiales, también los empleados de oficinas y empresas se pegaban a la radio para escuchar las transmisiones de la Vuelta a Colombia en bicicleta. En los sesenta, con la llegada del transistor, los pequeños receptores se cargaban a todas partes para no perderse las emociones de la vuelta. En ese momento surge un ícono muy bogotano que ha merecido distintas representaciones teatrales y televisivas relacionadas con programas de humor: el vigilante o portero de un edificio pegado a su eterno acompañante: su radio transistor. La relación entre ciclismo y radio fue tan característica de la cultura colombiana que llegó a ser reconocida más allá de sus fronteras. En los años ochenta, en Francia, el país europeo con mayor tradición ciclística, cuando un colombiano obtenía algún triunfo de importancia se decía que su mayor estímulo eran los voceadores que los acompañaban desde las estaciones rodantes de emisión de radio, más la panela que consumían cuando comenzaban a escalar montañas. Bogotá literalmente lloró en 1987 cuando Lucho

Herrera, un ciclista del vecino pueblo de Fusagasugá, ganó la Vuelta a España. Los ciudadanos siguieron su hazaña oyendo las transmisiones radiales, y luego por los noticieros de televisión. Algunos locutores se atrevieron a decir que casi 500 años atrás España había conquistado a Colombia, y ahora ocurría lo contrario. Debido en parte a la radio, Lucho Herrera es el deportista más recordado por los bogotanos.

La radio también ha dejado marcas indelebles a partir de los dramas imaginarios. Cabe recordar el llanto de las bogotanas con la radionovela más famosa de todos los tiempos, *El derecho de nacer*, o la expectación de los jóvenes con las sensacionales aventuras de Kalimán o del detective más osado de Oriente, el chino Chang Li Po, quien con su hablado trabado de chino ponía en manos de la justicia a cuanto criminal se le cruzara en el camino. En cuanto a voces inolvidables, nuestros consultados citan la de Gaitán, la del papá Pablo VI, quien visitó a Bogotá en 1968; las de humoristas como Montecristo y del elenco del programa La Luciérnaga, de Caracol, que nació cuando en 1992 se les fueron las luces a Bogotá y al resto de Colombia, en un apagón casi total que obligó a los ciudadanos a

mantenerse informados por medio del radio transistor de pilas. Ese programa humorístico, que empezó imitando las voces de los políticos y poderosos causantes del descalabro, se volvió una picante compañía para sobrellevar la furia cotidiana.

En los años cuarenta monseñor Joaquín Salcedo fundó una emisora de gran proyección nacional, todavía presente en el recuerdo ciudadano, Radio Sutatenza, dedicada a la enseñanza y educación formal de los campesinos y a informarles sobre cultivos y asuntos del campo. La iniciativa surgió a partir de la influencia de la *Pedagogía del oprimido*, libro del brasileño Paulo Freire que difundió en todo el continente una metodología de liberación política y social basada en la educación y la utilización de los medios de comunicación. Por su parte, las tres grandes cadenas radiales bogotanas —y más adelante colombianas—, Caracol, RCN y Todelar, datan de los años cuarenta. No es casual, pues, que en la actualidad los canales privados de televisión más poderosos sean propiedad de las dos primeras cadenas radiales mencionadas.

Cuando preguntamos sobre la radio y su uso cotidiano, 61% de los encuestados —tuvimos en cuenta todas las clases sociales, sexos, eda-

des, niveles académicos y oficios—
la calificó como el medio que más
compañía proporciona y el que
brinda más ayuda con sus consejos.
También reconocen que se ha operado un cambio en la radio de los
últimos tiempos, consistente en
transmitir conciertos de artistas
extranjeros, informar de actividades
culturales e interactuar con el público mediante concursos.

Un sitio especial ocupan cinco
emisoras culturales. La más antigua
es la Radiodifusora Nacional de
Colombia, fundada en febrero de

1940, y que en sus sistemas de FM
local y nacional, AM y onda corta
cuenta con una programación de
música clásica, folclor colombiano y
programas culturales de diverso tipo.
Le sigue en antigüedad la HJCK, El
Mundo en Bogotá, «La emisora de
la inmensa minoría», según reza su
eslogan, fundada por Álvaro Castaño Castillo en 1950, estación que ha
sobrevivido a punta de conciertos
clásicos y ha cumplido una valiosa
tarea educativa entre sus radioescuchas. La emisora de la Universidad
Javeriana inició sus transmisiones en
septiembre de 1977, y desde 1992 es
una fundación cultural sin ánimo de
lucro. La emisora de la Universidad
Jorge Tadeo Lozano comenzó sus
labores en 1984 y es una de las más
destacadas en su línea de programación; finalmente, la de la Universidad Nacional se inauguró en 1991.
En conjunto, todas ellas apuntan al
perfil de un radioescucha que frecuenta las actividades culturales
ofrecidas por la ciudad y se muestra
interesado en la música clásica y
moderna no comercial, así como en
información sobre arte. Bogotá es
una de las ciudades del mundo con
mayor programación permanente
de música culta. En la emisora de la

EL SEXO TANTRICO (II ENTREGA)

¡Vagina llena, corazón contento!

La dilatación, el control y los espasmos del órgano sexual femenino cuando la mujer está excitada.
Un alucinante viaje a lo más íntimo de la 'cuca'

Bͦgͦtá
EL ESPACIO

Separata del periódico *El Espacio*.

Tadeo nació la *Agenda Cultural de Bogotá*, el mejor boletín cultural de la ciudad, creado por Alfonso Velasco, documento de amplia circulación en la ciudad.

En Bogotá también hay una vieja tradición de radios de colegios y escuelas. En 1950 el colegio Fray Cristóbal de Torres, bajo la rectoría del filólogo J. M. Restrepo Millán, fundó una emisora para servicio de sus alumnos, idea que fue seguida por muchas entidades de educación media. Hoy en día muchas instituciones escolares tienen su propia estación, entre ellas el Gimnasio Moderno.

La prensa en el tiempo

El periódico en circulación más antiguo de Colombia, *El Espectador*, se fundó en Medellín en 1887, aunque luego, en 1915, se radicó en Bogotá. Le sigue *El Tiempo*, diario capitalino fundado en 1911. Al igual que la radio, la prensa contribuye a armar una imagen nacional, pero a la vez ahonda en el carácter regional, pues desde su nacimiento mantiene una vocación vernacular. *El Tiempo* es el periódico de mayor circulación en Colombia y uno de los de mayor tiraje en América Latina. En 2002 contó con una circulación dominical de 701.257 ejemplares[24]. Sin embar-

go, 70% de esos ejemplares se distribuyen en el Distrito Capital, hecho que señala el marcado carácter regional de este diario.

En la prensa la imagen de las ciudades adquiere un sentido de modernidad, de vida industrial y de reparto de los roles sociales. En Bogotá este fenómeno tiene varias manifestaciones —topográfica, cultural, temática y por audiencias—, que apuntan a determinar cuáles son los distintos actores urbanos. Se entiende por actor urbano mediático todo hecho que se refiera a un deseo colectivo que merezca una representación; por su parte, su estudio apunta tanto a su registro como a la manera como se escenifica. Si nos preguntamos por las topografías, los lugares por donde circulan los tres periódicos más grandes de la ciudad, encontramos unos cortes espaciales imaginarios según los destinatarios y las zonas urbanas que ocupan (Toledo, 1999: 35 y ss.).

Se puede decir que *El Espacio*, diario de carácter sensacionalista, por lo general muestra cuanto sucede en el centro y sur de la ciudad, en potreros de zonas marginales y en sitios deprimidos del centro, y está dirigido a los estratos 1 y 2 de la ciudad. De otro lado, *El Tiempo* y *El Espectador* (convertido en sema-

Mural en el centro de la ciudad.

nario desde el año 2001) apuntan más al norte en sus eje oriente-occidente, y también tienen audiencia entre los empleados gubernamentales. Así, si tomamos un tema, por ejemplo el Plan Territorial, encontraremos que no es tratado en *El Espacio*, pues corresponde a un interés legal o académico. Pero si nos concentramos en el caso de un asesinato cometido con sevicia en un potrero del sur, veremos que la noticia no es registrada por los otros dos periódicos. *El Espacio* usa en sus titulares términos con alto contenido emotivo, como «Muerte a adúltera» o «Tiros y venganza». Para un tema similar *El Tiempo* titularía «Prohibición de porte de armas». En general, mientras los llamados periódicos serios enfatizan en el as-

pecto institucional porque creen en él y lo defienden, la prensa amarillista valora la emoción de las víctimas y sus titulares se confunden con sus propios gritos o agresiones. El título «Borracho mata a taxista porque no es transportado» de *El Espacio* introduce directamente, sin ningún recato, a sus lectores en la escena del crimen. Por esto mismo en sus clasificados se anuncian lotes de zonas marginales, en tanto que la revista *Semana* está llena de ofertas inmobiliarias en Miami.

El imaginario que construye la prensa tradicional se relaciona con las audiencias topografías mencionadas, según sectores sociales. Pero se puede averiguar aún más sobre los modos de seguir la lectura de la misma, dependiendo de la sección elegida. Esto nos puede dar indicios culturales de audiencias cualificadas. La sección económica de *El Tiempo* y *El Espectador*, quizá la más importante, a juzgar por el número de páginas y colaboradores, es no obstante una de las menos leídas: 60% de los consultados confiesa seguir de largo cuando la encuentran; sólo 14%, que corresponde a un sector adulto y de alto nivel académico, la considera útil o importante. La información política sigue parecida suerte que la económica: a sólo 20% de los lectores les interesa, aunque hay una sorpresiva buena participación de los estratos medios bajos. Surge la pregunta de qué entienden por política estos sectores sociales. Un estudio adelantado sobre el tema sostiene que varios entrevistados respondieron que la política es una forma de conseguir ayuda del gobierno para su barrio.

La sección deportiva encuentra alto seguimiento entre adultos masculinos de sectores medios y bajos. Por su parte, la sección cultural, junto con la de farándula, es la que más adeptos encuentra. Este último resultado nos hace temer que las respuestas no sean del todo veraces, pues puede ocurrir que la gente sienta la necesidad de reconocerse culta cuando responde a nuestras preguntas; pero también puede ser que la cultura y los espectáculos de música, cine, teatro callejero y grandes exposiciones de arte, como la que se realizó en Bogotá sobre la obra de Picasso durante el año 2000, constituyan motivos favorables para esa predilección por las páginas de cultura. No sobra reconocer que en nuestra ciudad el ascenso social se asocia a la posibilidad de cursar estudios y de tener buena cultura. Es de reconocer, igualmente, que el periódico más influyente de Bogotá, *El Tiempo*, tiene columnas de opinión dedicadas al tema urbano desde 1988, y que en los años noventa implementó toda una sección dedicada a la ciudad. Al comparar este diario con sus pares en todas las capitales de América Latina, resultó ser, junto con *Folhia de São Paulo*, el que más páginas dedica a la misma urbe como sección especializada[25].

La sección de farándula, que encuentra el mayor reconocimiento general, es sin duda un nuevo lugar de encuentro de distintas clases sociales. Cantantes, reinas de belleza y presentadoras de televisión, así como los chismes generados en los medios, son de aceptación general. En esta sección, prensa y televisión se unen estrechamente. Trasladar las imágenes de la televisión al papel es una tendencia facilista a la que suele acudir con frecuencia la prensa bogotana.

En lugar de ampliar información crítica, analítica o de incluir distintos puntos de vista sobre los sucesos del día, nuestra prensa muchas veces se limita a la noticia en «caliente», lo cual confunde a los lectores.

El sociólogo Pierre Bourdieu (1997) recalcó que la televisión se interesa por lo extraordinario cotidiano: masacres, incendios inundaciones, crímenes atroces (y podríamos agregar farándula, pues una ocasional presentadora de noticias puede tornarse una princesa encantada a la que se le busca pareja, se la persigue y se la dota de cualidades físicas que la hacen altamente deseable). De esta manera, en la pantalla lo cotidiano se vuelve maravilloso. Por su parte, la prensa, más que la televisión, puede participar en la misión de los estudiosos de contribuir a descubrir cosas ocultas en los sucesos. Cuando lo hace, contribuye a generar simbolismos y a reducir el impacto de la violencia gráfica.

Fantasías en pantalla

A mediados del siglo XX llega a Bogotá un aparato llamado a transformar la vida cultural y las representaciones urbanas de manera definitiva. Se trata del televisor, uno de los mayores generadores de marcas en el tiempo de la gente, cuya señal fue traída por el general Rojas Pinilla cuando era presidente, en 1954. La primera emisión, el 13 de junio, se abre con el himno nacional, unas palabras del presidente de la República desde el Palacio presidencial, y a continuación un programa con música clásica interpretada por Frank Preuss, los chistes de Los Tolimenses, el noticiero internacional *Telenews* y el primer dramatizado: *El niño del pantano*, dirigido por Bernardo Romero Lozano, el gran mentor de la telenovela (Estamato, 1994: 20). Nuestra televisión nació nacionalista, pero también literaria, pues en ella se pudo ver en escena a autores de vanguardia como Cocteau, Strindberg y Brecht; y a la vez también nació lúdica, ya que los chistes y el teatro le marcaron una ruta en esa dimensión. En el comienzo fueron traídos a Bogotá técnicos cubanos como Gaspar Arias y Miguel Siqueira. También se contó con la presencia de una joven crítica de arte proveniente de Argentina, Marta Traba, quien desde la televisión organizaba sus lecciones de arte. Traba, quien murió trágicamente en un accidente aéreo en

1983, se convirtió en un personaje de la cultura bogotana y todavía se la recuerda por su amplio bagaje teórico, sus lecciones en los medios y su capacidad para crear debates sobre temas tan académicos.

Hoy casi la totalidad de los hogares bogotanos disponen de un televisor. Este medio ha logrado un impacto extraordinario en el modo de entender temas íntimos como la sexualidad, públicos como la política o estéticos como la moda. Las telenovelas han conseguido un original desarrollo expresivo que supera en calidad las producidas en México y Venezuela —los países con mayor tradición en la explotación de este género en nuestro continente—. Los aportes colombianos, junto con los brasileños, son recibidos en Latinoamérica como un hecho innovador.

En otros ámbitos, como la transmisión de eventos deportivos —sobre todo fútbol y últimamente automovilismo, por seguir al líder bogotano Juan Pablo Montoya—, la televisión colombiana ha desarrollado un estilo propio. No se puede decir lo mismo de los telenoticieros, que se han quedado rezagados al adoptar una tendencia *light* donde dominan las

Indigente pidiendo limosna en la puerta de una iglesia.

reinas de belleza y la trivialización, mientras en otros países hispanos, como la misma España, Argentina y México, se han orientado hacia análisis de la información local e internacional, aspecto ausente en nuestro medio. Ello se explica, en parte, por la fuerte vinculación que todavía existe entre la clase política y los medios. Sin embargo, en 1998 se abrieron opciones con el nacimiento del Canal Capital para Bogotá, y en el año siguiente con las emisiones de City TV, canal de la Casa Editorial El Tiempo, que llega con algunas refrescantes propuestas.

A pesar de las críticas que se puedan hacer al formato de los telenoticieros, 51% de nuestros consultados admiten que sintonizan diariamente estos espacios (54,4% de los hombres y 45,7% de las mujeres). La segmentación social frente a la pantalla no parece relevante, pero queda claro que son los sectores medios los más asiduos espectadores de este tipo de programas, y que la personas entre 40 y 65 años de edad son las más comprometidas con este ritual.

En todas las ciudades del país se registra la tendencia de dejar la televisión pública para los pobres, mientras los sectores altos, que pueden abonarse a televisión por cable, disfrutan de una programación diversa y de mayor calidad, situación que conduce a una implacable segmentación de las audiencias.

La atracción ejercida en el país por las telenovelas y los noticieros se puede observar en los resultados de audiencia de un informe que tomó muestras un día cualquiera, el martes 5 de marzo de 2002. A las 6:00 a.m. ya hay 2.600.000 televidentes; entre las 7:00 y 10:30 a.m. se tiene un promedio de 6 millones y a las 11:30 a.m. —con tope máximo a mediodía—, de 15,5 millones. Hacia las 7:00 p.m., con 50% de los televisores prendidos, 18,5 millones de televidentes se disponen a ver el noticiero. La audiencia aumenta progresivamente hasta las 11:00 p.m., cuando el número de espectadores llega a 26 millones (Rincón, 2002).

La televisión impone un ritmo temporal que marca los horarios de los ciudadanos: hace que los niños vayan al colegio en las mañanas, que se preparen los alimentos antes de las telenovelas del mediodía, que quienes retornan a sus casas se sienten a ver los telenoticieros a una hora determinada, que la hora escogida para dormir se sitúe después del último programa. Todas las actividades cotidianas se organizan en función de los horarios televisivos. Surge la necesidad de trabajar por una

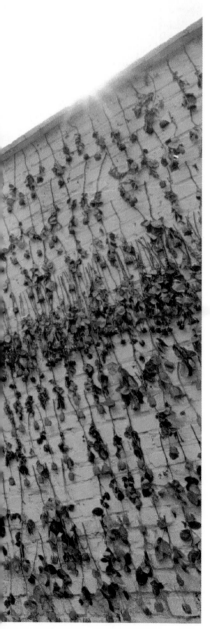

mayor conciencia sobre la televisión si se quiere llegar a esa imagen de marca que la televisión cultural (entendida como pública) puede lograr con una peculiar y diferenciadora propuesta de programación que se articule en géneros y franjas, tanto por horas y edades como por temáticas y expresividades (Barbero, 2002: 65 y ss.).

No obstante los altos seguimientos de las noticias, la pobreza y decadencia de los noticieros colombianos salta a la vista si se examinan la poca creatividad e independencia entre uno y otro canal. Queda la sensación de que la ciudad tuviera un solo noticiero. En un artículo que escribimos sobre estos espacios (Silva, 2001b) logramos determinar, casi con exactitud, en qué consiste cada uno de los tres segmentos de ocho minutos en que se dividen: el primero está representado por los cadáveres de las guerras propias y extranjeras; el segundo, dedicado a los hombres, exhibe la piernas de los futbolistas, y el tercero, cortesía para mujeres, nos muestra los bustos, piernas y traseros de las bellas modelos o ex reinas presentadoras. Las propagandas repiten el pobre mode-

Muro de rosas en el Colegio Mayor de Cundinamarca.

lo: pastillas contra el dolor cabeza en el segmento de la guerra, celulares para los hombres y toallas higiénicas para las mujeres en los dos restantes.

Nuestros telenoticieros han puesto en escena una nueva noción de censura. No se trata de ocultar la guerra, la sangre o los muertos: ahora se oculta exhibiendo. Es una extraña manera de vender noticias. Yamid Amat y la ex modelo Viena Ruiz iniciaron la perversa modalidad de exhibir cadáveres junto a los coqueteos sexuales de las presentadoras. Por haber configurado este estilo nacional, ellos se han constituido en dos desgraciados emblemas de la ciudad.

Otros programas seguidos con entusiasmo por los televidentes bo-

gotanos son los musicales, como el *Show de Jorge Barón*, que transmite desde sitios populares, como la Media Torta, festivales de música vallenata, carrilera o de antaño. A partir de 2001 Barón transmite por un canal público sus espectáculos desde sitios apartados del territorio. Con la jerga y gestualidad que lo caracterizan, este presentador ha creado elementos distintivos de tipo circense, como hacer repetir al público que lo acompaña la fórmula «Agüita para la paz», que viene seguida de la intervención de una máquina de bomberos que los baña en medio del relajo y la algarabía.

Si lo medimos por su impacto nacional e internacional, y la calidad y renovación de estilos, quizá sea la telenovela el género televisivo que más se ha desarrollado en Colombia. Santiago Coronado (1997) habla de cuatro generaciones. La primera, de los pioneros, corresponde a directores como Bernardo Romero Lozano, Víctor Mallarino y Alicia del Carpio. Sigue la clásica, en la cual sobresalen creadores como Pepe Sánchez, Julio César Luna, David Stivel, Bernardo Romero Pereiro, Carlos Duplat, Jorge Alí Triana y Kepa Amuchástegui. La

Torres del Parque, obra de Rogelio Salmona.

tercera es la de la imagen, que tiene menos deuda con el teatro y explota mejor las posibilidades expresivas de la televisión; a ella pertenecen guionistas como Fernando Navas, Andrés Marroquín y Patricia Uribe, entre otros. La última generación, la postmoderna, se distingue por los juegos, ironías y relatos entrecortados; está representada por Dago García, Felipe Salamanca, Fernando Gaitán y Mauricio Navas.

En Colombia existe una extraña relación y simbiosis entre telenovelas y telenoticieros. No sólo tratan temáticas similares —violencia, fútbol, desastres que afectan a habitantes marginales, amores entre adolescentes, reinados de belleza o festivales de música— sino que reclaman para sí determinados actores y sus horarios se entremezclan. Desde finales del año 2001, las dos más grandes programadoras resolvieron asaltar los tradicionales horarios de las noticias para poner allí sus dramatizados. Al mismo tiempo, una de las novelas de mayor éxito, *Pedro el escamoso*, empezó a tomar los temas de las noticias para mostrarlos como ficción. Y otro seriado, *Betty la fea*, se lanzó al mercado de la moda y terminó haciendo un noticiero sobre el tema. Las mismas noticias —las reales— sobre la guerra que vive el país suelen mostrarse en los noticieros como parte de un espectáculo de protagonistas encontrados, buenos y malos, justo e injustos. En ellos incluso se les arman novelones a los guerrilleros, como que son hijos naturales, o que la hija de un comandante es la querida de otro.

The Real World, un programa con cámara oculta producido en 1992 por MTV en los Estados Unidos, mostraba la convivencia de algunos jóvenes durante seis meses en todos los espacios de una casa, excepto los sanitarios. La serie *El Gran Hermano*, reproducida en muchas ciudades en América Latina, inspirada en una idea del famoso vaticinador y escritor George Orwell, saltó de la literatura a la televisión y a Internet. Pero más que controlar a la gente, como lo planteaba la novela *1984* de Orwell, posibilitó que la gente (en este caso los espectadores) manejara la vida de los personajes del programa[26], como se vio con el programa *Expedición Robinson*, uno de los de mayor sintonía en Bogotá durante 2001. Este nuevo género de los *reality shows* parece pensado para confundir al televidente, de modo que no sepa descifrar con certeza si lo que está viendo es información o son cuentos fantásticos exagerados.

Puente para peatones y ciclistas.

Beatriz Quiñones (2001), en un estudio sobre la violencia en las series de ficción colombianas, estima que junto a la telenovela ha habido otros géneros paralelos e híbridos, a mitad de camino entre la novela y el noticiero, como los programas *Zociedad* y *Quac, el noticiero*, que con la orientación y creación de Jaime Garzón lograron narrar de manera distinta la historia reciente del país, utilizando estrategias discursivas y escénicas como el humor, la irreverencia y la sátira. Junto a ellos podrían agregarse series de ficción como *Los Victorinos* de Carlos Duplat y *La alternativa del escorpión* de Navas y Miranda, mezclas de documental y dramatizado. Si no se logra una reubicación de la dimensión de la violencia en la ficción y en los noticieros, la memoria de este fenómeno seguirá contribuyendo, ahora desde los medios, a que la nueva violencia (producida por estos últimos) no sorprenda, a que aparezca como algo normal, a que se difunda fácilmente, a que sus dimensiones y sus relatos no sean percibidos sino tardíamente[27].

Un aspecto visto como positivo ha sido la creación de dos canales bogotanos, Canal Capital y City TV. La audiencia ha sido pequeña en los pocos años que llevan funcionando, pero a partir de 2001 City TV parece despegar y ya supera una audiencia de 6%.

El Canal Capital depende de la Alcaldía pero por fortuna no se ha convertido en un espacio para la propaganda institucional. Ha desarrollado algunos programas de información sobre las tareas de las autoridades distritales, y entre sus mayores

aciertos están sus clips urbanos, de menos de un minuto cada uno, donde a diario se entregan distintas miradas sobre hechos de la ciudad: el arte urbano, los trabajadores de la calle, los barrios de la ciudad, las actividades nocturnas, los recorridos de los recicladores —uno de los personajes que más identifican a la Bogotá de la noche—. Estos clips (presentados entre uno y otro programa, junto con otros titulados *Ventana creativa* —que también aparecen en el canal cultural—, donde se presentan distintas facetas culturales del país, como los juegos de los niños en todas las regiones nacionales, la música del archipiélago de San Andrés y Providencia, joyas arquitectónicas de Cartagena y otras ciudades, migraciones de gitanos y otras etnias a Colombia), constituyen una labor educativa y estética que enriquece las imágenes y relatos que circulan en Bogotá, cuyos ciudadanos históricamente han tendido a aislarse de lo que sucede en el entorno nacional.

Canal Capital experimenta de distintas formas, por ejemplo, grabando hechos significativos de la cultura viva de la ciudad, como visitas a tiendas de los barrios y programas con tenderos, transmitiendo fragmentos editados de las principales obras participantes en el Festival Internacional de Teatro, entrevistas a artistas e intelectuales, eventos de moda y espectáculos al aire libre.

City TV nace en los momentos de mayor depresión económica y psíquica de la ciudad, 1999-2000, cuando la situación angustiosa del país hizo que el gobierno buscara diálogos de paz con los insurgentes, y construye un proyecto en cooperación con la compañía canadiense

Postal, panorámica del centro de la ciudad, foto de Omar Bechara.

Chum Limited. Un elemento por el que es reconocido este canal es la City-cápsula, una cámara dispuesta en sitios públicos donde los transeúntes pueden hacer sus intervenciones, expresar sus opiniones sobre cualquier tema, enviar mensajes a personas queridas, etc. «A esta City-cápsula la amo», repite con frenesí uno de los primeros jóvenes que encontró en este confesionario urbano la posibilidad de expresarse. Bogotá ha carecido tradicionalmente de vías de expresión ciudadana, salvo la radio, algunos centros comunitarios y conversaciones y encuentros en parroquias de barrio, que tuvieron importancia democrática en buena parte del siglo XX. Pero en la ciudad institucional, la del gobierno, la de los servicios públicos, de las entidades bancarias, notariales, etc., ha primado una actitud colonialista de desprecio por el ciudadano, sobre todo si es humilde, de escasos recursos o padece de cualquier incapacidad, y entre éstas debemos contar la de ser anciano, joven, pobre o limitado físico. De ahí la importancia de esa pantalla por donde la ciudadanía, e incluso los representantes del gobierno, se están enterando del mundo descompuesto donde la gente real vive.

La City-cápsula no da abasto con todos los mensajes de amor, de crítica a la ciudad, de odio a los funcionarios, de poemas o música de moda, de llamados a miembros de colonias departamentales y, en fin, de voces ciudadanas que se expresan públicamente todos los días. Tres años después de su creación, el 19 de marzo del 2002, la City-cápsula guarda en su memoria 1.600 casetes de 120 minutos cada uno con las memorias de los bogotanos. Sus creadores admiten que nació como una versión mejorada de los *speaker corner* (Gelves, 2002), aquellos oradores espontáneos de las esquinas del Hyde Park de Londres, donde los visitantes emplazan a sus vecinos a escuchar sus puntos de vista. Según datos del mismo canal, los mensajes que más abundan son los de amor, seguidos por los de fútbol, música, precisamente tres temas juveniles, pues la mayoría de sus usuarios pertenecen a ese rango de edad. Hoy en día, luego de ubicarse en las antiguas instalaciones del periódico *El Tiempo*, se ha desplazado a distintas localidades del sur y norte de la ciudad, como el centro Ciudad Tunal y el Atlantis, y para los años venideros se tiene previsto instalar City-cápsulas en otras ciudades del país para traer a los bogotanos nuevas visiones nacionales.

City TV también ha incursionado en las noticias. Los bogotanos se despiertan con *Arriba Bogotá*, un espacio que, como en los tiempos de la radio, escucha a los televidentes y les da información sobre vías, trancones, clima, culinaria y lo que está sucediendo en los distintos costados de la ciudad. Es un informativo creado por el periodista Juan Lozano, que rompe el esquema de los tres segmentos impuesto por los otros canales. También, con la franja *Buen cine*, ha introducido programación de películas en horarios vespertinos —algo nove-

doso en nuestro medio— y en su espacio *Grandes series*, especialmente con la comedia *Sex and the City*, ha demostrado vocación urbana y de combate ideológico a partir de la vida secreta de unas ejecutivas neoyorquinas que asumen su nuevo rol de conquistadoras de machos debilitados. Quizá sean éstas las tres mayores virtudes de este canal: introducir otros ritmos horarios, interactuar con los ciudadanos y presentar programas que permiten debatir o disfrutar de manera moderna la cultura.

Encuentros de ficción

Los relatos y figuraciones sobre la urbe constituyen un principio de construcción simbólica, si en ellos entendemos el esfuerzo de los creadores por producir una realidad invisible a los sentidos por medio de imágenes, palabras u objetos. Se puede decir que frente al entorno natural la ciudad se eleva como un artificio, por ser la obra más continuada de las generaciones y por ser el lugar de evocación más determinante en el ser contemporáneo. Nos proponemos estudiar cómo se construye culturalmente Bogotá a partir de relatos como el cine y la novela, o en figuraciones artísticas plásticas, entre otros artificios creativos.

Armando Silva

Bogotá en cintas

Los primeros intentos de representar a Bogotá en el cine estuvieron influidos por la violencia de los años cincuenta, especialmente por el llamado Bogotázo y las consecuencias del 9 de abril de 1948 en la vida cultural. Un ejemplo de ello es la obra del cineasta Camilo Correa. En los años sesenta se evidencia una tendencia neorrealista desarrollada en filmes como *Raíces de piedra* y *Pasado meridiano*, dirigidas por el español José María Arzuaga (Silva, 2001a: 14-24). En los siguientes años se da un cine político de denuncia y estadísticas sobre la dominación que vive Colombia. Cintas de esta época, donde se explotan situaciones bogotanas, son *Chircales*, dirigida por Marta y Jorge Silva, y *Los hijos del subdesarrollo*, dirigida por Carlos Álvarez. También se producen películas humorísticas muy taquilleras, como *Semáforo en rojo*, de Julián Soler, donde se muestran las calles y los contrastes ciudadanos característicos de nuestra ciudad. Pero nos detenemos en cinco filmes que han abordado a Bogotá de modo explícito y referencial.

Manifestación en la carrera séptima, frente al Parque Santander.

Plazoleta del Chorro de Quevedo, barrio La Candelaria.

Jaime Osorio dirigió *Confesión a Laura*, que narra una historia de amor adúltero en medio de los sucesos del 9 de abril, en una casa cercana al Palacio presidencial. Los ambientes decorativos (el mobiliario de las casas de entonces) y el suspenso ante los desbordamientos de la multitud, el incendio de la ciudad y los saqueos, están bien recreados, por lo que puede tomarse como un documento de fidelidad histórica. Sus protagonistas, Vicky Hernández y Gustavo Londoño, son dos de los mejores actores del medio. La película se filmó en La Habana, Cuba. Los actores debieron afrontar la tremenda dificultad de actuar en medio del calor de la isla como si estuvieran en el frío clima bogotano.

La gente de la Universal, dirigida por Felipe Aljure, sobre una Bogotá de fondo esboza la historia de una curiosa compañía de detectives de casos amorosos que opera en el Centro Internacional. Aparecen personajes muy corrientes de la ciudad, así como el entorno físico y arquitectónico. El filme no sólo es divertido y verosímil, sino que recurre a una mezcla de hechos que arman la psicología del bogotano popular, encarnado en quienes ejercen el detectivismo, ex policías y vigilantes (justamente la actividad en que más se ocupan los provincianos que se acercan a la ciudad). Se trata de gente de carácter prevenido, ventajoso y conquistador, y no sólo de mujeres, sino también de un estatus si los negocios, así sean turbios, lo permiten.

Según datos del Ministerio de Cultura[28], las dos películas que mayor recuerdo han dejado entre los espectadores bogotanos son *La estrategia del caracol,* de Sergio Cabrera, y *La vendedora de rosas,* del antioqueño Víctor Gaviria. La primera se escenifica en el barrio más tradicional de nuestra ciudad, La Candelaria, y trata de los habitantes de un

inquilinato a quienes el propietario les pide desalojar el inmueble. Pero éstos deciden llevarse la casa, que sienten suya, ladrillo por ladrillo. Este filme introdujo una teatralidad y un humor popular muy bogotanos, pocas veces captados por el cine. La lucha por el espacio en una ciudad muy densa es un hecho diario en los sectores pobres. La manera como el director abordó esta situación introdujo una poética expresada en unos personajes que optan por hacer realidad la simpática hipérbole de llevarse su casa consigo, como si fueran un caracol. Es de lamentar que se haya privilegiado tanto la denuncia, pues la historia acabó sometida a un ejercicio socio-lógico. Esto le quitó el mejor aliento a la creación, que pudo haber mostrado de modo más libre la Bogotá ambulante y destechada.

Dos filmes más recientes producidos al terminar el milenio son *Diástole y sístole*, comedia en tres actos dirigida por Harold Trompetero que trata de la vida agitada de una mujer que va logrando autonomía tanto laboral como sexual, y *Bogotá 2016*, conformada por cuatro cortos de jóvenes directores[29], los cuales versan sobre la Bogotá del futuro, tomando como paradigma el famoso filme *Blade Runner*, de Ridley Scott, que acontece en Los Ángeles en 2016, luego de la derrota de la civilización urbana. El centro es la postciudad, en este caso figurada en Bogotá.

Cuentos bogotanos

En la creación literaria de la tercera y cuarta décadas del siglo XX podrían localizarse los primeros intentos por hacer de Bogotá un escenario literario. Osorio Lizarazo, con notable capacidad narrativa —según reconoce la revista *Eco*—, en obras como *El día del odio* describe la Bogotá de entonces, cuando la modesta capital andina no emanaba siquiera una mínima parte de las incitaciones propias de otras del continente, como Buenos Aires o Ciudad de México. No existía un proletariado que contara, pero sí pululaba un sinnúmero de existencias proletaroides, turbas de zorreros, limpiabotas, vendedores de lotería, de cordones, de sahumerio para purificar el aire de las piezas y de las casas. En fin, Osorio logró una valiosa descripción, casi fotográfica, de la Bogotá que aplaudía a Jorge Eliécer Gaitán.

En los años cincuenta aparece el nadaísmo comandado por el antioqueño Gonzalo Arango. Este movimiento causó impacto en Bogotá, en parte debido a que el grupo cultivaba una poética urbana en buena parte fundada en el escándalo social y la arremetida contra una sociedad pacata y dogmática. El nadaísmo tomó cierta estilística de los existencialistas franceses y de la subcultura *hippie* de los sesenta. Sin embargo, a pesar de la escasa profundidad intelectual de que se le ha acusado, este movimiento renovó los gustos estéticos y dejó algunos representantes que sobrevivieron con calidad poética, como Mario Rivero, Jotamario Arbeláez y Eduardo Escobar, quienes han contribuido a dar una forma literaria a la ciudad con recitales, escritos en prensa y agita-

ción en la vida cultural de Bogotá. Como grupo de agitación, tiene parentesco con otros actuales, como el movimiento de anarquitectura que en ciudades europeas realiza acciones contra las normas de urbanidad. Los nadaístas dejaron marcas en Bogotá debido a sus permanentes provocaciones, caminatas por la ciudad y presencia en algunos establecimientos. Quizá el café El Cisne, situado en donde hoy se levanta el edificio Colpatria, reconocido como uno de los nuevos emblemas de la ciudad, sea el lugar más asociado a estos trovadores.

A los nadaístas les sigue la llamada Generación sin Nombre, con poetas más involucrados en el proceso creativo como María Mercedes Carranza, fundadora y directora de la Casa de Poesía Silva, con sede en el barrio La Candelaria, donde muchos bogotanos se inician en la tarea de escuchar y leer poemas en pleno centro de la ciudad; y Juan Manuel Roca, cultor de la palabra, impulsor de proyectos editoriales e iniciador de muchas campañas contestatarias sobre la ciudad.

«Esta ciudad que conocen mejor sus vagabundos, la ciudad nocturna que ha entrado en un letargo, letárgico estado de coma» («Ciudad oculta», Juan Manuel Roca, 1987).

VIA EN CONSTRUCCION a 200 mts.

Tránsito nocturno en
la Avenida Jiménez

Juan Gustavo Cobo Borda también hace parte de ésta generación. Poeta y autor de importantes ensayos, fue impulsor de la revista *Eco*, que mucho contribuyó a insertar a Bogotá en un ambiente de letras internacionales[30]:

> ...[En Bogotá] todos los sitios pasan de
> moda máximo en un mes: todo cuanto
> tocamos empieza a decaer
> («Bogotá D.E», 1973).

A los anteriores siguen otros poetas como Ángela Caldas, que continúan describiendo a Bogotá en sus versos:

> La belleza te rehúye
> sin embargo me llama ese perfume
> de flor parasitaria y carnal
> que abre la noche sobre brillantes calzadas
> («Orquídea negra», 1990).

Por su parte, Ramón Cote les canta a varios trovadores bogotanos desaparecidos:

> Las viejas encorvadas que gritaron botella
> papel desde las calles vacías para alejar las
> borrascas [bogotanas]
> («Oración por el afilador», 1999).

Y William Ospina, en vibrante ensayo sobre la violencia circular del país, remata: «El espactáculo que brindaría Colombia a un hipotético observador bien intencionado y sensato sería divertido si no fuera por el charco de sangre en que reposa» («Lo que le falta a Colombia», 2002).

En narrativa merecen destacarse seis novelas contemporáneas que han tomado a Bogotá como escenario, contribuyendo a crear una emblemática literaria de esta ciudad. Se trata de escritos que se distancian de la centenaria tradición realista bogotana, de la vía maravillosa de García Márquez y de la vía poética y evocativa de Álvaro Mutis, para internarse en otros referentes, otros ritmos y nuevas estrategias. Estas narraciones reflejan una Bogotá marcada por tres ambientes: uno físico, gris, de lluvias y de muchos olores; otro social, donde impera la violencia expresada en distintas maneras de realizarse; y un tercero de tipo psicológico, donde los protagonistas viven un fuerte discurso interior que relaciona continuamente el medio citadino con sus vidas.

La Bogotá de *Sin remedio*, novela de Antonio Caballero, huele, es agitada y caótica. Está llena de bares oscuros y de encuentros del bajo mundo: «Montones de basura fer-

Estación de Transmilenio en la Autopista Norte con calle 95.

mentadas se disolvían bajo la lluvia, soltando bocanadas de vaho tibio. La carrera 13 era un corredor de agonía, un encajonamiento de luces de neón surcado por los buses que pasaban iluminados como altares de Semana Santa con las puertas abiertas despidiendo un hedor ácido de cuerpos humanos fermentados, de ropas empapadas, desgranando en las esquinas racimos de pasajeros [...] Bogotá es una ciudad horrible» (Caballero, 1984: 29 y 59).

El protagonista, Escobar, nos mete con sigilo y descaro por rincones oscuros, discotecas, nos lleva al encuentro de mujeres, de interiores de casas, de vicios de colillas y bebidas. Retrata una Bogotá bohemia y rebuscona de los años setenta, que adquiere derecho a su propia imagen en este sin remedio amargo. *El Caballero de la Invicta*, de R. H. Moreno-Durán, se mete de lleno en una Bogotá imaginada, con metro y estaciones inventadas, y croquis narrativos propios: avanza unos cuantos metros por la carrera 15 y opta por el metro en la estación de El Lago (Moreno-Durán, 1993: 127). En la novela aparecen sitios y objetos de clara definición bogotana, como el estanque de La Rebeca —una de las pocas esculturas que reconocen los bogotanos como emblemáticas

de su ciudad—, y los alrededores de Bogotá, como La Floresta y el Neusa. La escritura de este relato es criptográfica, llena de vericuetos, hecho que por ratos dificulta la lectura, pero hay capacidad para mezclar en el mismo plano la invención y el dato real. El resultado es una Bogotá decadente, que se ha acostumbrado (en medio de apellidos de alcurnia que sólo la aprovechan) a convivir con la pesadilla y el miedo. Hay apropiación de los tiempos de la ciudad, del ingreso a sitios interiores, de caballeros que se lanzan a aventuras a través de recorridos fantásticos de Bogotá.

Dulce compañía, de Laura Restrepo, retrata la Bogotá del sur, más específicamente el barrio El Paraíso. Ofrece la visión de una ciudad atestada de vecinos, devastada por bandas juveniles. En la capital del país, donde más milagros ocurren por metro cuadrado, se desarrolla la historia de un ángel. La protagonista, una periodista de una revista ligera que se ocupa de uno los reinados de belleza de Cartagena, debe buscar la historia de un ángel verdadero, un muchacho que hace milagros a los pobres. A medida que la periodista busca su noticia, se nos presenta esa otra Bogotá hecha de criaturas que amanecen en las aceras tapadas con periódicos, de niños deformes, de payasos y lustrabotas, de pequeños que cantan rancheras en las salidas de los cines. Esta novela entra en una Bogotá supersticiosa, descubre la comunicación de los pobres en las tiendas de las esquinas, donde se encuentran y pueden adquirir bombillos, cortes de tela, manteca o juguetes de plástico, nos instala en el relajo permanente de una ciudad que tiene más de la mitad de su espacio sin planificar, nos hace vivir el fanatismo religioso que cada vez domina más las mentes de los sectores menos educados de la ciudad.

Opio en las nubes, de Rafael Chaparro, se mueve con un ritmo candente en un mundo joven donde abundan la droga, la música rock, donde las palabras en español se entreveran con las inglesas. Los pasos de esa juventud se entremezclan en una urbe escalofriante, gris, agresiva y deshumanizada. «Desde que te vi quedé envenenado, Harlem. Eres como esa canción *Wild Thing*, de Hendrix. Tenías la misma lógica de la heroína. Me produjiste el mismo efecto, porque te vi y me dieron ganas de ir al baño y orinar orines, con el sabor de tu nombre y frente al espejo decir *mierda you make me feel like a wild thing*, ganas de que me cortaras las venas con tus labios

rojos, mientras te tocaba las tetas» (Chaparro, 1992: 93).

Este escritor, que según algunos críticos escribió su novela como si estuviera componiendo música de la Bogotá contemporánea, nos muestra un mundo de frenesí y decadencia, de despelote y agitación, de ritmos cambiantes, de peligros nocturnos, de consumidores de droga y jóvenes idos por el rock.

En *Vida feliz de un joven llamado Esteban*, Santiago Gamboa nos presenta una Bogotá que parece estar entre París y Roma, lugares de morada del autor. Pocas veces la autobiografía había tenido a Bogotá como escenario. En esta ocasión corresponde a una urbe desbaratada que surge de su memoria. Recurriendo al género de la autobiografía, reconstruye fragmentos de la ciudad y plasma sucesos que marcan y ritualizan la ciudad, como la vida académica y artística, las revueltas y las calles: «El campo se convirtió en tierra baldía y las ciudades se llenaron de gorditos de bigote ralo y collares de oro que cantaban a gritos lanzando dólares al aire, las canciones de José Alfredo Jiménez. Así se recoge ese momento crucial de la vida bogotana, cuando unos cuantos narcos, con pintas estrafalarias, se iban apoderando de ciertos espacios de la

Planetario Distrital.

ciudad, en la década de los setenta, intentando repetir lo hecho en otras ciudades del país. Gorduras sostenidas con ríos de whisky y secadas con polvos blancos» (Gamboa, 2000: 110).

En 2001, la editorial Seix Barral otorga por primera vez su premio Biblioteca Breve a una novela colombiana. *Satanás*, de Mario Mendoza, compuesta de tres relatos paralelos: el de una mujer que llega a Bogotá desde el sur del país con la intención de forjarse un futuro, el de un religioso que maldice su celibato, y el de un artista que mientras hace retratos ve en sus modelos sus futuras muertes o desgracias. Ésta es la base de una muy bien llevada trama criminal que desata un cuarto personaje, el responsable del asesinato masivo más escalofriante que recuerdan los bogotanos, el del Pozzeto, en 1986, restaurante situado en la carrera séptima con calle 61.

La mezcla de datos referenciales permite ver una Bogotá movida por fuerzas descomunales que llevan a la desobediencia ciudadana, o impulsada por el arribismo y el afán de dinero que conducen a la prostitución o a mezclarse con cadenas de criminales, con bandas de burundangueros o drogadictos, o bien una ciudad por momentos serena que uno de los personajes ve a través de unas montañas que se levantan imponentes y solemnes, con algo de prepotencia y arrogancia, cuyo cielo es tan azul que sólo lo puede comparar con el logrado por el artista italiano Bellini en su obra *San Francisco en el desierto*.

La Bogotá de *Satanás* también se hunde en la lluvia, vive agitada y nerviosa, es centro de diversas violencias, tiene sitios severamente marcados por conflictos sociales, un centro nostálgico pero peligroso, un barrio viejo pero también tramador —La Candelaria—, unas calles transitables a ciertas horas y, en fin, unos escenarios multitudinarios, como las plazas de mercado o la Zona Rosa, donde mirar la ciudad se confunde con gozarla y temerla. Esta Bogotá también huele, al menos en sus casas coloniales. «El olor antiguo que despiden sus paredes, los techos y las maderas es el mismo que se respira en monasterios y conventos, museos y alcaldías rurales, viejas fincas olvidadas» (Mendoza, 2002: 21). Una Bogotá descompuesta, pero vital y con un futuro hecho a la fuerza por los ciudadanos y no por las instituciones, es la que dejamos al terminar este relato.

En esta amplia gama de obras citadas nos encontramos con una Bogotá contemporánea[31], con nuevos lugares para narrar, nuevas exploraciones del lenguaje y otros ritmos, precisamente los que más se ajustan a la vida cotidiana. La narrativa capitalina empieza a hacer suya una ciudad que en la vida real ofrece pintorescas y descomunales tentaciones. El retraso en las letras de nuestra ciudad se expresa en que todavía no existe una novela o referencias poéticas que identifiquen a Bogotá, como hay una Buenos Aires de Borges y Cortázar, un París de Victor Hugo o el Caribe de García Márquez. Ese relato maestro que seguimos esperando deberá concebir una escritura según un nuevo concepto de urbe, ya no completa y cerrada, como las ciudades de los siglos XIX y XX, sino permeada desde fuera por otras ciudades, pues hoy las metrópolis se claman exteriores, no quieren ni pueden quedarse por fuera de lo que sucede en el globo, no se resignan a vivir al margen de la tecnología, de los medios, de la moda, del consumo, de las industrias culturales. El hecho es paradójico, porque los países, en cambio, reclaman unidad, quizá como método de defensa ante una mundialización absorbente. Las obras citadas que hemos propuesto como ejemplo ya dan los primeros pasos hacia esa nueva narrativa.

Figuraciones bogotanas

Para rastrear el modo como la plástica contemporánea está representando a Bogotá habría que seguir las tendencias del arte tanto nacional como extranjero desde aspectos matéricos y técnicos, generacionales e ideológicos, de influencias y estilos.

En los años sesenta y setenta había dos líneas artísticas. La primera estaba interesada en cierta estética de íconos populares, como los rostros de ciclistas o expresiones de mal gusto; esta tendencia está representada por las creaciones de Beatriz González y los íconos seudopublicitarios de Antonio Caro, quien convirtió la c de Coca-Cola en la de Colombia. La segunda pretendía hacer del arte una acción política, utilizarlo como instrumento de denuncia y cuestionamiento ideológico; representantes de esta concepción son Carlos Granada, Umberto Giangrandi y Ángel Loochkartt.

En los años ochenta y noventa tiene lugar una serie de propuestas imposibles de sistematizar[32], que introducen técnicas mixtas y favorecen diversos modos de expresividad urbana. Miguel Ángel Rojas, autor de un fresco sobre una Bogotá ruinosa pero futurista observada desde el Parque Nacional, integra la fotografía a la pintura; los videos de Alejandro Restrepo entran en lugares escondidos de la ciudad, en moteles que se ocultan tras plantas de ficus, que a su vez son una señal para indicar que hay habitaciones disponibles para enamorados ocasionales; instalaciones como las de María Cardozo rememoran espectáculos como el circo de pulgas malabaristas; las de María Elvira Escallón, como la intervención que hizo en la estación del tren de Bogotá, con ocasión del Salón Nacional de 1997, generan un ilusionismo espacial mediante juegos de espejos; *performances* como los de María Teresa Hincapié montan actos dramáticos en vitrinas comerciales para despistar a los transeúntes, quienes no saben si lo que ven en la vidriera es un maniquí o una empleada de la tienda; Doris Salcedo opta por trabajos reflexivos: en Documenta II, en Kassel (año 2002), presentó una obra en conmemoración del asalto

Obra de Luis Luna para Arborizarte.

al Palacio de Justicia que protagonizaron las fuerzas armadas en 1985, luego de que el M-19 se lo tomara por las armas; por su parte, Gustavo Zalamea, editor de libros sobre modos teóricos y plásticos de ver a Bogotá, se propuso hacer de esta ciudad un episodio artístico con tarjetas postales intervenidas en las cuales podía aparecer una ballena en lo alto del cerro de Monserrate, o una fiera metiéndose en la ciudad.

Los últimos salones nacionales y regionales revelan un redescubrimiento de la ciudad, una nueva manera de representar la violencia desde la ironía, la nostalgia o la memoria. Nadín Ospina, ganador del Salón Nacional de 1994, concibió una instalación en la cual, a partir de una figura de la estatuaria de San Agustín se deriva la de un personaje de la

serie norteamericana *Los Simpsons*, una manera de poner de presente el conflicto entre lo local y lo global.

Otros artistas evocan la ciudad a su manera, con graffitis, signos recontextualizados de otras culturas o frases entre literarias y urbanas que leen sus figuras, como hace Luis Luna, que en otras ocasiones realiza pinturas en miniatura que acompañan viajes por ciudades fantásticas en libros sobre la ciudad, o con objetos, a la manera de Víctor Laignelet, quien durante un tiempo se dedicó a concebir sillas dotadas de un valor de interioridad citadina o a desarrollar seminarios para comprender el transcurso de las emociones en el proceso creativo. Con videoinstalaciones, como Clemencia Echeverri y Trixi Alina en la Universidad Nacional, o con evocaciones de temas globales como Ana Palacios, quien introduce a la ciudad en el concepto del doble, el clon y lo duplicado.

La ciudad y el cuerpo son los elementos más figurados por los artistas bogotanos en los últimos años. Desde su teatralización o la exhibición de sus heridas brotan mensajes políticos de fuerte impacto, como lo logró Hugo Ortiz al exhi-

Escultura de Doris Salcedo, Documenta 11.

bir el sida en muestras de sangre y, tras invitar a varios artistas a pensar en los límites nacionales, montar en la frontera de Estados Unidos y México una instalación consistente en una serie de placas metálicas que caían sobre unos polvos blancos —la coca, tan cara a nuestras culturas urbanas—, ante los cuales la frontera se hacía porosa. En esta valiosa y mordaz ironía se resume una parte terrible de los imaginarios juveniles y otra, sucia, que nos habla de la relación entre los países del norte y los del sur, vinculados por la droga.

En la actualidad la ciudad empieza a concebirse como un elemento artístico en sí mismo, y como tal, un objeto de exhibición. En el Salón de 2001 celebrado en Cartagena diversos espacios de la ciudad se utilizaron para exponer las obras, es decir, la ciudad se transformó en un museo y en escenario turístico gracias a la participación de Johana Calle y de los grupos Urbe y Nómada. Franklin Aguirre ha logrado institucionalizar la Bienal de Venecia, un barrio del sur de Bogotá, donde hemos visto las mejores expresiones que oscilan entre arte público y cotidianidad. En 2001 ganó en esta bienal una sugerente obra de Miller Lago, en la que

unos carritos de perros calientes, de los mismos que salvan a muchos hambrientos en las frías noches bogotanas, se exhibieron llenos de luces. Otro es el caso de Fernando Escobar, quien recoge objetos de las casas o de distintos lugares para presentar su trayectoria en la vida íntima de los bogotanos.

Las maneras de producir emociones estéticas son inagotables. Por ejemplo, Jorge Olave llenó los tejados del barrio La Candelaria de muñecos a escala humana en diversas actitudes, como si quisiera producir en quienes los ven la impresión de estar siendo observados. Memo, seudónimo de un grafittero francés que vivió en Bogotá durante los últimos años del siglo pasado, atestó la ciudad de siluetas de hombres caminando, de personas cruzan-

Escultura de Jorge Olave en el barrio La Candelaria.

do la calle con paraguas o de niños jugando, produciendo en los bogotanos un efecto de extrañeza ante los nuevos visitantes. Álvaro Moreno, artista y montañista, en los últimos años se ha dedicado a escalar con cuerdas el edificio de Colpatria; también ha impulsado eventos públicos, como *Performancia, acrobacias para descansar*, representada en distintos lugares de la capital en agosto de 2002, obra que gira en torno al cuerpo y alude al poder.

Las fotografías de Germán Téllez sobre la arquitectura de Bogotá, las de Hernán Díaz sobre expresiones y los libros sobre Bogotá, sus espacios y su naturaleza editados por el diseñador Benjamín Villegas, constituyen grandes esfuerzos visuales por darle rostro a la ciudad. En 1999 se fundó, gracias a la iniciativa de la fotógrafa Gilma Suárez, el Museo de la Fotografía de la Calle, que contó con el apoyo de la Alcaldía. El propósito es exhibir al aire libre muestras fotográficas de artistas profesionales o reporteros gráficos. El Museo Nacional, bajo la administración de Elvira Cuervo, ha orientado varias exposiciones hacia la expresión popular bogotana, y llegó a proponer como pieza para el museo, en plena decadencia de las conversaciones de paz, en el año 2001, la legendaria toalla que el comandante de las Fuerzas Armadas Revolucionarias de Colombia, el célebre Tirofijo, siempre lleva al hombro.

En Internet se puede reflexionar sobre la Bogotá que ronda en los trabajos de Andrés Burbano, quien compila el libro *Hipercubo/ok/*, donde da cuenta de distintas experiencias sobre comunidades *on-line* que no son exclusivas de la web, pues forman parte de comunidades televisivas, de adolescentes que se organizan en sus barrios. También merecen mención Gilles Charalambos —uno de los precursores en nuestro medio de videos con soporte digital— y Santiago Echeverri, quienes han abierto espacios electrónicos para recorrer Bogotá, y Liliana Hernández, que desarrolla una estética del arte y la arquitectura electrónica capitalina como interactividad en entornos virtuales inmersivos, jugando con el nuevo rol del espectador y del cuerpo y su relación con los espacios electrónicos.

Un grupo[33] encargado de observar a Bogotá en Internet ubicó cinco portales que de modo permanente la registran:

www.bogotavisual.com
www.laciudad.com
www.bogota.com
www.imagin.com.co
www.alcaldiabogota.gov.co

Emociones religiosas

Un gran porcentaje de los bogotanos pertenece a la religión católica, y en menor grado aparecen otros credos tradicionales de grupos árabes y judíos que cuentan con templos en la ciudad. Sin embargo, en nuestros estudios se nota una tendencia a buscar otras salidas a la espiritualidad, mediante la práctica de religiones alternas, la vinculación a grupos de meditación y la presencia en actos y ceremonias no aprobados por la Iglesia católica y promovidos por sectas y congregaciones fanáticas. La vinculación de algunos jóvenes al satanismo ha encendido alarmas, sobre todo a raíz de los últimos festejos del día de las brujas, los días 31 de octubre, cuando la ciudad entra en pánico al imaginar que sectas vinculadas con prácticas diabólicas intentan raptar a sus hijos para sacrificarlos, o que puedan repartir dulces envenenados. Estos temores han ocasionado que las escenas ya habituales de niños que piden dulces en las calles en esa fecha escaseen notoriamente.

Con la Constitución de 1991 Colombia dejó de tener una religión oficial y reconoció la legitimidad e igualdad de derechos de credos y religiones diferentes del católico. Así, hoy distintos grupos cristianos, evangélicos, de oración, presbiterianos, pentecostales y asociaciones de la Nueva Era conviven en nuestra ciudad. Con el cambio de destino de varios de los antiguos cinemas —entre ellos Coliseo, Trevi, Caldas, Mogador, San Carlos y Lido—, instalados en edificaciones espaciosas y centrales, que se han convertido en templos de oración y sanación y que cuentan con asistencias multitudinarias, el espacio arquitectónico y social se ha modificado. La apertura religio-

Venta de objetos religiosos.

sa también ha motivado la proyección de ceremonias no católicas por los canales públicos de televisión en horarios de franja superior, en especial los fines de semana. En 1999, en la calle 127 con autopista Norte, los mormones construyeron un gigantesco templo que ha empezado a ser reconocido como sitio de referencia, sobre todo gracias al hermoso ángel dorado que trompeta en mano invita a los transeúntes a visitarlo.

La relación entre oración y espectáculo mediático la inició la misma religión católica con las apariciones televisadas del padre García Herreros, quien diariamente, durante 35 años, hizo reflexiones sobre las Escrituras y organizó eventos para financiar la construcción de casas para los pobres (Ocampo y Hernández, 1999: 51-56). Sus teleoraciones pasaron a ser parte de la rutina y, como tales, se metieron en la personalidad bogotana. En la actualidad, y después de la muerte del sacerdote, se sigue celebrando cada diciembre el «Banquete del Millón», obra de caridad a la cual asisten los personajes más connotados del país, representantes de la Iglesia, militares, empresarios, altas dignidades del gobierno y el mismo presidente de la República, para compartir una modesta cena de carácter simbólico, consistente en pan y caldo, servida por la reina nacional de belleza elegida en Cartagena cada 11 de noviembre, y por las princesas. Las actividades mediáticas del llamado *Telepadre* culminaron con su intermediación para conseguir la entrega de Pablo Escobar, el más temido narcotraficante que ha producido el país, cuyas marcas de terror todavía sobreviven en la mente de los ciudadanos. Ante las cámaras de televisión García Herreros oraba por el perdón y olvido de sus ofensas,

cuando Bogotá todavía olía a chamuscado como efecto de las bombas que el capo había puesto en el central edificio del DAS y en el Centro 93, centro comercial ubicado en la carrera 15 con calle 93.

La curia vaticana ha puesto en marcha una auditoría interna para detectar las causas de su alarmante pérdida de *market share* en el mundo espiritual. A comienzos del pasado siglo, 55% de las almas del planeta occidental le pertenecían, porcentaje que en 100 años ha bajado a 30%[34], hecho que se refleja claramente en Bogotá. Las prácticas religiosas en la ciudad apoyan a grupos como los Hare Krishna, los mormones (Iglesia de Jesucristo de los Santos de los Últimos Días), testigos de Jehová, masones, evangélicos y muchas órdenes derivadas del cisma luterano. Nos detendremos en cuatro: la Misión Carismática Internacional, la Iglesia de la Roca, Oración Fuerte al Espíritu Santo y movimientos Nueva Era, y terminaremos con testimonios sobre los grupos satánicos. Las confesiones de un joven que asistió a la Misión Carismática Internacional nos revelan parte de este panorama religioso: «Todo comenzó una fría mañana. Al mirar por la ventana muchos pensamos y en silencio oramos: "Señor, por favor, que no llueva". El día avanza y se acerca la hora más esperada. Toda la ciudad se encuentra envuelta en una nube de lluvia, viento y frío, como hace varias semanas no ocurre. Es hora de salir. A medida que nos acercamos al estadio El Campín crece la expectativa... Señor, ¿se llenará? El clima no es el mejor. Al descender por el puente que conduce a los parqueaderos todo cambia: ante nuestros ojos se comienza a abrir un tremendo panorama. Es sencillamente increíble: ni por un instante deja de llover, pero ríos de gente avanzan. Cuadras enteras se encuentran llenas de buses de los que descienden miles y miles de jóvenes. Los parqueaderos no dan abasto. Con sus pitos, la policía trata de controlar el tumulto de gente que busca entrar por las diferentes puertas del lugar. Varias cuadras a la redonda se puede escuchar el coro de la gente que canta y grita de júbilo... Una vez más, gracias, Señor, por tu respaldo y unción»[35].

Bogotá se llena de iglesias de toda índole y de gimnasios. El cuidado material corre parejo con el de las almas. Ambos son expuestos a impensables excesos. En distintos barrios, colegios, universidades y centros comunales los representantes de estas iglesias reparten propaganda e invitan a sus reuniones.

Según hemos advertido en reuniones que hemos presenciado[36], los jóvenes no asisten a ellas sólo por motivos religiosos: un propósito social y el deseo de conocer pares del otro sexo también los impulsan.

En las reuniones que la Misión Carismática organiza en el Palacio de los Deportes se toca música electrónica y se danza al compás de cantos corales, preámbulo de los éxtasis colectivos. No faltan consignas desafiantes y guerreristas contra quienes mantienen algún privilegio. Por lo general, a estos ritos situados a medio camino entre la expresión religiosa y el espectáculo musical asisten jóvenes de estratos medios y bajos. Por el contrario, la Iglesia de la Roca organiza encuentros en el norte de la ciudad, donde se ve sobre todo adultos de clases altas. Esta iglesia, financiada con diezmos de la comunidad, celebra reuniones en salas pequeñas, donde el tono de los discursos y las oraciones es moderado.

Prédicas de la Oración Fuerte al Espíritu Santo se pueden seguir por

Miércoles de Ceniza.

algunos canales públicos de televisión, donde pastores con acento brasileño y admirable capacidad histriónica hacen ver a los asistentes y teleespectadores extraordinarios milagros: invidentes que recuperan la vista, paralíticos que caminan, desahuciados que se vuelven campeones deportivos. En algunas ocasiones los conductores de estos programas terminan hablando en «lenguas», como en el medio se le dice a la emisión articulada de sonidos ininteligibles que supuestamente corresponden a un lenguaje de espíritus cuyo sentido es inaccesible para el común de la gente.

Las agrupaciones Nueva Era derivan básicamente de un misticismo oriental según el cual los seres son parte de un todo que a su vez es Dios. En teología a esto se le llama monismo panteísta. Los miembros de esta corriente creen que se avecina un período de paz universal y revelación al que llaman Era de Acuario, donde la población mundial esencialmente estará compuesta de creyentes de la Nueva Era.

Los datos muestran que el satanismo en Colombia es un fenómeno fundamentalmente urbano, con algunas manifestaciones en sectores rurales. Estas prácticas, en el caso de Bogotá, han sufrido un desplazamiento geográfico, producto de la persecución de la policía y la Fiscalía General de la Nación[37]. De barrios como La Victoria, Península, San Miguel, Altamira, Molinos y Kennedy, se han movido hacia el noroccidente, fundamentalmente a Villas de Granada, Suba, Tibabuyes y a algunas poblaciones satélites de la capital como Zipaquirá, Facativá y Mosquera. A manera de ejemplo de las acciones de estos grupos, aportamos unos cuantos testimonios aparecidos en la prensa y reconocidos por el DAS.

Un niño de 10 años recibió un paquete con lo que supuestamente era un obsequio. Al abrirlo se encontró con una oreja y un dedo meñique de un menor de edad. Los párrocos de varias iglesias en el sur de la ciudad también han sido objeto de este tipo de correspondencia. La Fiscalía, entretanto, investiga si el tronco de un menor de 15 años, hallado semanas atrás en un sector de Ciudad Bolívar, hace parte de rituales satánicos. Según las autoridades, muchos de los cabecillas de estas sectas, económicamente solventes, están comprando fincas en poblaciones cercanas a Bogotá, adonde llevan los fines de semana a decenas de jóvenes que, bajo los efectos de drogas alucinógenas, son iniciados en la práctica de orgías, vejámenes y sacrificios.

«Allí, el cuerpo de una víctima puede durar tan sólo unos pocos minutos antes de ser desmembrado por medio centenar de jóvenes, quienes luego bailan canciones de rock sobre el charco de sangre»[38]. Se trata de nuevos ritos asociados a la noche, a danzas macabras, al vampirismo, que deben mucho a la literatura y al cine, donde los ídolos son Satanás y Drácula. Algunos jóvenes aseguran ganar poder de seducción tras la ingestión de sangre de púberes en altas horas de la noche, en sitios desolados o asociados a la muerte, como potreros y cementerios. Dichas prácticas, dicen, les permiten reconocer su verdadera naturaleza, porque adquieren poderes sobrehumanos. En Bogotá se han detectado más de cien casos de vampirsimo[39].

Las sectas satánicas podrían relacionarse con grupos góticos que actúan en ciudades como Nueva York y Berlín, y se basan en héroes nocturnos como Batman y Robin, pero cuyo interés es sólo evocativo y humorístico. Sus actitudes se han concentrado en modos estrafalarios de vestir, generalmente de negro, en pasar varias horas diarias en las estaciones del metro y en practicar uno que otro rito de desprecio a los habitantes del día.

Los límites entre religiosidad, espectáculos mediáticos, fanatismo, modas y hasta perversiones grupales se desvanecen ante muchas manifestaciones singulares vinculadas con la vida espiritual y psíquica que inducen a comportamientos colectivos.

Adoraciones corporales

Los cuerpos se adoran y se autoveneran. Ya no basta con alimentarlos: hay que hacerlo bien y con gracia, recorriendo la ciudad. Tampoco es suficiente el deporte: hay que practicar la industria corporal. Alimentación e higiene se proyectan como dos emblemas de la modernidad urbana.

A partir de los hábitos alimenticios, la gimnasia, el deporte y el uso de tecnologías, es posible proyectar un espectro de los ideales corporales de los ciudadanos.

El alimento preferido de los bogotanos es la carne, que no puede faltar en el menú de los restaurantes en los días de trabajo, y que constituye la base de los platos típicos regionales que en los fines de semana más se consumen. Cuando hablamos de carne nos referimos a las de res, cerdo, pollo, ternera y, en los últimos años, de chigüiro, que suele acompañarse de papa salada, plátanos dulces, ají, rellena, chorizos, empanadas y arepas de distintas regiones del país, especialmente de Boyacá, Santander y Antioquia. Estos elementos, que conforman la comida criolla, junto con la carne, forman parte del 60% de las elecciones culinarias de los bogotanos de todas las clases sociales. A la salida de la capital, por todos los costados, se encuentran restaurantes que ofrecen menús con estos alimentos. Ciertos sitios donde se vende comida típica ya forman parte de la tradición bogotana, como Empanadas Margarita, representante de los sabores característicos de las meriendas callejeras y que lleva funcionando más de 60 años en una vieja casona de Chapinero; el restaurante Las ojonas está situado en el céntrico barrio Panamericano, próximo al Cementerio Central, y ofrece variedad de carnes con papas saladas o chorreadas; el Pescadero del Sur se especializa en comida de mar, que los clientes sacan directamente de las piletas donde se mantienen vivos los peces. Los restaurantes populares ofrecen el llamado «almuerzo ejecutivo», nombre genérico que designa un almuerzo de consumo rápido y precio barato, compuesto de sopa, arroz, carne,

papa y maduro (plátano frito). Con humor suele llamárselo también ACPM (nombre de un combustible para autos), por las iniciales de los alimentos que conforman el segundo plato. Ésta es la comida diaria de gran parte de los bogotanos.

Otros restaurantes han contribuido a crear zonas y rutas un tanto bohemias, como El Patio, en el barrio La Macarena; El Sitio, en el norte de la ciudad, y Arcanos Mayores, en Usaquén. También son representativas las ventas de dulces típicos, especialmente de obleas con arequipe, brevas y melados de varias frutas, de quesos frescos o campesinos y de agua de panela con cuajada. La cadena Endulza tu Paseo, las obleas de José A., las almojábanas de la Tía Magola —en Chía—, los helados San Jerónimo, producidos en Cajicá exclusivamente con frutas de la región, son nombres de negocios que se asocian a algunos de los más característicos sabores de la ciudad.

Otro tipo de comida muy apetecida por los bogotanos es la vegetariana, asociada al bienestar y la vida sana. La comida rápida no es precisamente la preferida; a ella los capitalinos sólo recurren ocasionalmente. En esto Bogotá difiere significativamente de otras ciudades de América Latina, como Buenos Aires, São

Paulo o Santiago, donde abundan restaurantes del tipo McDonald's, Pizza Hut o Taco Bell; en nuestra ciudad son escasos y se concentran en ciertos sectores. Mientras en todas partes del mundo la marca McDonald's es sinónimo de comida barata y popular, en Bogotá se la asocia a clases medias altas; de ahí que sus locales se sitúen especialmente en el norte y noroccidente de la ciudad. Sitios de claro reconocimiento social, como el Centro Andino, son los que más concentran este tipo de locales, frecuentados por jóvenes adinerados.

Todo indica, pues, que los bogotanos de todas las clases sociales prefieren la comida sana, es decir, cuidan su cuerpo. La tendencia general a consumir alimentos sin químicos encuentra complemento en la proliferación de tiendas naturistas y de gimnasios. El cuidado del cuerpo empieza a parecerse al que en otros tiempos se le daba al alma, ahora éste se somete a todo tipo de cuidados y sacrificios. Buena parte de los ingresos de los ciudadanos se van en cuidar su cuerpo: si se va de vacaciones no es sólo para descansar, sino también para tostar la piel; en promedio, cada familia gasta 15% de

Restaurante popular, barrio Teusaquillo.

su presupuesto en cremas y productos de higiene (Silva, 1999c: 203); también han aumentado las consultas a terapias alternativas para atender cuidados estéticos.

Cuando se les pregunta por bienestar cotidiano, los bogotanos señalan elementos que consideran como marcas de su época y que van desde la electricidad, el inodoro y la rueda hasta productos de invención más reciente como los pañales desechables y las toallas higiénicas.

Durante el año 2001 los productos de consumo que crecieron en ventas (31% respecto al año anterior), luego de alimentos como la mayonesa y la leche, fueron los de limpieza e higiene, entre ellos suavizantes para ropa, servilletas y pañales desechables, productos que representan y que se clasifican como los segundos de mayor consumo en la ciudad (*Semana*, 2002b: 38).

En materia de higiene Bogotá avanza en la dirección marcada por la civilización occidental. Un estudio de Alicia Londoño (2002) examina las prácticas de limpieza y su transformación a medida que se entra en la modernidad. Sus observaciones, válidas para toda Colombia aunque se basan sobre todo en datos

Plaza de mercado.

obtenidos en Medellín, indican que durante el siglo XIX y parte del XX la gente sólo prestaba cuidado a su vestimenta; ahora, en cambio, pone mucho énfasis en la piel, que antes prácticamente era algo oculto. Esto nos prueba que la limpieza ha empezado a adentrarse en lo más secreto; de ahí el cuidado y atención de los ciclos menstruales y el hecho de que cada vez se anuncien más por televisión productos como las toallas sanitarias y los condones. La vida civilizada, ya lo señaló Freud, ha desatado una represión olfativa. «Los olores corporales están socialmente proscritos. Es un hecho que los olores escatológicos provocan repulsión y disgusto cuando se hacen públicos». De ahí la proliferación de perfumes, dentífricos, jabones y elementos aromáticos para los hogares y para uso individual.

En los canales televisivos que emiten su señal desde Bogotá, en los años 1999 y 2000 los productos más anunciados fueron, en su orden, los alimentos, los aparatos electrónicos y los elementos de higiene; entre estos últimos, las toallas sanitarias se llevaron el primer puesto. Esto dio lugar a un clip urbano que hicimos sobre el tema y que ha circulado en medios públicos, titulado *Sangre azul*[40]. En él se pone en escena el trastrocamiento que la publicidad ha hecho de la sangre natural, reemplazándola por la de los príncipes azules, pues varios comerciales preparan a las jovencitas no sólo para su primera menstruación, sino para buscar su primer enamorado, que es una especie de figura literaria e idealizada. El hecho de que en Bogotá a las mujeres adultas se las siga llamando «niñas» es parte de una estrategia social para infantilizarlas.

El tratamiento que la publicidad da a la higiene genera imaginarios. Una investigación que examina cómo ha ido apareciendo la ciudad en las cartillas escolares concluye que la ciudad oficialmente es representada como un entorno limpio. La imagen de ciudad que se inculcaba en los niños a finales del siglo XIX otorgaba notable visibilidad a las niñas y los niños bien trajeados: se los representaba en parques junto a las criadas e institutrices, intercambiando estampas, jugando con pelotas o paseando por bulevares (Osorio, 2000: 74).

La publicidad acude a ese paradigma de limpieza para mostrar, porque lo que se exhibe se vende. Si la publicidad habla es porque existe un mundo como mercado. Mientras en el siglo XVIII la novela, como reconocen estudiosos del tema, nos situó

en cafés y sitios cerrados o personales, la publicidad del siglo XX nos saca a la calle y hace de la ciudad una serie de escenarios públicos. En su mira está el espectáculo social. La publicidad, pues, es un modo de ser del mundo, y corresponde a una etapa en la cual la humanidad vuelca su vida al exterior y reduce su intimidad. Nada escapa al afán publicitario. Cualquier cosa se vuelve imagen y sus instrumentadores estudian cómo hacer todo el entorno deseable, apoyándose en los medios para crear sociedades de comunicación. Sin embargo, sus pactos sociales y la energía psíquica que desplaza no son algo simple. Para que un grupo de individuos se conecte con un producto, una marca, una tradición, hay que darles mucho más una orden para que compren: es necesario internarse en territorios afectivos, tocar sus pasiones, manejar su subjetividad. El mundo actual, invadido por la publicidad, pretende que no hay actos inocentes, siempre nos mueve algún interés. De ahí que las marcas de los productos, tanto como los modos como son concebidos, sean del interés de los imaginarios urbanos, junto con el arte y otras figuraciones.

Una encuesta que el Observatorio de Cultura Urbana de Bogotá adelantó en 1998 indagó por aquello que los ciudadanos desearían hacer en su tiempo libre. La respuesta más insistente (40%) fue comprar. Esta relación entre ciudadanos y consumidores, destacada por García Canclini en uno de sus más sugestivos ensayos (1999), pone de presente un imaginario que interpreta los centros comerciales, la moda, los medios, la publicidad y la higiene como expresiones de modernidad. Si la quinta parte del mercado que hace un bogotano promedio consiste en artículos de limpieza (DANE, 1998), es fácil saber qué piensa cuando en su carrito de compras echa un desodorante, un jabón o una toalla higiénica.

Venta ambulante de mazorcas.

Las marcas de los productos se vuelven marcas ciudadanas, y éstas se elevan a la condición de emblemas. Si en Bogotá se habla de Bavaria —la reina de las cervezas— o de Nosotras —la tranquilidad de andar siempre libre—, se está marcando a ciudadanos y ciudadanas que desean comprar. La relación entre deseo y compra es inquietante. Si satisfacer los requerimientos biológicos básicos, como beber y comer, implica saciar una necesidad asociada a los instintos, el consumo de productos suntuarios, que motiven la emoción o representen una novedad, se vincula más con pulsiones y deseos. Los seres humanos, acicateados por una sociedad que pregona el consumo, desean mucho más de lo que en realidad necesitan. El mundo actual, con su economía de consumo que brinda trabajo para que lo ganado de inmediato se gaste, nos obliga a vivir en la fantasía de las adquisiciones sin término.

Bogotanos virtuales

La realidad virtual y el mundo globalizado son dos mundos nuevos que se acercan y por momentos parecen la misma cosa, según recordamos en otra publicación (Silva, 2002: 11). Mientras el primero se ocupa de las imágenes computarizadas que ante los sentidos simulan la realidad, el segundo, que empezó por ser un fenómeno económico, se proyecta hoy en una dimensión cultural que implica la mundialización de las culturas urbanas. La realidad virtual puede ser entendida como una eficiente manera de aludir al mundo global, en cuanto éste es un universo de imágenes nuevas. Aunque también de objetos, que por cierto cada vez son más inteligentes: robots, edificios inteligentes, pilotos automáticos...

En la capital colombiana esa infraestructura tecnológica se expresa de muchas maneras que han pasado a formar parte de una nueva urbanización. Valgan algunos ejemplos: parques de diversiones manejados electrónicamente, como El Salitre (al occidente), Mundo Aventura (al sur) y Bima (al norte); centros comerciales dotados de modernos atractivos, donde con frecuencia se realizan conciertos de rock; lugares para cocteles tropicales con jóvenes a la moda; locales con máquinas de juegos virtuales y de azar (se calculan 30.000 de estos aparatos en la ciudad[41], y es especialmente significativo que los sectores donde más se ocupan son de estratos medios bajos, como puede apreciarse en esta lista: Engativá cuenta con 100, San Cristóbal con 88, Rafael Uribe con 84, Ciudad Bolívar con 84 y Bosa con 82).

Mención aparte merecen los cafés Internet o cybercafés que, según un estudio actualizado, se vienen incrementando notoriamente desde el año 2000 (Nupia, 2000), sobre todo en sitios relacionados con actividades terciarias como educación, comercio y zonas financieras. A propósito de Internet, debe tenerse presente que Bogotá, desde 1997, es líder en una experiencia conocida como Unidad de Información Barrial, dirigida a producir información social que ha servido como proyecto piloto en toda América Latina[42]. Dicho proyecto consiste en instalar infraestructura de telecentros en los sitios más marginados de la ciudad para uso de la comunidad, compuesta en parte por gente sin educación formal. Por este sistema tienen acceso a la ciudad virtual.

Según Carlos Nupia (2000), la conexión de la ciudad a Internet revela un recorrido espacial que parte de la carrera séptima, en los

Café Internet en un centro comercial.

Coffe @ Net
CAFE INTERNET
121
OPEN
QUEMADO C.D
SCANNER
FOTOCOPIAS

alrededores de la Plaza de Bolívar, donde se concentra el mayor número de usuarios (entre 225 y 275 por km²). Al desplazarse hacia el norte se desvanece en algunos sectores, pero recobra fuerza donde hay actividades universitarias, como la calle 40; vuelve a decaer por un tramo para fortalecerse en las proximidades de la avenida Chile, sector del capital financiero. A partir de allí y hacia el norte, sobre la carrera séptima, la cantidad de suscritos es muy alta. A esa altura también cobra importancia la carrera 15, vía que se convierte en repartidora, a través de dos ejes, hacia el occidente: las calles 116 y 127, en un sector eminentemente residencial de clase alta. En general, los puntos que con mayor frecuencia utilizan Internet son: avenida Chile, Centro Internacional, Plaza de Bolívar, El Salitre-CAN y World Trade Center[43].

La conclusión que se extrae de este mapeo es que el uso de este medio está relacionado con los principales centros de administración pública (de hecho, el Centro Internacional y sector financiero de la avenida Chile son los sectores donde se le da un uso más especializado). Los centros educativos y su alrededores demuestran una gran concentración de usuarios; en los

estratos más bajos, 1 y 2, hay escasez de conexiones; por el contrario, hay alta concentración en los estratos 3 y 4, y el mayor número de abonados se registra en los estratos 5 y 6. Los estratos medios bajos, sin embargo, por los sistema de telecentros tienen una posibilidad para enlazarse. El estudio evidencia la aparición de

Interior de un bus de Transmilenio.

cafés Internet en zonas como Venecia (sur), Suba (occidente), Minuto de Dios (occidente), Fontibón (suroccidente) y Bosa (sur). Estos negocios también se concentran en lugares universitarios y en cercanías de colegios; Chapinero es la localidad donde más proliferan, sobre todo cerca de las universidades Javeriana, Santo Tomás, Católica y Piloto. Por su nombre, estos cafés rememoran los viejos sitios de encuentro y tertuliaderos, sólo que ahora marcan la ciudad a partir de una operación virtual: conectarse desde allí al aire.

Uso de Internet por edades

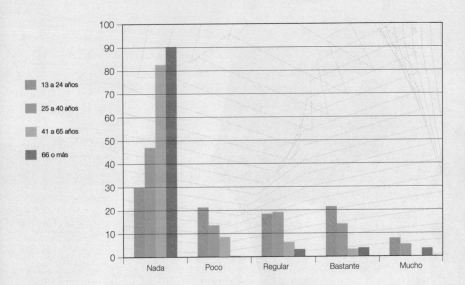

Frecuencia con la que van a cine los bogotanos

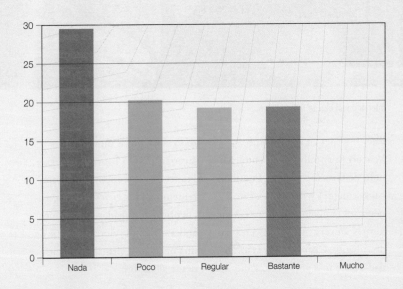

Frecuencia de lectura de periódicos

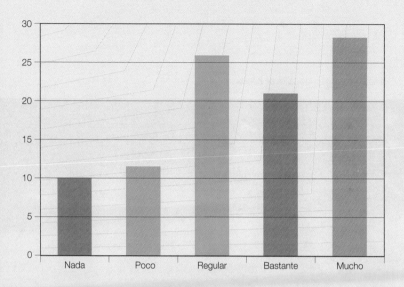

Frecuencia con la que los bogotanos ven telenovelas

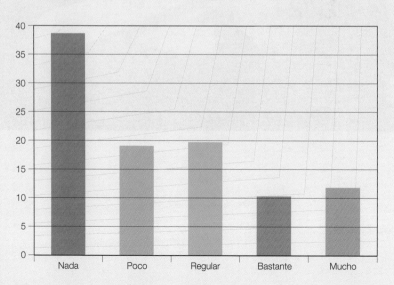

Niño trabajando en las calles de Bogotá.

Rutinas: bogotanos públicos

Las rutinas provienen de marcas citadinas que a fuerza de repetición y aceptación se tornan ritos ciudadanos. De manera similar a los escenarios urbanos, caracterizan la cotidianidad a partir de su potente concentración simbólica, sólo que ahora ésta se proyecta desde la gente. En orden de reconocimiento social, las rutinas pueden considerarse en tres dimensiones: simples actos de aceptación colectiva, consistentes en situaciones particulares, como algunas maneras de vivir en pareja, realizar actos de amor compartido o limpiarse las uñas mientras se viaja en autobús; construcción de emblemas a partir de actos de la gente, altamente representativos de la ciudad, como asistir en grupos a conciertos o partidos de fútbol o subir el cerro Monserrate; y, finalmente, la creación de ritos, que ocurre cuando se encuentra en el gesto citadino una valoración donde se expresa una sobrecarga afectiva o espiritual, aquello que los antropólogos llamaban cosas sagradas, las cuales bien pueden extenderse a asuntos de amplio poder simbólico en un sentido secular, como cuando la gente sale en familia los domingos a un pueblo vecino a disfrutar de un almuerzo campestre o hace suyos ferias o eventos artísticos que los van caracterizando por el uso público que hacen de la ciudad. Las rutinas masivas producen temporalidades o marcas ciudadanas que a su vez se constituyen en modos de ser de los bogotanos, y estos modos prometen en el futuro una fuerte consolidación de la personalidad de la ciudad.

Mostraremos en este capítulo algunos signos de vitalidad de la actual Bogotá, habida cuenta de que sus moradores la empiezan a percibir cambiante, sujeta a nuevas emociones de construcción colectiva que hasta no hace mucho, medio siglo atrás, eran desconocidas. En la Bogotá contemporánea se revela una nueva manera de vivir en familia, de compartir la vida en pareja e incluso de vivir la soledad. De modo simultáneo va emergiendo una forma inédita de participar en política, dando un inusitado respaldo a los candidatos independientes y ahuyentando a los depredadores de la clase política tradicional, identificados, junto con los ladrones callejeros, criminales y mafiosos, como el peor lastre de la sociedad.

Rastrearemos las rutinas colectivas en los diversos recorridos que los bogotanos suelen hacer, como pasear por la ciudad en familia o en pareja, ir a conciertos en compañía, asistir a partidos de fútbol en barras, ir de feria, asistir a eventos de moda o detenerse a observar teatro callejero.

Individuos, parejas y familias

El bogotano es un individuo familiar y amistoso, pero en pequeños círculos, pues no parece haber asimilado con suficiencia el sentido público y anónimo de la urbe. La mayoría reconoce pasar toda la semana en familia, lo que significa que le concede a ésta una atención preferencial que puede traducirse, en promedio, en 14 horas diarias. A los amigos les reserva ocho horas, promedio que aumenta considerablemente entre jóvenes, sobre todo del sexo masculino. Los jóvenes entre 14 y 29 años viven en familia pero no le

dan atención preferencial, pues le conceden mayor importancia a su círculo de amigos. Las quejas de soledad y aislamiento son comunes entre mujeres y ancianos.

La sociedad occidental se ha consolidado alrededor de grupos donde el individuo ha sido tradicionalmente concebido como parte de una totalidad, y su identidad ha tenido mucho que ver con los roles que le otorga la sociedad. No obstante, hoy la perspectiva tiende a invertirse, y Bogotá no es ajena a estos cambios, si bien en ella no se manifiestan en las proporciones que se

Toboganes en el Parque El Salitre.

dernidad doméstica se consolida, la vida solitaria se hace más viable. Para comprender mejor la relación entre individualismo y tecnología recordemos que en 1950 sólo 4% de la población inglesa tenía una máquina de lavar, y que apenas 42% de los franceses disponían de agua corriente (Kaufman, 1999: 35). Si volvemos los ojos a nuestro pasado, a finales del siglo XIX sólo 300 inmuebles contaban con servicio de agua a domicilio en nuestra ciudad (Iriarte, 1998: 138). Hoy Colombia, además de una extensa cobertura en servicios, en algunos casos equivalente a 100%, cuenta con un amplio cubrimiento de medios de comunicación, en especial de radio y televisión, que llegan a más de 95% de los hogares.

observan en ciudades como Nueva York o Buenos Aires. La sociedad actual, de claro perfil urbano, cada vez se centra más en el individuo, que debe autodefinirse a cada instante frente a exigencias económicas, profesionales, tecnológicas, sexuales y de toda índole.

La tecnología apoya el individualismo y la vida solitaria, pues aligera los trabajos y actividades domésticos, al tiempo que brinda comodidad y deja tiempo libre a los cada vez más numerosos solteros y solteras, por cierto poco deseosos de formar parejas estables. A medida que la mo-

Distintas prácticas urbanas confirman la tendencia a validar la vida solitaria. Se observa en los restaurantes, donde ya se ha hecho común ver a gente almorzando sin compañía —algo impensable en nuestro medio quince años atrás—, igual que en los cines, museos y diversos espectáculos, incluso en el acto de ver televisión y estudiar.

Las industrias culturales[44] cobran cada día más importancia en la vida de las parejas, la familia y la sociedad.

Estas industrias, por su sentido de producción masiva, en distintas etapas de su proceso tienen cada vez más incidencia en la vida cotidiana. Entre ellas podríamos mencionar el cine, la televisión, el teatro, los parques de diversión, los centros comerciales, los eventos deportivos y los clubes.

Según nuestros estudios sobre sitios frecuentados por las parejas, en

Payaso voceador de un almacén.

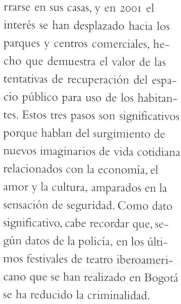

rrarse en sus casas, y en 2001 el interés se han desplazado hacia los parques y centros comerciales, hecho que demuestra el valor de las tentativas de recuperación del espacio público para uso de los habitantes. Estos tres pasos son significativos porque hablan del surgimiento de nuevos imaginarios de vida cotidiana relacionados con la economía, el amor y la cultura, amparados en la sensación de seguridad. Como dato significativo, cabe recordar que, según datos de la policía, en los últimos festivales de teatro iberoamericano que se han realizado en Bogotá se ha reducido la criminalidad.

La vida en pareja descubre tres modos de usar la ciudad: departiendo en familia o con amistades; viviendo el encanto del enamoramiento, que implica la escogencia de lugares apropiados para estar en compañía, y consumiendo los productos ofrecidos por las industrias culturales.

La vida en familia es un tema de enorme importancia sociológica. Dependiendo de cómo se entienda la vida a partir de los hábitos de las parejas es posible pronosticar en qué dirección de desarrollo está evolucionando la sociedad. La crisis de la

los últimos 10 años Bogotá ha experimentado tres cambios de escenario. En 1992 el espacio privilegiado era la calle; en 1999, por motivos de seguridad, las parejas preferían ence-

institución familiar recorre el mundo entero. Cada día se opta más por la posibilidad de vivir en soledad, o se prefieren uniones libres de distinta índole a aquellas selladas mediante contratos religiosos o civiles; también aumentan las uniones homosexuales que socavan los cimientos de la cultura heterosexual y rompen con la creencia de que el objeto del vínculo matrimonial es la procreación. En esta revolución cultural la participación de la mujer en el mercado laboral ha cumplido un papel de primera importancia, pues le ha garantizado mayor autonomía económica, sexual y profesional.

Veamos la participación que en el año 2000 tenían los dos géneros en el mercado laboral bogotano: de 2.295.536 hombres en edad de trabajar, 1.426.704 (62,15%) estaban ocupados; y de 2.769.773 mujeres en edad de hacerlo, 1.260.953 (45,5%) estaban empleadas (DANE, 2002). De las capitales latinoamericanas, la colombiana es la que mayor participación da a las mujeres en el mercado laboral, superando a Buenos Aires, donde 38% de la población femenina está ocupada. Ahora, hay que tener en cuenta que estamos exponiendo estadísticas generales, sin especificar oficios. Comoquiera que sea, en la sociedad bogotana la mujer

empieza a estar en condiciones de tomar iniciativas y de garantizar su autonomía personal.

La soledad, paradójicamente, es un hecho urbano. La vida agitada, la velocidad, los múltiples compromisos laborales y sociales atentan contra la vida en pareja y encaminan la vida de los individuos hacia nuevos roles que encuentran en la vida en solitario, a pesar de algunas de sus evidentes desventajas, el campo ideal para asegurar la autonomía. La soledad toca todos los estratos sociales, pero afecta con preferencia aquellos de extrema pobreza y riqueza.

En el extremo de la miseria la soledad se patentiza en los indigentes, que en Bogotá habían encontrado refugio en el sector de El Cartucho, donde se reunían por miles en un desolador escenario de crímenes y droga. En el año 2002 deambulaban en nuestra ciudad cerca de 6.000 indigentes (Tibana, 2002: 4 y 5). Por su parte, los ricos conforman un sector en permanente movilidad donde los cambios de parejas empiezan a ser algo habitual. Los extremos compromisos que implican sus actividades obligan a muchos a hacer de su hogar una especie de lugar-dormitorio donde se llega muy tarde a dormir y que se abandona muy temprano para cumplir con exigen-

Plaza de Bolívar al atardecer.

tes programas de gimnasia y trabajo. Es ya tan extendida esta forma de vida, que un barrio completo, Los Rosales, situado en el nororiente, es reconocido por albergar a este nuevo tipo de solitarios.

En un estudio sobre familias bogotanas pudimos constatar que el concepto de ésta como entidad cerrada, tradicional y procreadora ha sufrido importantes transformaciones en todas las clases sociales. En importancia, a la unión conyugal con el propósito de tener hijos se le anteponen la estabilidad económica y la posibilidad de disfrutar con el compañero o compañera. También empiezan a abundar las familias ampliadas, que adoptan el cuidado de hijos no sanguíneos o de uno solo de los miembros (Silva, 1998b: 203 y ss.). Luis Dumont, en su estudio sobre las sociedades primordiales, demostró que el individuo ha evolucionado hasta convertirse en una parte de la totalidad grupal, al punto de que la persona es definida por el puesto que ocupa en el grupo (Dumont, citado por Kaufman, 1999: 22). En la actualidad, parece que apuntamos a lo contrario: a una sociedad centrada en el individuo, quien se ve impelido a decidir a cada momento sobre infinidad de ofertas de todo tipo, no todas mercantiles.

El encanto del enamoramiento toma sitio en distintos lugares de las ciudades. En un bello estudio de microsociología francesa, Jean-Claude Kaufman (1999: 48) nos deja ver cómo el cine, desde sus inicios, ha

Fuegos artificiales en la Plaza de Bolívar, en Navidad.

hecho parte de la vida urbana y solitaria de las mujeres (en Francia éstas van solas al cine tres veces más que en pareja). En nuestro medio, según los datos que hemos recabado, los cinemas son el lugar preferido de las parejas, en especial entre los sectores altos y medios. Sin embargo el cine, así se esté acompañado, se ve en soledad. Cosa parecida ocurre con los café Internet, lugares cerrados donde se práctica vida individual dentro de espacios públicos.

Otros sitios frecuentados por las parejas bogotanas son los centros comerciales, los restaurantes y los parques. A los primeros concurren todas las clases sociales; a los restaurantes asisten las clases alta y media; los parques son el escenario más frecuentado por los sectores populares. No deja de sorprender la preferencia de las parejas por los centros comerciales, pues se trata de lugares de paso, concebidos para que la gente consuma. Su proyección como lugares placenteros donde se puede pasear, hablar, ir al cine y hasta enamorar es una clara demostración del error de apreciación en que incurrió el antropólogo Marc Augé cuando los definió como no-lugares, junto con otros sitios de movilidad y de tránsito permanente, como aeropuertos o gasolineras. En nuestros estudios sobre culturas citadinas hemos aprendido a entenderlos como lugares de la modernidad urbana, que se usan y visitan con una sobrevaloración de imagen asociada a lo moderno, lo global y la moda.

Llama la atención que la comida que los bogotanos más piden en los restaurantes cuando están en pareja es la italiana. En esto concuerdan los individuos de todas las clases, géneros y edades. El segundo lugar de preferencia lo tiene la comida de mar, a la que sigue la criolla o colombiana. El cuarto lugar está reservado a la *fast food* o comida chatarra. Comida internacional, mexicana, crêpes y vegetariana, siguen en su orden. El imaginario que vincula la comida italiana con las salidas en pareja parece relacionarse con ciertos momentos de la historia de Bogotá, a comienzos del siglo XX, cuando hubo influencia de esa cultura a través de la ópera y la música de cámara, y posteriormente, en los años cuarenta, con el cine, manifestaciones artísticas que se relacionan fácilmente con el romance. Al gusto por la comida italiana se suma la emoción de escuchar música de ese país en pareja. En un estudio (Silva, 2000c: 119 y ss.) decía al respecto que la canción más tarareada por los bogotanos, casi hasta convertirla en estribillo de ceremonias familiares, como en los matrimonios, es la famosa *Marcha triunfal* de la ópera *Aída*, de Giuseppe Verdi, la cual, entre otras cosas, se estrenó en El Cairo en la inauguración del gran Teatro de la Ópera. La ambientación escénica y el argumento de *Aída*, cuya acción ocurre en Egipto, dotan a la obra de un aire oriental que en Bogotá se confunde con evocaciones de cuentos de hadas. Quizá ello explique la frecuencia con que el mencionado tema es interpretado en iglesias y ceremonias relacionadas con encuentros románticos.

Insistiendo sobre la música, 50% de los enamorados bogotanos reconocen que escucharla es la actividad que más comparten. La segunda actividad más practicada es ir al cine. Desde los estudios de Alois Riegl, oír y ver constituyen las dos grandes actividades de la imaginación que se hacen sobre objetos distantes. No es casual, pues, que sobre ellas se elaboren imaginarios. Un cuarto elemento, cómplice de vida de la comida y la música, al que recurren los enamorados es el consumo de bebidas alcohólicas. Es un gusto que comparten todas las clases, pero se registra con mayor amplitud en los sectores medios y populares. La bebida preferida es la cerveza: 50% en los sectores populares, 35,7% en la clase media y 14,3% en los sectores altos. Entre ellas, la marca Bavaria, cuyo afiche se encuentra con frecuencia en las ventanas de casas y negocios populares, se ha convertido en un verdadero ícono. Suele decirse que los bogotanos pobres beben cerveza, los medios toman ron o aguardiente y los ricos prueban whisky. Esta tendencia se mantiene, pero con ciertos cambios, como la populariza-ción de la cerveza y el whisky entre las mujeres.

Dos recientes acompañantes de las comidas son, en nuestro medio, los vinos y los cocteles tropicales. Los primeros aparecieron a finales de los noventa en licoreras especializa-das y hoy se consiguen en grandes cadenas de supermercados. Provie-nen sobre todo de Chile, California, Italia, Francia y España. Los cocteles tropicales llegaron de la isla de San Andrés y de ciudades caribeñas como Cartagena y Santa Marta a finales de los noventa, y consiguieron sustituir tragos muy afianzados, como los rones rojos con Coca-Cola o agua. El ron Tres Esquinas, produci-do en Cartagena y utilizado como base de varias bebidas tropicales, es el más usado en la preparación de cocteles bogotanos.

Conciertos en compañía

Los espectáculos públicos ofrecen a la gente la posibilidad de encontrar-se con su ciudad. Ya no sólo se trata de parejas, sino de grupos de ami-gos, de familiares o compañeros de estudios o trabajo, que organizan programas para ir a conciertos como los de rock al parque —organizados por la alcaldía de Antanas Mockus desde 1995—, ópera, jazz, ballet, o los de variedades musicales que se celebran casi todos los fines de se-mana en el teatro de la Media Torta. La programación de estos eventos ha hecho más atractivos parques como el Simón Bolívar, el de la 93, el Tunal o el Nacional.

El rock es el tipo de música más seguido por los jóvenes bogotanos y es la base de los otros festivales públi-cos. Se puede definir como la música urbana por naturaleza. Desde los años cincuenta, con las canciones de Elvis Presley, o luego, con los Bea-tles[45], los Rolling Stones o Led Ze-ppelin. Temas de esos tiempos for-man parte de la memoria de varias generaciones. Algunos incluso han sobrevivido y siguen disfrutándolos los nietos de quienes eran jóvenes en la década de los sesenta. Y en esa se-cuencia de rockeros que calaron profundamente en las mentalidades urbanas deben mencionarse la banda String Band y Pink Floyd, cuyo filme *La pared* causó debates e infinitas repeticiones en los cineclubs universitarios en los años ochenta. Tendencias más actuales, como la de Michael Jackson y de los jóvenes punk, distinguidos por sus adornos estrafalarios, también han hecho presencia en los escenarios de la ciudad.

El rock, como modalidad estética contestataria de vocación eminentemente urbana, se mezcla bien con el graffiti —uno aparecido en un baño femenino del Parque Simón Bolívar dice: «Qué bueno escuchar música antes del desayuno»— y con modas juveniles. Proviene de los géneros blues y country, de regiones pobres como Memphis y Mississippi, caracterizados por letras habladas y

Andrea Echeverri, líder de la banda Aterciopelados.

ritmos espontáneos que comenzaron a divulgarse nacionalmente con temas donde estaban presentes la droga, el sexo, el juego y el alcohol, lo que permitió su ingreso a los centros urbanos. Allí, más que el ritmo y la danza negros, se valora su actitud de rebeldía y juventud (Gomes, 1989).

En Bogotá tuvo un fuerte impulso en los años sesenta y setenta, cuando primó la influencia de los grandes grupos internacionales. En los ochenta se impuso la línea en español, en especial de artistas argentinos como Charly García. En la última década han aparecido numerosas bandas a la sombra del éxito de Juanes, y Héctor Buitrago y Andrea Echeverri, del grupo Aterciopelados. En sus composiciones, los rockeros colombianos mantienen algunos elementos folclóricos, según reconoce Andrea Echeverri[46], ritmos nacionales —como lo acepta Juanes— o influencias del vallenato o de la música protesta latinoamericana. Hay otras bandas que han hecho aportes valiosos, como la de *hip-hop* del sanandresano Hoover Kuame, que opera en Bogotá, la de música electrónica de Divagash o Curupira, grupo más tradicional que vuelve a la música de provincia.

La revista *Semana*, en un artículo titulado «Bogotá está de moda» (2001), reconoce la presencia de grupos que ayudan a crear tribus urbanas por zonas, y menciona a los metaleros de Ciudad Berna, los punketos que se dan cita en el centro para intercambiar música, los raperos de Las Cruces, y las comunidades de afrodescendientes que viven en localidades como Suba y Ciudad Kennedy. En el Parque Simón Bolívar, los conciertos de rock al parque atrajeron en el último trimestre a 100.000 jóvenes por día, constituyéndose en el espectáculo más frecuentado, si se comparara con otros eventos celebrados en ciudades del continente.

Fútbol, tiempo de tribus

Quizá donde más se expresa la fuerza pasional y tribal de Bogotá es en el estadio El Campín cuando hay partidos de fútbol[47], donde juegan los equipos locales Millonarios y Santa Fe, alrededor de los cuales se han creado las famosas barras bravas. Si en otros tiempos el país adoraba a los héroes del ciclismo, en la actualidad sus ídolos son los jugadores de la

Hinchas de la Selección Colmbia.

Selección Colombia que lograron, bajo la orientación del técnico chocoano Francisco Maturana y del antioqueño Hernán Darío Gómez, clasificar por tres veces consecutivas al Mundial de Fútbol. Si bien no hay bogotanos en la Selección, la hinchada capitalina los acoge como si lo fuesen, pues una de las virtudes del fútbol es que, de una parte, es regional, ya que los jugadores de la Selección provienen de equipos de diversas ciudades, pero, de otra, es nacional, ya que en confrontaciones internacionales se ponen la camiseta que representa a Colombia. Los niños bogotanos, ante los éxitos de la Selección, durante un tiempo no querían ser Maradona, Platini o Zico, sino Higuita, el Pibe o Escobar.

A partir de 1985, luego de muchas derrotas y de intentos fallidos por ingresar a las listas de los destacados del continente, Colombia logra la clasificación al Mundial juvenil. Desde entonces el fútbol comienza a generar imágenes, símbolos y relatos que servirán de referentes de identidad nacional[48]. Pero la poca consistencia de sus triunfos, mezclada con apabullantes derrotas y vergonzantes actuaciones, como la humillación 9-0 frente a Brasil en 2001, ha hecho que se desarrolle una actitud que oscila entre el orgullo

nacionalista y la depresión colectiva. Si se estudian los titulares de la prensa cuatro días antes y después de las actuaciones de la Selección colombiana en momentos clave, se observa que los bogotanos pasan en una semana, a veces incluso en dos días, de un estado de ánimo al opuesto. Por ejemplo, antes de un partido se puede leer: «La Selección congrega al país del triunfo en un solo haz que comprende la clase alta, media y baja, a los negros y a los blancos, a los mestizos y a los indígenas». Y después del mismo, si el resultado es adverso, algo como lo siguiente: «El país en la derrota, derrumbe anímico, se pierde la alegría se pierde y se derrumba la ilusión colombiana» (Ferro y Dávila, 2001: 87). Estas patéticas oscilaciones y desbordes emotivos no están lejos de la situación que vive el país entre la guerra y la paz, entre la ilusión y la completa desesperanza.

Las barras bravas de la ciudad han encontrado un terreno emocional abonado en las peripecias de la Selección nacional. En sus enfrentamientos internacionales, los equipos se preparan, como si fueran dos pueblos enemigos, con estrategias e incluso tácticas de combate. El bando vencido se retirará cabizbajo, con su ego derrotado. Y el pueblo al que represente se llenará de vergüenza, como si hubiese perdido su virilidad. Los triunfadores deambularán el ego alborotado afirmando su superioridad. Se creerán los dueños del mundo. Entonces ambos, derrotados y triunfadores, se vuelven socialmente peligrosos, pues mientras los primeros pueden llegar en su paroxismo al suicidio, los vencedores pueden incurrir en asesinato, atravesando sus autos a cualquiera que pase o arrinconando transeúntes con armas de fuego, como sucedió en Bogotá cuando nuestra Selección derrotó a Argentina por 5-0 —marcador que dejó setenta muertos en la ciudad—, o cuando empató con Alemania 1-1 en 1990. Estos dos sucesos, junto con el último campeonato ganado por Santa Fe, en 1975, son los tres hechos futbolísticos locales que la ciudadanía más recuerda cuando se le pregunta por episodios ocurridos en las últimas décadas. En el caso del triunfo santafereño, es evidente que la memoria ciudadana ha fallado en unos años, quizá por amor a la camiseta.

¿Por qué el fútbol despierta semejantes estados, que llegan a tocar los límites de la vida y la muerte? Una explicación sugestiva relaciona el tiempo de juego con el de la vida (Ferro y Dávila, 2001: 87), quizá porque es el único deporte de masas

que vive un tiempo real. Los 90 minutos del partido son los mismos 90 minutos de la vida real de los espectadores. Cuando un encuentro está por terminar sentimos que la muerte muerde nuestros pasos. No pasa lo mismo en el voleibol o el tenis, donde hay ficciones del tiempo repartidas en sets.

De todos los deportes, el fútbol es el único que mueve a sus hinchas a matarse entre sí. El tiempo real del que hablábamos infunde terror por los resultados y fantasías castradoras y de adoración. Por eso sus protagonistas, los jugadores, se están convirtiendo en personajes de farándula. Ya no sólo corren tras el balón sino que se caen para llamar la atención, se adornan con aretes, se rapan la cabeza o lucen un ridículo mechón —como lo hizo Ronaldo en el Mundial de Corea y Japón de 2002—, se ponen pañoletas o fingen furia cuando le gritan groserías al árbitro. Saben muy bien que las cámaras de televisión prefieren el lado más escandaloso, enfocan al que más se muestre, a quien más atraiga. El fútbol es tan real que permite, como la vida, simular todos los estados de ánimo. Pero hay algo que lo diferencia de la vida: vive en estado de guerra. Su vida es tan corta que no le queda tiempo para la paz. Son 90 minutos en los que cualquiera puede perder la vida, y por eso el fútbol es expresión de muerte súbita. Por eso también lo amamos. Con cada jugada nos recuerda que la vida intensa nace del peligro. Nos demuestra que la vida es juego y que hay que jugar[49].

Las barras bravas de Bogotá están compuestas de jóvenes entre 13 y 25 años que provienen de diferentes clases sociales y de distintas zonas. Según reconocen estudiosos, es en esta edad cuando los adolescentes salen del amparo exclusivo de sus padres para buscar grupos con los cuales desarrollar la virtud de la fidelidad, que se expresa en actitudes de entrega al grupo, banda o pandilla. En esta línea están los movimientos musicales y los punks, y en el fútbol, las barras bravas. En Bogotá las barras existen desde la época del Dorado (1948 y años siguientes, cuando el país trajo a varios jugadores argentinos para sus equipos), pero sus gestos y comportamientos eran mesurados. Las llamadas barras bravas se originan a comienzos de los noventa, cuando llegan a través de las parabólicas las transmisiones del fútbol argentino. Siguiendo el ejemplo, los aficionados bogotanos adoptaron cánticos, cotidianamente empezaron a usar camisetas de sus equipos para distin-

guirse y dieron rienda suelta a cierta cultura de furia futbolística (Juan Carlos Flórez, 2002b: 13).

La actitud gregaria de los jóvenes de adoptar símbolos comunes, de encontrarse ritualmente los domingos para acompañar a sus equipos, tiene dos aspectos positivos. De una parte, propicia pasión y arraigo a una comunidad, equipo o grupo, de donde nacen manifestaciones identitarias y comportamientos de tribus urbanas; de otra, favorece situaciones de convivencia entre actores y grupos sociales distintos o antagónicos. Un reflejo de esto en nuestro medio es el hecho de que, según informes de la Policía Metropolitana, durante el año 2001 estos muchachos se concentraban en ciertas zonas de Bogotá que reconocían como suyas, como el Parque de la 93 en el norte, el barrio Venecia en el sur, Fontibón en el suroccidente, Santa Helenita en el noroccidente y el eje de la carrera 30 que divide la ciudad en cuatro costados[50]. Cuando todos esos jóvenes llegan a El Campín se convierten en una familia que comparte unos ritos comunes. Ese sitio es como un altar de encuentro donde se hermanan y se hacen compinches. La autonomía del sujeto se traslada hacia la tribu, donde se comparten ciertos secretos

Desfile de comparsas en la carrera séptima.

que no implican el fin de la individualidad, sino que, como decía Maffesoli (1989: 4), ésta se concentra en algo diferente de las formas reconocidas por la legalidad institucional.

Ir de feria

Si entendemos las rutinas como acciones repetitivas de la colectividad, podemos argumentar que las ferias representan de modo privilegiado parte de los nuevos lugares que impulsan a los ciudadanos a salir de sus casas para asistir, en compañía de otros, a algún evento. La Feria de Exposiciones, creada en 1954 por el ex presidente Rojas Pinilla y convertida en entidad privada en 1998, bajo la administración de la Cámara de Comercio de Bogotá, se ha constituido en sitio de referencia de la ciudad. Su calendario anual de ferias incluye la Vitrina Pedagógica, la Feria Internacional del Cuero, la Feria de Ofertas, Vitrina Turística, Bogotá Fashion, Industrial del Mueble y la Madera, Feria Cristiana Internacional, Expoartes, Belleza y Salud, Feria Exposocial, Feria de las Colonias, de las Delicias Culinarias de Colombia, Industrial, del Caucho, Plástico y Petroquímicos, del Libro, del Estudiante y de Idiomas, del Automóvil y de Artesanías. Ellas dejan ver una vocación de los bogotanos por ciertos temas que indican algo de su carácter público. Nos

detendremos en dos de ellas, la del libro y la de la moda, para ver cómo el ciudadano emerge hacia ciertas rutinas que además de divertir permiten la apropiación de nuevas conductas públicas.

La alegría de querer leer

Los bogotanos compran pocos libros, aun cuando dicen leer más de lo que adquieren. Sin embargo, su industria editorial es una de las más consolidadas de América Latina, o al menos de las que han logrado sobrevivir a la recesión económica de los últimos años. Un estudio de la Cámara Colombiana del Libro y del Centro Regional para el Fomento del libro, Cerlalc —sin duda el más completo hasta ahora—, revela que 84% de los jóvenes del país entre 12 y 17 años son lectores, y unos tres millones de personas asisten a bibliotecas con alguna regularidad[51]. Es la primera vez que en el país se indaga entre más de 13 millones de personas sobre temas como cuántos libros compran, asistencia a las bibliotecas, tipos de lectura y móviles que tienen para leer. Así, 68% de los individuos económicamente activos, de todas las edades,

Montaña rusa en el Parque El Salitre.

leen por año, en promedio, 5,4 libros por persona; entre los estudiantes de secundaria el promedio es de 6,5 libros anuales. En Bogotá se leen 2,4 libros por habitante al año. Estas cifras resultan estimulantes si se las compara con datos de la Feria del Libro de Bogotá de 1998, cuando el promedio no superaba los 1,1 libros por persona.

La Feria del Libro de Bogotá, que desde 1988 se realiza cada año en abril, y la mexicana de Guadalajara son las que más concentran público en América Latina, y en ellas se concretan los mayores intercambios comerciales. El ritual de ir a la feria para ver espectáculos culturales y comprar libros es algo que cada vez compromete a más personas. En el año 2002 recibió alrededor de 320.000 visitantes. El récord de mayor asistencia se rompió el miércoles 3 de mayo, con un registro de 38.459 visitantes y un aumento en ventas de 15% respecto al año anterior.

Al preguntárseles a los bogotanos por actividades libres, como leer, asistir a teatro, practicar deportes, caminatas o cultos, 33%, considerando todas las clases sociales, reconoció que la lectura es un hábito permanente. Este fenómeno puede estar relacionado con las campañas para estimular la lectura de Funda-

lectura, con los planes de lectura masiva que desarrollan periódicos como El Tiempo y El Espectador, con la venta de libros clásicos a bajo costo en puestos de revistas, y la creación de nuevas bibliotecas repartidas en distintos sectores de la ciudad. Los bogotanos reconocen menos asiduidad a las bibliotecas, pero en sondeos que se hicieron en el año 2001, las bibliotecas, junto con parques, canales locales de televisión y Transmilenio, fueron reconocidas como parte de las transformaciones positivas de la ciudad[52].

Entre 1999 y 2002 se han inaugurado bellas y modernas bibliotecas públicas, como la de El Tintal, las de los parques El Tunal y Simón Bolívar, la de Bosa, y las bibliotecas menores de Suba, Servitá, Restrepo y La Victoria. Pero las mayores bibliotecas de la ciudad siguen siendo la Nacional y la Luis Ángel Arango. La primera, fundada en 1777, es la más antigua de América Latina; desde 1995 se ha venido modernizando y tecnificando sus archivos mediante la microfotografía y la creación de ambientes especiales para mantener adecuadamente las reliquias bibliográficas que allí reposan, entre ellas algunos incunables[53]. El más antiguo es un opúsculo de santo Tomás titu-

lado *Veracidad de la fe católica*, publicado en Venecia en 1480 por Nicolás Jensen. La mayor parte de dichos incunables versa sobre temas religiosos y filosóficos o son reliquias de la historia de la ciudad. Allí están las noticias editoriales de fray Pedro Simón, documentos originales de la Revolución de los Comuneros, incluida la sentencia de muerte de José Antonio Galán, pasajes de la vida de Antonio Nariño y copia del primer libro de crónicas colombiano, *El carnero* de Juan Rodríguez Freyle. También puede encontrarse copia auténtica del primer periódico de Bogotá, *El Aviso del Terremoto*, aparecido en 1785.

La Biblioteca Luis Ángel Arango del Banco de la República tiene tantos visitantes diarios como las grandes bibliotecas de Nueva York. Sus lectores no sólo acuden en busca de literatura, libros de historia, filosofía y ciencias, sino de temas cotidianos. Con 40.000 metros cuadrados de construcción, es la más grande y una de las más importantes de América Latina. Entre los temas más consultados por los jóvenes están la historia del rock, sociología, psicología, ensayos, cancioneros, grabaciones y videos. Su página web (http://www.banrep.gov.co/blaa) informa que un libro del grupo Metalica fue solicitado en febrero de 2002 por 70 usuarios, por lo que comparte honores de preferencia con obras literarias como *Crónicas marcianas* de Ray Bradbury y *Rosario Tijeras* de Jorge Franco, o periodísticas, como *Colombia X* de Germán Castro Caycedo. El total de títulos que posee la biblioteca se acerca al millón. La biblioteca acoge diariamente 9.200 visitantes, lo que la hace, según su página de Internet, la más visitada del mundo. Este hecho revela las actitudes y esperanzas de la gente frente a la cultura, percibida como motor de modernización y crecimiento personal.

La última iniciativa del gobierno distrital para estimular la lectura son los paraderos-bibliotecas, colecciones rodantes de 300 libros dispuestos en los grandes parques para que quien quiera los consulte. Este proyecto ha permitido que la gente, en especial jóvenes y niños, se acerque a las letras de una manera descansada y relajada.

A soñar cuerpos

La moda es uno de los últimos espectáculos mediáticos y de industria que han irrumpido en Bogotá. Bogotá Fashion se inicia en 2001 bajo

Salón de clases en escuela pública.

la dirección de la periodista Pilar Castaño, y tiene lugar en Corferias. En la versión de 2002 participaron más de 50 empresas de textiles, modelaje y publicidad. En la primera generó ventas por 15 millones de dólares, y en la segunda reunió a 70 diseñadores internacionales. Se considera el segundo evento de modas en América Latina, luego del de São Paulo. Bogotá y Medellín son las ciudades de mayor venta de textiles en el país. La capital aporta 54% y Medellín 39%, cifras importantes, pues la exportación de ropa se acercó a los mil millones de dólares en el año 2001.

La moda nos permite vernos desde afuera, conectados con estilos, música, arte público y tendencias culinarias alternativas. Un primer acercamiento se había dado con las reinas de belleza vinculadas a los telenoticieros bogotanos, novedad que se tradujo en crecimiento de la audiencia. No obstante, los reinados arrastran con presiones moralistas muy fuertes y con cargas provincianas que obligan a poses inocentes y señoriteras y al uso de prendas folcloristas.

Cuando la moda irrumpe con un criterio más corporal y seductor, asociado a la industria, al comercio y al consumo mediático, se torna un acontecimiento urbano. La moda no es sólo un factor de distinción social: llega para dar placer a la vista y esconde maneras sutiles de seducción. La consagración de las frivolidades tiene su antecedente en la cultura caballeresca y cortesana, de lo cual hasta Don Quijote es una fina demostración, por su modo de vestir para atraer, por la manera de expresarse y el juego amoroso con el que pretende a la inconquistable Dulcinea del Toboso. Donde hay moda hay aspiración a goces terrenales y triunfos, se quiere deslumbrar a los vecinos y vecinas con pintas y sugerentes colores o diseños.

Es en el siglo XX que la moda se eleva a categoría urbana, cuando se asocia a la industria y genera diferencias de sexo. Al principio, y durante muchos años, estuvo dirigida casi exclusivamente a las mujeres. Sólo en las últimas décadas sus caprichos y dictámenes han empezado a regir en el mundo masculino. Aparte de la relación que vincula el arte y el sexo con la moda, está la que media entre esta última y la industria, los conflictos sociales y las culturas urbanas.

En abril de 2002 circuló por Internet una anécdota curiosa y reveladora ocurrida en Nueva York. El 17 de marzo, en una entrevista

Moda colombiana en el Fotomuseo.

que Oprah Winfrey hizo por televisión al diseñador Tommy Hilfiger, salió a colación un comentario de éste, que bien puede ser verdadero o falso, pero importan sus efectos: «Si yo hubiese sabido que los negros americanos, los mexicanos y los asiáticos comprarían mi ropa, no la habría diseñado buena. Desearía que este tipo de gente no comprara mi ropa, pues está hecha para gente caucásica de clase alta». De inmediato la red se llenó de mensajes que pedían el bloqueo de esa marca como respuesta a su comentario racista. La moda, pues, no sólo muestra lo exterior sino el lado oculto de la sociedad, cuando ésta se deja sorprender en sus trivialidades y prejuicios.

Sólo en los últimos años la moda se ha convertido en un tema que se trata a diario en Bogotá, y en buena parte ello ha ocurrido gracias a los telenoticieros. Ante nuestras consultas, 28% de los entrevistados reconocieron su gusto por la sección de farándula de estos programas (14% de la clase alta, 20,4% de la media y 19,6% de la baja). Cuando indagamos sobre revistas, 28% dijeron leer de manera regular sobre deporte y moda, los temas preferidos por todas las clases sociales. Este interés por la moda es proporcional al consumo de vestuario, la instalación de centros comerciales en todas las zonas de la ciudad

y una vida más solitaria, como si los individuos hubieran dejado de vestirse para una pareja estable y estuvieran preocupados por mostrarse a la sociedad en conjunto.

Si examinamos la foto publicada por *El Tiempo* en un magazín especial sobre moda en Bogotá, podemos apreciar a decenas de fotógrafos y camarógrafos extasiados ante una modelo que posa ante ellos desafiante y

Bogotá Fashion.

provocadora para ofrecerles su sexo, sus senos, y quizá su sonrisa (en la imagen ella aparece de espaldas). El ambiente es silencioso, como si se estuviera ante algo sagrado. Ninguna de las 35 personas (30 hombres, 5 mujeres) encuadradas sonríe o se mofa de lo que ven. Todos parecen estar en otro mundo, extasiados o perturbados, con la mirada fija en el cuerpo casi desnudo de la modelo. Un asombro parecido sólo podría inspirarlo una pintura realista que representara un paisaje extasiante, una imagen divina o un crimen atroz. Sus admiradores parecen haberse quedado mudos, o quizá calculadoramente piensan que han acabado de robarse una foto de la criatura para el futuro.

Bogotá pública

Podría decirse que el teatro es el escenario mismo de la vida urbana. Para algunos pensadores, los rituales, propios de todas las sociedades humanas desde sus orígenes, son acciones teatralizadas. Quizá el teatro haya nacido como imitación del proceso ritual antes que como reproducción del drama social. Esto es importante, pues si el teatro en esencia es rito, no habría una experiencia más social que él.

La palabra *persona*, base de la sociedad, tiene origen latino, idioma en que significa *máscara de actor*. En el teatro romano, los actores se cubrían la cabeza con máscaras provistas de una especie de bocina que hacía más clara y poderosa la voz. La parte anterior correspondía al rostro, la posterior consistía en una peluca. Así, una *persona trágica* equivalía a una máscara de tragedia. La evolución de este concepto que conduce al significado actual de la palabra *persona* permite interpretar que la vida urbana es una mascarada. La sociedad necesita de teatro para verse en escena. En un sentido profundo, éste es el gran aporte que nos lega cada dos años el Festival Iberoamericano de Teatro de Bogotá, uno de los más grandes y significativos de cuantos se realizan en el mundo, no sólo por la cantidad y calidad de sus actos, sino porque se toma la ciudad y se convierte en un hecho urbano que ya forma parte de la personalidad ritual bogotana.

La vida cotidiana nos ofrece diversas experiencias de teatralidad, cuyos efectos suelen ser transgresores o liberadores. La misa cristiana es un episodio colectivo de actuación, purificación y drama. Por eso no es casual que el Festival de Teatro de Bogotá haya nacido en Semana Santa.

Junto con la muy próxima feria del libro, empuja a la ciudad hacia una mayor secularización. El teatro plantea vínculos profundos con la escenificación de lo inconsciente, entendido éste como escenario donde actúan y hacen su fiesta nocturna, en los sueños, los deseos reprimidos. Y qué decir de las escenificaciones de la ciudad: si uno aísla cualquier hecho puede dar lugar a actos dramáticos de comunicación y catarsis. Si el teatro es vida y drama que se consiguen mediante juegos catárticos colectivos, sin duda es útil a un país dominado en los últimos años por los rituales de la muerte, producto de nuestras perversas guerras.

Gracias al Festival de Teatro, las imágenes, las noticias, los personajes que vemos a diario cambian por unas semanas y nos introducen en una ilusión alternativa. Incrédulos, vemos que el poder de la creación puede sobreponerse al de las armas. Por eso este festival ha logrado meterse en la memoria de la ciudad desde sus inicios, en 1988, cuando los integrantes del grupo Los Demonios de Barcelona —uno de los iniciadores de los *performances* urbanos en Europa— se tomaron el antes cañoneado (en 1985) edificio del Palacio de Justicia, por entonces en reconstrucción, para representarnos el holocausto que allí había tenido lugar. Sus actos siguen siendo memorables, como el realizado en 2002, cuando la compañía alemana Thalia Theater, inspirándose en la *Divina Comedia* de Dante Alighieri, representó el infierno adaptando el escenario del teatro Jorge Eliécer Gaitán como piscina donde sucedían desconcertantes hechos de guerra y juegos de poder que los espectadores sintieron como experiencias locales de la barbarie nacional. El Festival Iberoamericano de Teatro es recordado por la ciudadanía como uno de los 10 eventos más importantes de la última década, y sin duda constituye una fiesta de celebración pública en Bogotá.

Presentación callejera de malabares frente a la iglesia de San Francisco.

El festival, en fin, ha conseguido adentrarse en las ritualidades bogotanas. Hoy ya es una ceremonia ciudadana acompañar a Fanny Mickey, su directora e inspiradora, quien subida en una carroza hace su entrada triunfal, cada dos años, recorriendo la carrera séptima desde la Plaza de Toros hasta la de Bolívar. Después de este desfile se da inicio a la única fiesta pública que congrega y beneficia por igual a toda la ciudad. En el año 2002, según promedios manejados por la misma organización, se superaron los 2.500.000 espectadores en la calle, cerca de 300.000 mil en salas, se montaron 85 obras, participaron 1.760 artistas, 48 grupos internacionales y 44 nacionales, y hubo dos semanas de seminarios y eventos especiales sobre teoría, así como talleres de creatividad. Estas cifras demuestran que es el evento teatral más grande y ambicioso del mundo.

El festival continuó la tradición teatral de grupos bogotanos que tuvieron su apogeo en las décadas anteriores, como el teatro colectivo de Santiago García, al que se le debe la mayor presencia y continuidad en el tiempo de un grupo bogotano, desde cuando, en los años sesenta, fundó la Casa de la Cultura en compañía de intelectuales como Carlos

José Reyes, quien en la actualidad es uno de los promotores del festival. Otros grupos importantes de esa época fueron La Mama, dirigido por Kepa Amuchástegui, El Local, liderado por Miguel Torres y Eddy Armando, y Acto Latino, de Sergio González y Juan Monsalve, más emparentado con nuevas propuestas estéticas. Todos estos grupos han contribuido a crear marcas en Bogotá mediante la representación de teatro independiente y la creación de nuevas salas, que en el año 2002 llegan a 30. Gracias a ellos Bogotá es una de las ciudades del continente que más infraestructura teatral tiene.

Cuando pedimos a los bogotanos que se representaran teatralmente el futuro de la ciudad en los próximos 20 años —una memoria futurista realizable—, sobre todo dominaron imágenes de una modernidad tecnológica, con esperanzas de cambio, pero también caóticas y lumpenizadas. La futura ciudad se imagina ruidosa, triste, caótica, contaminada, pobre, feudalista y decadente. Si se pide asociar el porvenir de nuestra capital con el estado actual de otras urbes, aparecen referencias a Nueva York, Los Ángeles y Ciudad de México, todas ciudades grandes con presencia latina y situadas en el hemisferio norte. El metro sigue siendo el gran sueño: una sexta parte de los encuestados lo relacionan con un futuro positivo. También aparecen calificativos como progreso, belleza y esperanza, vinculados a la conquista de espacio público. El Festival de Teatro es señalado como el evento que marca la ruptura entre la Bogotá de antes —es decir, con la de ahora—, del encierro en casa, y la futura, que sale a caminar y a hacer pública la ciudad. Estas proyecciones corresponden con lo sucedido el 7 de julio de 2002, en la inauguración de una etapa del Parque Tercer Milenio en terrenos donde antes estaba el decaído sector de El Cartucho: habitantes de las cercanías, de escasos recursos, dijeron en varias entrevistas por televisión que ahora sí podían salir a la calle a conocer Bogotá.

De los escenarios teatrales imaginarios que proyectamos se deduce que la Bogotá deseada se mueve en metro, en las ciclovías y ciclorrutas, que va a ferias, a teatro y fútbol, que sale a caminar y visita los parques. Esto implica nuevos ritos de pareja y de familia. Y de usos de la urbe.

Notas

1. Datos de nuestras investigaciones compendiados en el estudio del CAB *Culturas urbanas en América Latina y España desde sus imaginarios sociales*, 2000, que mantiene proporción con las muestras del trabajo de 1992, cuando el 26% de los encuestados vivía en la ciudad y tenía algún padre oriundo de la misma. O sea que en la actualidad habría más bogotanos con antepasados también bogotanos.

2. Estudio de la Arquidiócesis de Bogotá y de la Consultoría para los Derechos Humanos y el Desplazamiento, CODHES, S.A, según informe de *El Tiempo* de 11 de septiembre de 2001.

3. Datos de las autoridades del aeropuerto El Dorado de Bogotá, *El Tiempo*, «Las dimensiones del éxodo», 13 de agosto de 2000, sec. I, pp. 1, 2, 4.

4. Según los resultados expuestos en el libro de Armando Silva, *Álbum de familia...* (véase la bibliografía), tomarse una foto con el diploma es un rito bogotano sobresaliente. De hecho, éste, junto con la celebración del matrimonio, el festejo de las quinceañeras y las fiestas de cumpleaños, es uno de los temas que a la gente más le gusta plasmar en fotografías, es decir, convertirlo en un rito visual.

5. Montaje audiovisual de Lisa Andrew, Gonzalo Cano y Paul Lastmet. Las conclusiones se presentan en el folleto «La Caracas», editado por Colombian Center en Nueva York, 1999.

6. Datos proporcionados por el Observatorio de Ciencia y Tecnología de Colciencias en abril de 2002.

7. Observatorio Social de la Cámara de Comercio de Bogotá, 1999.

8. Tomamos este dato de un informe de la Contraloría General de la República publicado en *El Tiempo* el 25 de junio de 2002. Si bien la información se refiere a la situación nacional, no es descabellado adaptarla al ámbito bogotano.

9. *Portafolio*, diario de economía y negocios, Bogotá, 1° de abril de 2002, año 9, N° 1.318, p. 10 y ss.

10. Sondeo comprobatorio, luego de los realizados en 1990 y 1992, que contó con la colaboración de Camilo Salazar, Leonardo Rodríguez, Germán Ramos, Camilo Castillo, Pablo Estrada, Íngrid Numpaque, Juan Moncaleano y Liliana Quevedo, alumnos del curso de contexto Pensamiento visual contemporáneo impartido en la Universidad Nacional de Colombia en junio de 2001.

11. Entrevista radial que Caracol hizo a Enrique Sandoval, gerente de Transmilenio, el 27 de febrero de 2002, con motivo de la inauguración de la línea que llega hasta la calle 170.

12. Nos referimos a los estudios que Gabriel Restrepo, del Departamento de Sociología de la Universidad Nacional de Colombia, ha adelantado en torno a la *Urbanidad* de Carreño, cuyos textos, todavía en estado de borrador de trabajo, hemos consultado.

13. Sobre los nombres de los grupos juveniles consúltese Arias, 2002: 3-5, y Germán Muñoz y Martha Sanín en «Jóvenes alternativos», entrevista de Andrés Garibeldo, *El Tiempo, Lecturas Dominicales*, 6 de julio de 2003.

14. Comentario del profesor Joaquín Montes del Departamento de Dialectología del Instituto Caro y Cuervo ante una consulta expresa sobre el tema hecha por Sandra Yáñez, de nuestro equipo de investigación. Para más información consúltese «La R y sus alteracio-

nes en España e Hispanoamérica» en *Estudios Lingüísticos, Temas Hispanoamericanos*, Instituto Caro y Cuervo, Imprenta Patriótica, Bogotá, 1953.

15. Informe de la Consultora de Recursos Humanos de William Morcer, *Semana*, N° 985, Bogotá, 19 de marzo de 2001.

16. Manuel Castell (1995) y Javier Echeverría (1999) llaman a este fenómeno «tercer entorno», y lo conciben como la posibilidad de que los individuos se relacionen a distancia, con lo que se instaura la «telépolis» o «teleciudad». Escritos del Grupo de Medellín analizan estas concepciones teóricas sobre las teleciudades asociadas a las nuevas exigencias culturales: J. Gonzalo Moreno: «Qué es un territorio»; Jaime Xibille: «La semiosis espacial de la ciudad»; Jorge Echavarría: «La fragmentación de las metrópolis»; Jairo Montoya: «Las emergencias de la subjetividad», en Jaime Xibille (ed.), *Metrópolis, espacio, tiempo y cultura, Revista de Ciencias Humanas*, Universidad Nacional, sede Medellín (N° 24), 1998, pp 7-132.

17. *Semana*, «Hábitos de consumo en América Latina», 2002b.

18. Según estudios de la Comisión de Regulación de Telecomunicaciones de Colombia, cuyos resultados fueron reproducidos en *El Tiempo* el 17 de julio de 2000, y en concordancia con lo corroborado por Merrill Lynch para América Latina en la página www.pragma.com.co, donde se llega a conclusiones similares.

19. Mediante la «tarifa plana», las empresas que prestan el servicio de Internet deben cobrar una cuota cinco veces más baja cuando el teléfono se usa con este fin que cuando es utili-

Estación de gasolina en la calle 100 con carrera 11.

zado para el servicio convencional de conversación. A partir de julio del 2001, en Bogotá aumentó el uso de las líneas telefónicas para conexión con Internet hasta en 50% en algunos días.

20. Datos de Booz & Hamilton de Colombia sostienen que 18% de las instalaciones a Internet se encuentran en Medellín, 17% en Cali, 9% en Barranquilla, y el resto del país sumado apenas llega a 12%.

21. Se trata de nodos de Internet que alojan sitios web y se reparten por países y zonas geográficas.

22. Información de Noticias EFE de España reproducida por Martha Montoya en *El Tiempo*, Bogotá, 2 de junio de 2002.

23. El grupo de trabajo del proyecto Culturas Urbanas, capítulo Bogotá, realizó compilación sobre imaginarios y medios en Bogotá. El grupo estuvo coordinado por Guillermo Santos y contó con la colaboración de los siguientes estudiantes: Ángela Céspedes, encargada de la compilación en radio, de la Universidad Central; César Patiño, Manuel Jaramillo, Viviana Monsalve y Clara Forero de la Universidad Nacional de Colombia.

24. Según un estudio de *Pricewaterhouse*, entre el primero de julio de 2000 y el 31 de diciembre de 2001 el número promedio de ejemplares vendidos de *El Tiempo* es el siguiente: lunes, 193.188; martes, 186.680; miércoles, 207.802; jueves, 256.513; viernes, 203.226; sábado, 201.093; domingo (sin cuadernillo coleccionable), 537.000; con cuadernillo coleccionable,

544. 314. El promedio diario se acerca a los 200.000. Pero en el año 2002, los domingos las ventas ascendieron a las sumas descritas. (Informe publicado en *El Tiempo* el 17 de febrero de 2002).

25. Investigación a cargo de Marcela Guzmán sobre «noticias de ciudad» en los periódicos de toda América Latina, realizada en el mes de abril del año 2003, para el CAB, y que aún no ha sido publicada.

26. Al respecto, véase el estudio de Cosette Castro y Maricela Portillo «Gran Hermano: ¿ficción o realidad?» (borrador de trabajo), p. 5.

27. En Daniel Pécaut, «Presente, pasado y futuro de la violencia», en *Análisis Político*, Nº 30, Bogotá, 1997, p. 15, citado por Beatriz Quiñones, 2001: 38.

28. *El Tiempo*, 27 de junio de 2000.

29. Pablo Mora, Ricardo Guerra, Jaime Sánchez y Jaime Basile.

30. Algunos de los versos siguientes los tomé de la compilación de Miguel Arnulfo Ángel, *Voces con ciudad*.

31. Además de las novelas mencionadas hay otros relatos de autores que han trabajado en periodismo, como Fernando Quiroz, en su primera novela, que sucede entre Buenos Aires y Bogotá: *En ésas andaba cuando te vi*; de estudiosos del lenguaje, como Rodrigo Argüello y sus pequeños relatos de corte policíaco; de académicos dedicados al estudio de la literatura, como Luz Mary Giraldo (2000), quien muestra sobre una amplia bibliografía a Bogotá desde las novelas que la han escrito, o de escritores que se han desempeñado en profesiones ajenas a la literatura, como el arquitecto Carlos Pérgolis.

32. Toda selección peca de arbitraria. Para elaborar las listas que aquí aparecen consulté con Ana María Lozano del Museo de Arte Moderno, Andrés Zambrano de *El Tiempo* y Jaime Cerón del Departamento de Bellas Artes del Instituto Distrital de Cultura y Turismo, a quienes agradezco sus opiniones, que en nada los compromete, pues la responsabilidad de cuanto se asevera en este libro compete exclusivamente al autor, quien tomó en cuenta la obra de esos artistas por parecerle sugerente para la construcción imaginaria de Bogotá.

33. Grupo de investigación en medios para el proyecto de Culturas Urbanas, CAB-UN, 2000, coordinado por Guillermo Santos, que cuenta con la participación de los estudiantes Ángela Céspedes, César Patiño, Manuel Jaramillo, Viviana Monsalve y Clara Forero.

34. Datos tomados de: http://www.lawebdetito.com/modules.php

35 Testimonio de un joven que asistió a una reunión de la Misión Carismática Internacional. http://www.mji-intl.org/español/index.asp

36. La lingüista Marcela Guzmán, asistente de la investigación, quien colaboró en este capítulo, y algunos compañeros suyos asistieron a varias ceremonias religiosas, con el objeto de documentar este estudio.

37. Información recabada en http://atenea.udistrital.edu.co/profesores/villanueva/satanismo.html

38. Testimonio de Juan de la Cruz, agente del DAS experto en sectas satánicas, reproducido en http://www.elespectador.com/2002/20020217/bogotá/nota1.htm

Horas a la semana que se dedican a los amigos

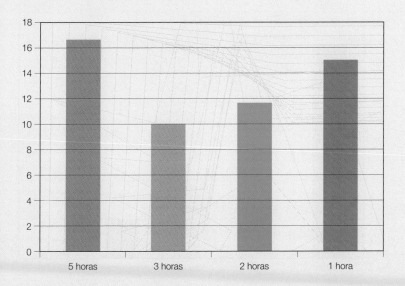

Sitio de preferencia para una cita

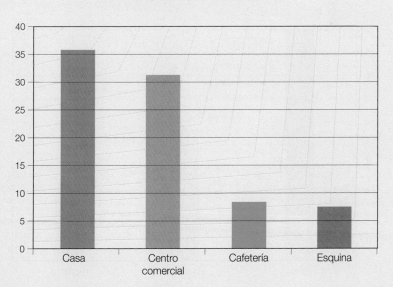

Frecuencia con la que van a bibliotecas

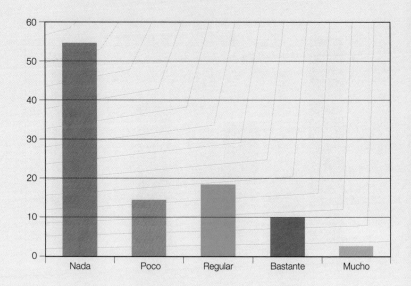

Género musical favorito

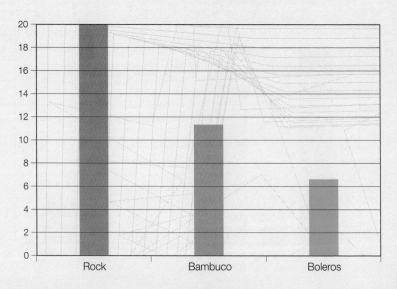

39. Datos del antropólogo Miguel Álvarez, uno de los autores del libro *Mundos de la noche*, citado en http://www.elespectador.com/2002/20020217/bogotá/nota1.htm

40 Con realización de Paola Gaitán e investigación de William Silva, patrocinio del Ministerio de Cultura y de la Universidad Nacional de Colombia. Proyecto Culturas Urbanas en América Latina y España desde sus imaginarios sociales, CAB-UN, 1999-2003.

41 *El Tiempo*, «Ofensiva contra las maquinitas», 28 de febrero de 2002: 1 y 6.

42 Gómez y Lamoreux, 1999, citado por Carlos Nupia (2000). Esta experiencia se ha adelantado con el apoyo del Centro de Investigaciones para el Desarrollo de Canadá y la organización no gubernamental Colnodo de Colombia.

43. Este estudio tomó como base la lista de abonados a este servicio por medio de Telecom, que sin duda es representativo de las inclinaciones generales del acceso a la red a través de otros servidores. Carlos Nupia (2000) presenta en su tesis ocho planos de Bogotá donde, aplicando la técnica de polígonos de Thiessen, se visualiza la espacialización del servicio Internet.

44. Según definición de Rey y Osorio (2001a: 4), son industrias aquellas empresas dedicadas a la producción de distintos elementos de circulación masiva y que operan dentro de las lógicas de los mercados y de la comercialización.

45. «Yellow submarine» resultó ser la composición de rock que más recuerdan los bogotanos, según un sondeo que adelantó la Emisora de la Universidad Nacional de Colombia en un programa sobre los Beatles realizado con ocasión de la muerte de George Harrison, el 29 de noviembre de 2001.

46. Entrevista concedida a *Agenda Cultural de Bogotá*, N° 132, febrero de 2002.

47. Información obtenida en www.idct.gov.co

48. Al respecto, una joven bogotana, Verónica Guzmán, escribió un gracioso ensayo para la Universidad de Chicago, en el que compara la nocturna ópera europea, su público y seguimiento, con el fútbol sudamericano y las pasiones, gritos y ritmos diurnos que genera (borrador de trabajo, 2002).

49. Idea desarrollada por el venezolano Tulio Hernández en *El Nacional* de Caracas. Citado por Armando Silva, 1998a.

50. Apreciaciones de Eduardo Arias en *Semana*, 9 de marzo de 2001, ampliadas por Juan Carlos Flórez (2002b: 10).

51. Datos de la Encuesta Nacional de Hogares iniciada por el DANE en el segundo semestre de 2000 y entregada en mayo de 2001. *Boletín de la Cámara Colombiana del Libro*, a cargo de la Redacción Cultural, Bogotá, 2002.

52. Seminario de Pensamiento Visual, a cargo de Armando Silva, con monitoría de Marcela Guzmán, Universidad Nacional, junio de 2001.

53. http://www.bibliotecanacional.gov.co/colecciones/colecciones.htm

Páginas siguientes: estación de Transmilenio en la calle 39 con Avenida Caracas.

LOS OTROS

Color de su ciudad

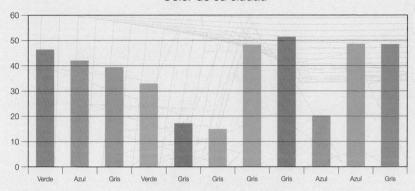

Qué hace en su tiempo libre

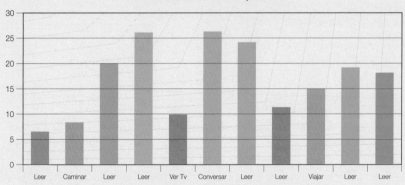

Qué le gusta más de su ciudad

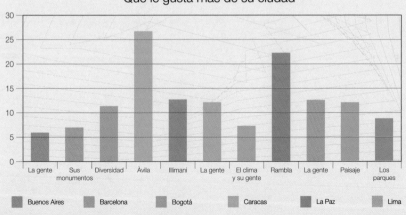

■ Buenos Aires   ■ Barcelona   ■ Bogotá   ■ Caracas   ■ La Paz   ■ Lima

Lugar preferido para una cita

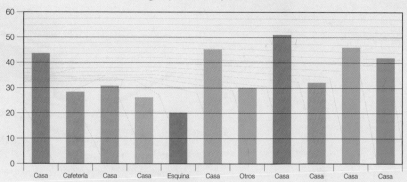

| Casa | Cafetería | Casa | Casa | Esquina | Casa | Otros | Casa | Casa | Casa | Casa |

Clima de su ciudad

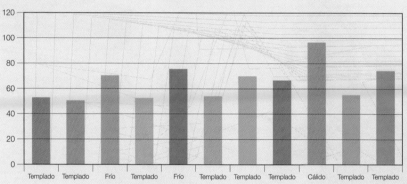

| Templado | Templado | Frío | Templado | Frío | Templado | Templado | Templado | Cálido | Templado | Templado |

Cómo percibe a los habitantes de su ciudad

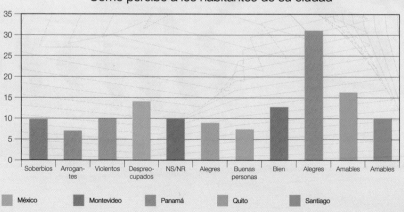

| Soberbios | Arrogantes | Violentos | Despreocupados | NS/NR | Alegres | Buenas personas | Bien | Alegres | Amables | Amables |

México   Montevideo   Panamá   Quito   Santiago

MIS VECINOS

Un simple ejercicio ante el espejo nos revela el fantasma. Uno es con su mismidad, su cuerpo, su nombre, su autoimagen. Frente al espejo uno es otro: una imagen de uno mismo pero sin cuerpo real de carne y hueso. Se sabe que allá está uno, pero como si fuese otro. Esa imagen que circula puede vivir sin uno mientras otros la recogen en escritos, fotografías, televisión, relatos, noticias. No es necesario ser realidad corporal para estar en otros. La imagen de uno en el otro, ¿de dónde viene? No nos es propia. Más bien proviene de ellos. Pero cuando los otros construyen nuestra imagen, lo hacen según su propio «interés psicológico»: esa imagen se arma con lo que ellos desean o evitan ser. Las de los deseos siempre son verdades a medias. Tratar de comprender cómo nuestro vecino nos imagina y, a la vez, cómo lo imaginamos a él, nos introduce en circuitos emocionantes, especialmente porque el lenguaje, frente a

Presentación teatral en una calle de Bogotá.

las pasiones y los sentimientos, pierde su capacidad de decir la verdad. Cuando los imaginarios se enfocan como expresión de deseos ciudadanos, no se habla, en estricto sentido, un lenguaje sino muchos dialectos que se asemejan a los modos como se expresa lo inconsciente.

Que los bogotanos, cuando se les inquiere por sus vecinos del subcontinente, recuerden más calles de Ciudad de México o que se emocionen con la belleza de los edificios de Buenos Aires, no quiere decir que quieran menos a los caraqueños o quiteños. Quizá a estos últimos los sientan muy cercanos. La imaginación —base de los deseos ciudadanos— siempre se presenta incompleta. Sin imaginación no deseamos. Por eso hay que estirarla. Un colega, Manuel Pérez (1998: 19), decía que el bebé es un ejemplo de un ser sabio, casi completo, definido y apasionado: cuando llora, llora; cuando ríe, ríe; cuando come, come; cuando defeca, lo hace con la participación de todo su cuerpo y pensamiento.

Jamás come sin tener hambre. Pero, agregamos, su verdad termina. Luego la criatura crece y la realización de sus deseos dejan de ser tan transparentes. Don Quijote y Sancho son afortunados porque el uno tiene al otro. En realidad, aunque no lo queramos, siempre tenemos al otro desde el cual nos comparamos, afirmamos y crecemos. Si hablamos hacia las fronteras, nuestro vecino es el otro más próximo que tenemos.

Antes se pensaba que estas fronteras eran fijas; hoy sabemos que se mueven, que no son sólo territoriales, que el sexo, la edad, los oficios, las zonas urbanas y demás diferencias sociales también son límites desde donde nos ven o vemos. Hay realidades transnacionales que vivimos con más frecuencia y que nos vienen del aire, de lo intangible: de los medios, de la economía. Pero al tiempo que las ciudades viven los efectos de la globalización y desplazamientos, por pérdida de su plaza como «centro real», se encierran más y se enredan en el devenir de su propio destino.

Ante el vecino, como ante el amigo, el hermano, el compañero, el padre o la madre, acentuamos la diferencia del lenguaje, del gesto, de la pinta. Cada vez tratamos más de definirnos por lo negativo, no por identidad o semejanzas, sino por lo que

creemos que somos y que no es el vecino. En ocasiones nos creemos mejores (los bogotanos asumen que son cultos, que hablan mejor el castellano o que son más creativos que otros ciudadanos allende las fronteras). En otras circunstancias nos sentimos menos listos, menos alegres o menos bellos, nos autorreconocemos bárbaros, narcotraficantes, agresivos. En esos juicios se mezclan sabidurías y justos valores, pero también rabias, celos, envidias, anhelos, frustraciones. Lo que más tememos lo traspasamos a los otros: para casi todas las ciudades del subcontinente, el narcotráfico es el signo que identifica a Bogotá. Pero muchos por desgracia lo padecen. Lo que más nos falta sobresale en el otro: los bogotanos envidian la gracia de Buenos Aires —antes de su crisis— o el orden de Santiago. América, desde su nacimiento, representa el deseo europeo de hacer un «nuevo mundo». Hoy desde Europa miran aterrados la magnitud de su fracaso, pero también descubren que en donde no nos previeron los superamos: ven en nosotros una vida más emocionante.

Cuando una ciudad mira a otra con la cual se compara, de modo inevitable se mira a sí misma. Es un gesto muy contemporáneo que las ciudades traten de entenderse juzgando a otras: el pensamiento actual crece desde el otro. Pocos años atrás se creía en una identidad casi fija y que cada urbe, como las personas, tenía su sello permanente. Ahora sabemos que la imagen de una ciudad cambia con la velocidad con que rotan las noticias, los ataques terroristas, los eventos, las modas, la economía. Pero algo permanece. Bogotá tiene algo de lo mismo desde cuando un hecho significativo marcó su historia. Nuevos sucesos la seguirán señalando, pero algo de lo viejo permanecerá. Nunca podremos explicar la realidad de una ciudad, pero sí describir sus episodios, sus narraciones, sus anhelos. Son los habitantes quienes a cada momento hacen y definen su ciudad, quienes la diferencian de las demás. Son las fantasías de los ciudadanos las que tratamos de captar en este aparte para terminar de dibujar a Bogotá. Nos hemos propuesto verla desde ella misma a partir de ciertos temas que planteamos, pero también desde la mirada de sus vecinos, averiguando cómo la imaginan y señalan para recordarla. Los resultados no siempre coinciden, pero muchas veces sí. En ocasiones, a pesar de las desgracias, conservamos la cordura de sabernos como somos y como parecemos ante los demás.

Se hizo un experimento sobre percepciones ciudadanas. Para ello se indagó sobre la visión que 500 inversionistas[1] tenían de las grandes ciudades de América Latina como conjunto, desde Miami hasta Buenos Aires. Para establecer un *ranking* sobre las que mejores perspectivas ofrecían para hacer negocios, se les dieron a conocer ciertos datos de cada una, como población, PIB, nivel de vida, clima, seguridad e infraestructura. En promedio Bogotá resultó bien calificada: ocupó el puesto 13 entre 34 y se le otorgó nota de «media alta» en cuanto a posibilidades de inversión, sólo por debajo de São Paulo, Buenos Aires, Ciudad de México y Santiago, de las 13 ciudades que incluimos en nuestro estudio. La capital colombiana punteó en muchos renglones: es la que más ha reducido sus índices de inseguridad[2], la más confiable para tomar taxi por vía telefónica, la que más ha aumentado en velocidad —gracias a la instalación de Transmilenio—, una de las menos contaminadas, etc. Pero cuando vino la última y definitiva pregunta: ¿Dónde usted no viviría bajo ninguna circunstancia?», la respuesta fue contundente: 33% respondió que en Bogotá; les siguieron Caracas, Lima y São Paulo con 11% cada una.

Paradójicamente, estos ejecutivos que saben que Bogotá ha logrado índices aceptables de seguridad, en lo que supera a Caracas, Buenos Aires y São Paulo, no la quieren habitar por peligrosa. ¿Cuánto tarda en volverse verdad social un imaginario de terror inspirado en las noticias, en cierta literatura, en desgracias naturales y, claro, también en algunas realidades?

Los bogotanos se reconocen con las ciudades iberoamericanas estudiadas en estas proporciones: Caracas 44,7%, Ciudad de México 43,3%, Lima 34%, Quito 28,7%, Buenos Aires 22,7%, Santiago 17,3%, La Paz 12%, São Paulo 11,3%, Ciudad de Panamá 8,7%, Asunción 4%, Montevideo 3,3%, Barcelona 1,4%.

Para nuestra reflexión armamos tres grupos con las otras 12 ciudades escogidas, según primara: 1) un sentido de afecto que permitiera ver en la otra ciudad, como proyección, una identificación en algún aspecto autorreconocido; 2) un sentido de indiferencia o poca valoración; 3) una proyección en ellas de anhelos y fantasías de una Bogotá futura. Para el primer grupo propusimos un corte temporal en el presente; para el segundo, teniendo en cuenta sobre todo el pasado, consideramos un corte temporal en el momento en

que ellas representaran lo que los bogotanos no quisieran ser o no les importaría ser, a pesar de distintos reconocimientos que ello les pudiera significar; en el tercer grupo tratamos de reconocer afectos imaginarios, pues las ciudades escogidas están dotadas de atributos que Bogotá desearía tener o que, si los tiene, no destacan lo suficiente. Así, se distingue de modo más bien racional la conveniencia de aceptar a las ciudades del primer conjunto por razones prácticas o por el mismo juicio de autorreconocimiento; en el segundo prima la lejanía, y el destino de esas ciudades no parece afectar a los bogotanos; en el tercer grupo el juicio aparece ligado a posibilidades.

Esta división se presenta como un ejercicio de «reagrupamiento de afectos», según las respuestas dadas por los bogotanos y de acuerdo con apuntes un tanto más libres nacidos de distintas observaciones. Este esquema trial presentado según prime un sentido de afecto —identificación, indiferencia o admiración—, un tiempo —presente, pasado o futuro—, un criterio racional —conveniencia, lejanía o posibilidades—, permite todo tipo de hibridaciones, intermediaciones y, por supuesto,

Postal *La horrible noche* de Gustavo Zalamea.

ajustes. Ciertas ciudades percibidas en los últimos renglones de esos grupos —como Quito, Santiago o Montevideo— concluyen un grupo y podrían estar en el siguiente. Otras cualifican muy fuertemente la caracterización del grupo respectivo, y por eso las dejamos en los primeros lugares, como Caracas o México D. F.

en el grupo de afectos, Ciudad de Panamá o Asunción en el de indiferencias, o Buenos aires y Barcelona en el de anhelos.

El objetivo, en todo caso, es armar un panorama de repartos afectivos a partir de los deseos ciudadanos y de la construcción del otro en el continente.

Plaza de San Victorino en el centro de la ciudad.

Ciudades cercanas

Seleccionamos aquí las cuatro que obtuvieron mayores marcaciones ante la pregunta «¿Cuáles ciudades encuentra afines a Bogotá?»: Caracas, México D. F., Lima y Quito.

Mujeres de Caracas

No deja de ser sugerente que Caracas sea una ciudad caribeña, emplazada al nivel del mar, cuyos habitantes están marcados por la cultura y el clima propios del trópico, mientras que Bogotá es una ciudad de montaña, fría, con ciudadanos distantes y prevenidos. No obstante, Caracas es vista como la ciudad hermana, con la que más se puede dialogar, con la cual es posible identificarse. Los juicios de semejanza, como aquellos relativos al color de las ciudades, pasan en buena parte por su construcción cultural.

Las mujeres bellas, las famosas *misses*, las telenovelas, el petróleo, el presidente Chávez y Simón Bolívar son las claves para imaginar a Caracas desde Bogotá en nuestra época.

Las reinas son patrimonio compartido de los dos países, hacen parte de sus mitologías nacionales y hay quienes consideran, como el sociólogo Tulio Hernández, que luego del petróleo y las telenovelas, las reinas no sólo salvan la cara amable que se presenta en el exterior, sino que están ligadas a las «primeras elecciones populares realizadas en el país» (Hernández, 2002), por permitir la participación de la comunidad en las elecciones para distintos equipos deportivos. Caracas es la única ciudad del mundo con una escuela especializada en crear reinas de belleza, y Venezuela mantiene el récord en coronas mundiales, demostración de que lo hace bien.

Los bogotanos se imaginan a los caraqueños alegres y rumberos, incultos y corronchos. A Caracas le dan connotaciones de ciudad moderna, con tráfico atascado y pobreza, aunque también la asocian con la isla Margarita, adonde muchos suelen ir de vacaciones. La vocación de los caraqueños por la modernidad y su afán por instaurarla hizo decir a uno de sus escritores, José Cabrijas: «Vivo en una ciudad nueva, siempre nueva, que sólo puede reconocerse a través de una nueva arqueología». En la arquitectura de la capital venezolana no quedan vestigios de la presencia española. Más bien se ha rendido culto a los automotores, a las autopistas. Sobre la cultura tradicional ha crecido una Caracas veloz, de comercio internacional, de arte abstracto, de arquitectura moderna. Las obras abstractas, ópticas y dinámicas del escultor Jesús Soto y de sus seguidores objetivan la imagen de esa Caracas siempre nueva. Por cierto, una de sus piezas fue donada a Bogotá y hoy se encuentra en plena zona central, en la avenida 26 camino al aeropuerto El Dorado, donde da testimonio de la tendencia modernista de la ciudad donante.

Distinta a Bogotá, más bien de marcada correspondencia hispánica, cerrada y elitista, Caracas supo abrir sus puertas a distintas migraciones. La fiebre petrolera de los años cincuenta y siguientes llevó a Venezuela a miles de personas de Europa oriental, de Italia y de países latinoamericanos. Las ofertas de trabajo abundaban. Se calcula que alrededor de medio millón de colombianos viven en Venezuela, y las nuevas generaciones nacidas allí forman parte sanguínea de estas culturas binacionales.

La construcción imaginaria que Bogotá hace de la Caracas de hoy es intensa en los medios. Las noticias de lado y lado y eventos como rei-

Sección de belleza en un almacén por departamentos.

nados y telenovelas lo confirman. Al
hacer un simple trabajo de relaciones de oposiciones según los calificativos otorgados a Caracas, resalta
que al caraqueño se lo concibe rico
pero pobre; frente a la pujanza de su
desarrollo aparece la pereza de sus
habitantes; sus habitantes son tranquilos pero la ciudad es caótica. No
se encontraron alusiones directas a

los conflictos fronterizos, como
tampoco desde los caraqueños hacia
Bogotá, lo que permite suponer que
éste se considera un problema político —o de los políticos— y no
tanto de los ciudadanos.

Por su parte, 65% de los caraqueños ven a Bogotá como una ciudad
fría. Destacan dos elementos que
parecen tomados de la imagen que
proyecta el país y aplicados a su
capital: droga y guerrilla. El frío de
su clima se extiende a su carácter y
estilo. Esta descripción guarda relación con ciertos atributos, como la
cultura de sus moradores y los vestigios de su historia conservados en la
arquitectura y en ciertos paisajes de
la Colonia. Las ecuaciones que emanan de la mutua contemplación
(Caracas = cálida, mujeres lindas,
Caribe, petróleo; Bogotá = fría,
montañosa, presencia de guerrilla,
intelectuales) dan lugar a la recom-
posición de los íconos de reconocimiento: Caracas dispone de atributos cálidos (mujeres bellas, petróleo,
riqueza); los de Bogotá son fríos:
(cultura, narcotráfico, guerrilla). La
oposición opera como complemento: Bogotá quiere ser más caribe; Caracas teme que de su pariente andina
le llegue la cultura del narcotráfico.

Los bogotanos que ven a Caracas
como la ciudad más afín a la que

ellos habitan corresponden a este perfil: clase alta (50%), media (44,9%), baja (39,28%); según géneros: hombres (45,3%), mujeres (44%); por edades, el grupo que prima oscila entre los 25 y 40 años. Una síntesis de estos datos nos define el perfil del ciudadano que quiere a Caracas: hombre de clase media alta entre 25 y 40 años. Nada mal si lo que tiene en mente es una bella mujer.

Actores de México D. F.

Esta ciudad gigante, superpoblada, contaminada, productora de rancheras, novelas, folclor, tacos, tequila y películas, produce admiración entre los bogotanos, quienes consideran que todos esos productos le dan identidad cultural, algo que merece ser apreciado. García Canclini decía que en México las relaciones con los bienes culturales sirven para diferenciar, por ejemplo, a quienes gustan de la poesía de Octavio Paz frente a los que prefieren las películas de la india María. Pero hay otros bienes —las canciones de Agustín Lara, las tortillas y el mole, los murales de Diego Rivera— con los que se

vinculan todas las clases, aunque la apropiación sea diversa. «Por esto el consumo puede ser también escenario de integración y comunicación» (García Canclini, 1999: 37). Son éstas las fortalezas de su cultura popular que aclaman los bogotanos.

El personaje mexicano más recordado entre nosotros es Cantinflas, el único proveniente del cine que aparece con votación significativa entre las ciudades estudiadas. Varios ciudadanos son todavía asiduos seguidores de él o de herederos suyos, como El Chavo y su elenco. Cantinflas es un fenómeno que

Postal de Omar Bechara, vista nocturna desde la Avenida Circunvalar.

causa admiración en el continente. Su vida, expuesta como novelón, atrae: hombre pobre que se hace rico con constancia pero no olvida a su gente y la representa en sus distintos filmes, donde suele tomar partido por los perdedores. Sin embargo, este emblema latinoamericano puede estrellarse en su propia fraseología hueca. La miseria que representa es un estado permanente con el cual está satisfecho, a juzgar por su discurso, en el que se revela un conformismo social que sólo combate en apariencia. El escritor mexicano Roger Bartra sostiene que el verbalismo confuso de Cantinflas no es una crítica de la demagogia de los políticos (y no sólo mexicanos sino de todo el subcontinente) sino su legitimación. Con gestos y mímica paralelos, el derrame libre de palabras produce un sinsentido. Si bien podría pensarse que se trata de una burla al estado de cosas, más bien parece tratarse de una simbiosis entre «pueblo y opresores» que conduce a una complacencia con todo lo que no debiera haber en América Latina: corrupción, miseria, caos, picardía de sus dirigentes. Quizá haya sido México el país que más exporta, con sus industrias culturales, el espíritu de esa figura popular de persona entre-

gada, manejada por destinos apenas modificables por golpes de suerte.

Los bogotanos, como en ninguna otra ciudad, reconocen en México sitios o emblemas importantes, como el Paseo de la Reforma, Quetzalcóatl, la Plaza de Chapultepec o las pirámides. Esta familiaridad se nota en distintos episodios, como el agrado que expresaron allí mismo cuando en un partido de fútbol Colombia derrotó a Argentina 5-0 (lo cual no oculta la rivalidad con Buenos Aires) o, de otro lado, la buena aceptación de mexicanos en eventos populares de nuestra ciudad, como los programados en la Media Torta, donde de continuo actúan cantantes como Vicente Fernández, o las más de cuatro telenovelas diarias que de ese país se exhiben en la televisión bogotana, con argumentos que se calcan a sí mismos, lo cual no parece molestar a sus fieles seguidores. En similar proporción, todas las clases sociales reconocen esa afinidad con México D. F., pero en género sobresalen los hombres, y en edad el grupo ubicado entre los 25 y 40 años. La mayor calificación (25% de marcaciones) que le la dan en conjunto es la de ciudad aglomerada, en implícita alusión a «La demasiada gente» que hace palidecer al escritor Carlos Monsiváis. Luego reconocen su comida abundante, picante y olorosa. La ciudad del continente que más olores produce ha de ser México, pues concentra en un mismo espacio y lugar los aromas de enchilados, tacos callejeros y smog de la contaminación. Carlos Fuentes, en su reciente escrito *De la A a la Z*, en el capítulo sobre las urbes de su vida, le da un lugar muy especial a su México del alma, de cuyos olores penetrantes dice: "Hay otras [ciudades] en las que vivo [...] México, como un acto de masoquismo amoroso es mi ciudad vivi-

da. Es mi gente, es mi asfixia, es mi prueba, es mi desafío [...] aquí vivimos, en las calles se cruzan nuestros olores de sudor y pachulí, de ladrillo nuevo y gas subterráneo"».

Las proyecciones que los mexicanos hacen de Bogotá son desalentadoras: van de no saber o tener referencia (47%) a identificarla como ciudad de drogas y narcos (cerca de 30%). Luego vienen otros atributos como cumbia y café. Sin duda, el imaginario de las drogas es un modo de comunicarse entre los latinoamericanos, todos dispuestos a mostrar que están más limpios que otros. El desplazamiento de campos de cultivo al sur de Colombia se personifica en Bogotá, y allí se encarna la metonimia. La música puede constituir alguna esperanza en el acercamiento entre bogotanos y mexicanos, más allá de la bronca de las drogas. Así como en Bogotá hay unos cuantos charros mexicanos nacidos en el departamento de Boyacá, en México D. F. también hemos encontrado unos pocos mexicanos que se dicen colombianos en los famosos salones de baile adonde el pueblo va a bailar el danzón pero también la cumbia.

México D. F. es una de las buenas ilusiones de varios latinoamericanos que la imaginan como el lugar desde donde podríamos unirnos. Se cree

Carnicería, llamada también "fama", en un barrio popular.

que allí hay cultura y de la buena, aquella en la que todos o casi todos participan. Quizá sea eso lo que más entusiasma a ciertos sectores que sueñan con actores del puro México.

Los enlatados de Lima

Con indígenas, incas, Machu Picchu, artesanías, Fujimori, sequías, pobreza, riqueza cultural de los antepasados y fachas de televisión se arma la imagen que de Lima se hacen los bogotanos. Quienes más ven algún parentesco entre limeños y bogotanos son las clases medias, en ambos géneros pero con cierta favorabilidad de las mujeres. Los jóvenes y los mayores son quienes más establecen esta relación, y no deja de parecernos interesante que sean personas de más de 66 años quienes se identifican con Lima.

Los imaginarios bogotanos sobre Lima viajan en dos sentidos: por un lado citan lo tradicional, como los incas y Machu Picchu, adonde muchos bogotanos hacen viajes turísticos; y por otro se refieren a programas de televisión, del tipo *Laura en América* y *Dios nos libre de Beto*, seguidos en algunos sectores populares de Bogotá.

La industria cultural peruana tiene su fortaleza en la televisión. En estadísticas del CAB sobre hábitos cotidianos frente a la televisión, Lima es la única de las capitales de los cinco países estudiados donde los jóvenes trabajadores opinan que «los medios de comunicación llegan a todas las clases por igual» (Rey y Osorio, 2001b: 12). Entretanto, en las mediciones que hizo la entidad mencionada en el estudio sobre «Economía y cultura de cinco países andinos», Perú resultó ser el que más generó divisas en 1998, al demostrar que de los 1.051 millones de dólares que facturó por toda su industria cultural, 816 millones provenían de la televisión, superando en producción televisiva a Colombia, con 284 millones de dólares; a Chile, con 266 millones, y a Ecuador, con 69 millones (CAB, 2000: 89).

La doble presencia de Lima como ciudad indígena y televisiva forma parte de los imaginarios que surgen en la modernidad atropellada del subcontinente. En el año 2000 las agencias de viajes de Bogotá señalaron a Machu Picchu como uno de los 10 principales destinos internacionales de los bogotanos; no obstante, éstos reconocen que allí hay pobreza y desorden. Una constante en las apreciaciones es que se pone en un mismo nivel lo indígena,

lo atrasado y lo pobre. Pero al mismo tiempo se destaca que la televisión peruana representa un signo de modernidad. El programa *Laura en América*, seguido en Bogotá por un tiempo en horarios nocturnos y reconocido por los especialistas en televisión como uno de los más agresivos y vulgares de cuantos se emiten en castellano, contribuye a fortalecer una imagen de Lima como ciudad «populacha» y «beligerante», que llega a soluciones por las manos. Sin embargo, los productores de este programa son invitados a distintos países, entre ellos Colombia, para que asesoren programas populares que buscan gran audiencia, materia en la cual los limeños parecen especializarse.

Lima es soñada en Bogotá como ciudad de mar, seca, sin lluvias pero también gris. El siguiente fragmento

Postal, Plaza de Bolívar a principios del siglo XX.

de *La ciudad y los perros* de Vargas Llosa podrían describir el sentimiento que suscita: «Cuando el viento de la madrugada irrumpe sobre La Perla, empujando la neblina hacia el mar, disolviéndola, aparece la ciudad. La Lima azul de los cócteles de langostinos y del olor a mar». Las proyecciones que los limeños hacen de Bogotá también son lamentables. Los tres primeros términos con que la definen son narcotraficantes, violencia y drogas. Sólo en lugares intermedios de la lista se hallan otros atributos, como ciudad moderna, cumbia, café y ciudadanos muy activos.

Quito en pasado

La siguiente ciudad reconocida como par de Bogotá, si bien más lejana que las anteriores, es Quito, imaginada con mucha cercanía a Lima y en ocasiones en trío con Bogotá —también sucede con La Paz—, y calificada con similares epítetos de reconocimiento. Para los bogotanos, Quito se distingue por su cultura quechua y por ser ciudad colonial; hay quienes la ven como fue «Bogotá hace 60 años», visión que apunta hacia el pasado.

Cuenta con varios calificativos favorables: pequeño, bonito; otros no se olvidan de ubicar allí el «centro del mundo». Quito cierra el grupo de las ciudades afines, resumiendo parte de lo que identifican los bogotanos como pares, ya que toma de las primeras condiciones como la cultura popular, la presencia indígena y el arte colonial, y se muestra en perspectiva de iniciar un desarrollo que la sacará del pasado.

También hay algo de identificación con Quito porque desde finales del siglo xx, tejedores y artesanos ecuatorianos empezaron a instalar sus puestos en distintos lugares de Bogotá. De ahí que se los relacione con el comercio de telas, ropas y cueros baratos. En el aspecto cromático, Quito se define como ciudad blanca, observación que parece aludir a su centro histórico. Los bogotanos suelen asociar este color a habitantes pacíficos, a zona de turismo alcanzable en automóvil y a ciudades del sur de Colombia, como Pasto.

Sorprende la imagen que los quiteños tienen de Bogotá: 22% afirma no tener referencia de esta ciudad o no sabe qué decir. Luego la califican de peligrosa, y enseguida mencionan un tema muy sentido por sus habitantes, que podría resumirse, a partir de epítetos contradictorios, en esta frase: Bogotá está entre el cielo y el infierno.

Personaje que identifica a la ciudad

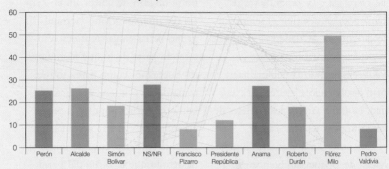

Sitio número uno de la ciudad

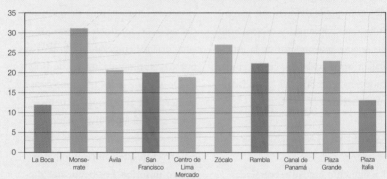

Sitio número dos de la ciudad

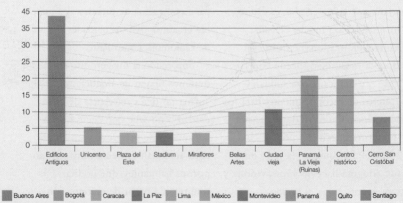

Página siguiente: **hotel en el Parque El Virrey.**

Postal, vista aérea de Bogotá de Gustavo Zalamea.

Ciudades lejanas

En este aparte hemos situado las ciudades percibidas como lejanas por los bogotanos, aquellas que no afectan su destino o que por distintas circunstancias no son reconocidas. En todos los casos en que se indagó por afinidad, los porcentajes de proyección fueron bajos y, por el contrario, altos cuando se pidió mencionar las ciudades en las cuales no se reconoce proyección. Ellas son: La Paz, Asunción, Ciudad de Panamá y Montevideo.

Música desde La Paz

La capital boliviana es vista como lugar donde priman las culturas indígenas, donde hay importantes vestigios culturales y calles llenas de artesanías. Se relacionan a ella sitios deseables de conocer, como el lago Titicaca, los nevados y el cerro de Potosí.

La altura de La Paz, superior a la bogotana, es motivo de permanentes desafíos y relatos de viajeros que cuentan las dificultades para adaptarse a un lugar que está por encima de los 3.600 metros sobre el nivel del mar, algo que se consigue con la ayuda del té de coca. Las danzas tradicionales, los atuendos, las máscaras de lata que representan a diablos, aparecen en la memoria de algunos bogotanos. Su música de ritmos aborígenes es reconocida como emblemática en sectores universitarios, especialmente en instituciones públicas, donde por muchos años se identificó este tipo de música con nuestro pasado aborigen o con una posición política contestataria y «antiimperialista».

Temas como «Mi raza», «Mi quena» o «Cielo rojo» del grupo Aymara se escuchaban en fiestas universitarias y discotecas bogotanas durante los años ochenta y noventa. En la célebre discusión sobre la paternidad de la canción más pegajosa de mediados de los ochenta, la «Lambada», disputada entre Brasil y Bolivia, muchos bogotanos reconocieron que pertenecía al grupo boliviano Los Kjarkas. Por otra parte, la composición «Viva Cochabamba» se repitió con frenesí en las emisoras bogotanas interesadas por entonces en culturas tradicionales.

Un graffiti aparecido en una calle bogotana expresa de modo sugerente cómo ven algunos sectores a los paceños: «Si no conseguimos la paz, seguirá siendo la capital de Bolivia».

El estadio de Asunción

Asunción tiene muy pocos referentes para los bogotanos y es una de las ciudades más desconocidas (sólo por debajo de Montevideo): 28% admiten que no la conocen, no recuerdan episodios que hayan ocurrido allí o no saben nada sobre ella. Sólo hay una mención con peso: el fútbol, con 27% de marcaciones. De ahí se desprenden subtemas como la Copa Libertadores de América, el estadio Defensores del Chaco, el portero Chilavert o el hecho de que han sido finalistas en varias copas mundiales.

La identificación casi total de una ciudad con un estadio de fútbol es extraña, pero sobresaliente. En las estadísticas de otras ciudades reaparece la constante de identificar a Asunción con el fútbol, hecho que hace de este deporte uno de los

lenguajes con el que los sudamericanos hablan entre sí. Así como La Paz hace tararear a los bogotanos algunas canciones, Asunción trae a la mente la imagen de los goles o las tapadas de los mismos. Los referentes culturales, arquitectónicos e históricos son casi nulos, a pesar de que Paraguay, por convenio binacional firmado en 1981, se constituyó en país hermano de Colombia y su destino quedó ligado oficialmente al nuestro.

En un segundo plano Asunción recibió algunas marcaciones como lugar de regímenes militares, por haber participado en la «Triple Alianza Fascista», junto a Argentina, Uruguay y Chile. Pero son referencias que se desvanecen frente al fútbol.

Por su parte, Asunción, luego de reconocer que desconoce datos sobre Bogotá, la asocia con drogas, café y guerrilla; la telenovela *Betty la fea* aparece como representativa de las industrias del espectáculo.

Contrabando en Panamá

Colombia perdió Panamá el 3 de noviembre de 1903. Durante la desastrosa presidencia de José Manuel Marroquín el departamento de

Vista de la ciudad desde la avenida Circunvalar en el Parque Nacional.

Panamá se proclamó república independiente, apoyado por los Estados Unidos, nación que con Francia e Inglaterra insistía en que Colombia cediera una franja de tierra en el istmo para construir un canal que uniera los océanos Atlántico y Pacífico. Como el Congreso de Colombia no aprobó un tratado de cesión, la fracción separatista se rebeló.

Theodore Roosevelt, entonces presidente de los Estados Unidos, luego de la separación pronunció su famosa frase «I took Panamá».

Panamá hace parte de los afectos bogotanos, pero de modo contradictorio. En toda Latinoamérica el canal es la referencia más relacionada con Ciudad de Panamá, pues todos saben de su existencia. Los bogotanos pueden evocar a Ciudad de Panamá por diversas razones, pero todas están asociadas al canal: en primer lugar, se la representa como ciudad comercial (18%); luego siguen sus derivados mercantiles: negocios y contrabando. La mayor parte del contrabando que ingresa a Colombia —75% en 2001, según la Dirección de Impuestos y Aduanas Nacionales, DIAN— entra por Panamá, y está constituido por licores, electrodomésticos y ropa. Así que un modo de llamar a los panameños, que no oculta rabias históricas, es el de contrabandistas; incluso se los tilda de personas deshonestas. No hay referencias a su bella arquitectura o a sus playas. Otra manera de expresar el resentimiento es por omisión: en 13% de marcaciones se admitió no tener referencias de esa ciudad.

Sin embargo, la colonia colombiana que vive allá —por cierto bastante grande— es propietaria de muchos negocios. La música que nos mandan, el turismo bogotano hacia el istmo y la presencia de nuestra industria tienden nuevos puentes para restablecer una herida histórica.

Montevideo a la distancia

Montevideo está muy lejos de Bogotá, tanto que 35% de los consultados carece de referencias sobre ella.

Pero tiene una cualidad: quienes acuden a calificativos para imaginarla escogen palabras corteses y generosas: ciudad bonita, tranquila, pequeña, limpia de día, bohemia de noche. Mario Benedetti saca la cara por ella en literatura.

El fútbol es lo único que combate su desconocimiento. La pequeña Montevideo se agiganta con el fútbol; la «garra» de sus deportistas, que no juegan bonito pero luchan y ganan, contribuye a acercarla. La única referencia literaria, Mario Benedetti, se relaciona con la televisión a raíz de la adaptación que hace unos años una cadena nacional hizo de su novela *La tregua*. Las playas, su avenida de Las Ramblas y su limpieza hacen juego con el color que se le atribuye: el azul.

Su lejanía hace que se la confunda con la capital paraguaya, sobre todo cuando se citan algunos futbolistas de este país. En alguna medida también se la confunde con Bolivia, y se la cree miembro del Pacto Andino. Cuando se la confunde con Buenos Aires se le dan los mismos créditos. Hay quienes la ven tropical y playera como Cartagena. Su lejanía ha de ser lo que permite sentirla tan cerca y cariñosa.

Calle con mejor olor

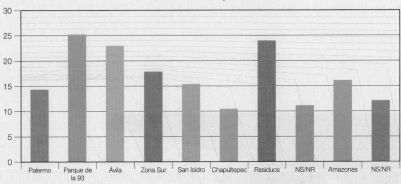

Calle con olor más desagradable

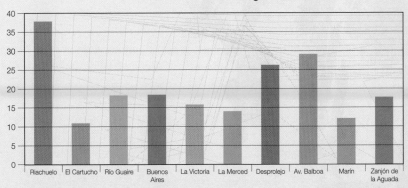

Calle más peligrosa

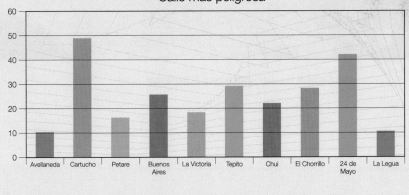

Buenos Aires   Bogotá   Caracas   La Paz   Lima   México   Montevideo   Panamá   Quito   Santiago

Panorámica de la ciudad desde el cerro de Monserrate.

Ciudades anheladas

Ubicamos en este aparte cuatro ciudades con marcaciones variables de reconocimiento, en las cuales los bogotanos quisieran verse reflejados, sea por la belleza (Buenos Aires), el orden (Santiago), el disfrute (São Paulo) o el cosmopolitismo (Barcelona). Estas emociones son muy características de la Bogotá de los últimos años, cuando ha empezado a proyectarse con grandes espacios públicos que reconocen en Buenos Aires; cuando acepta que su mayor debilidad es el caos, lo que le hace envidiar a Santiago; cuando quisiera enriquecer su capacidad de disfrute, paradigma de lo cual es São Paulo; cuando desea tender redes que la vinculen con el mundo, como hace Barcelona.

En Buenos Aires es de noche

Buenos Aires es vista por los moradores de Bogotá como ciudad de monumentos y bella arquitectura. Se la asocia a Jorge Luis Borges y la literatura y se la evoca como ciudad de hombres lindos (*papitos*). Sus emblemas son Maradona, el tango y la carne. Es la ciudad que recibió más marcaciones de reconocimiento en calidad de admiración, y donde prima la noche de los cafés, del tango y las caminatas. Pesa un elemento negativo: la petulancia de los bonaerenses, calificados de «alzados» y reconocidos como los «che».

Buenos Aires es de las pocas ciudades en las que se ha propuesto a un escritor para rivalizar con los futbolistas como símbolo. La literatura está evocada en sustantivos como poetas, escritores y editoriales. Borges, quien varias páginas le dedicó a su Buenos Aires y la llenó de personajes y fantasías, es ahora otro personaje de esa ciudad, y no sólo para los bogotanos. Él mismo dijo en una reunión con psicoanalistas bonaerenses: «Nosotros mismos seremos tan irreales o tan reales como personajes literarios después de la muerte».Insistía que en la memoria de los pueblos, con el tiempo es muy difícil distinguir entre un personaje de ficción como el rey Lear creado por Shakespeare o, decimos ahora, como el mismo Borges creado por él o por sus enamorados.

A Borges la encantaban las tierras imaginadas. Quizá sea ése su principal aporte a la imagen de Buenos Aires y, por extensión, de la gran América. «Si todos los lugares de la tierra están en el Aleph, ahí estarán todas las luminarias, todas las lámparas, todos los veneros de luz» (Borges, 1993: 161), concluye su acertijo. El Aleph puede ser una especie de talismán cabalístico o microcosmos que contiene la «multiplicación en un único y pequeño ícono», como dijo el crítico Harold Bloom. Borges, urdidor de fábulas sin moraleja, contribuyó a que la escritura del subcontinente adquiriera mayor autonomía.

La Buenos Aires deseada por los bogotanos, antes que en el fútbol se anida en el tango (23,3% de marcaciones). Gardel, la vida bohemia y los cafés redondean un ambiente nocturno y bohemio que para sí quisiera un sector de los bogotanos. El día, por el contrario, se relaciona con el fútbol. No hay que olvidar que en la Bogotá de los años cincuenta, la época dorada del fútbol

nacional, muchos argentinos formaron parte de los clubes bogotanos, en especial de Millonarios. Junto con Ciudad de México, la capital argentina es la ciudad más reconocida, y recibe pocos epítetos negativos. Las bogotanas, en especial las jóvenes, le dan alto reconocimiento a la belleza masculina de esa ciudad.

Este estudio se hizo antes de la crisis de gobernabilidad argentina y estos últimos eventos seguramente han modificado algunos juicios en torno a Buenos Aires. Se puede sentir en el ambiente la caída de un príncipe que a muchos tenía encantados.

Santiago en orden

Santiago es una de las ciudades más identificadas por los bogotanos: sólo 4% de los encuestados confesó su ignorancia sobre ella. Esto no significa que se la sienta muy cerca, y su proyección imaginaria parece hecha por espectadores lejanos. Una pareja de opuestos se da cita a la hora de concebirla: Pinochet y desarrollo.

Pinochet es uno de los cuatro emblemas de mayor reconocimiento en toda América Latina. Su recuerdo ha opacado al de Salvador Allende, quien recibe menos de 2% de las marcaciones. Entre orden, autoridad y exportación de frutas —elementos identificatorios de Santiago— surgen relaciones sugerentes. Los bogotanos le conceden calificativos positivos y negativos. Los primeros son orden, educación, desarrollo, progreso y tranquilidad. Los segundos, dictadura, muertes y desaparecidos.

A pesar de la distancia que media entre Santiago y Bogotá, podrían considerarse dos ciudades especialmente afines. Su tamaño es similar, su paisaje está cercado por la cordillera, su gente es introvertida, ambas manifiestan interés en el idioma, su

arquitectura habla de tradición e innovación, aunque en distintos sentidos, sus iglesias y sus vínculos hispánicos son paralelos. La poesía de Neruda y Gabriela Mistral se sigue leyendo en los colegios bogotanos. Los *Veinte poemas de amor y una canción desesperada* de Neruda casi son reconocidos como propios. El vino chileno se ha tomado los estantes de las licoreras bogotanas y las frutas australes —uvas, cerezas, duraznos, melones, ciruelas— se venden en nuestras calles.

Vista nocturna de Monserrate desde la Plaza de Bolívar en Navidad.

São Paulo
está de fiesta

Para los bogotanos, São Paulo es una mezcla de ciudad gigante e industrial y de carnaval de Río de Janeiro. Esta última imagen se sobrepone a la primera y a las evocaciones relacionadas con su urbanización o el fútbol: se siente que ante todo São Paulo es goce, libertinaje, alboroto, playas y fiesta. Una fracción de los consultados incluso llegó al extremo de tildar de pornográficos a sus habitantes. Si en Buenos Aires se destaca la figura masculina, São Paulo sin duda es mujer, cálida, hermosa y deseable. Las marcaciones de disfrute y fiesta suman la mitad de las calificaciones dadas a los paulistas.

Pero en las siguientes proyecciones se va encontrando la otra São

Domingo de ciclovía en la carrera séptima, frente al Parque Nacional.

Paulo, la inmensa, la jungla de concreto invadida de industrias, desarrollo, riqueza y al mismo tiempo de mucha pobreza, como la que se ve en los barrios plagados de favelas. Los *shoping center* de São Paulo, los más grandes del continente, pueden citarse entre los elementos que más identifican y diferencian a esta ciudad de otras de la región. En Bogotá los almacenes Carrefour —de origen francés pero de dominio paulista— conforman una de las cadenas de supermercados más populares, y se distingue precisamente por su «estilo brasileño». Otro tema recordado con facilidad es el café, del cual Brasil es el mayor productor del mundo.

Junto a la ciudad festiva se sitúa la metrópoli inmensa, descollante por su calidad urbana. En la difusión de esta imagen han tenido participación activa las telenovelas, que han encontrado excelente acogida entre el público bogotano, como *El clon* y *Terra nostra*. También el maratón de San Silvestre ha contribuido a acercarla a nosotros, sobre todo a partir de 1972, cuando por primera vez se coronó campeón nuestro atleta Víctor Mora, hazaña que repetiría en 1973, 1975 y 1982. La participación regular de atletas colombianos en esta competencia

ha permitido apreciar tomas de la ciudad. Por eso no se la siente como una ciudad lejana y, de otra parte, se la piensa con admiración y deseo.

São Paulo proyecta elementos que hacen soñar a Bogotá. Entre los pocos escritos sobre Bogotá publicados en Brasil hay uno del periodista y profesor de la Universidad de São Paulo, Edvaldo Lima, quien, decidido a escribir sobre Colombia sin caer en los lugares comunes de la droga y la violencia, quedó maravillado: «O modernismo de Bogotá... cheiro de povo, cheiro de ciencia» («El modernismo de Bogotá... olor de pueblo, olor de ciencia»). Su libro, que circula en varios medios académicos, expone las contradicciones que vive nuestra capital, a la que compara con São Paulo, en especial por su vitalidad y alegría, por la ambición de triunfo de su gente y sus notorias frustraciones. Curiosamente, la propone como un espejo de América Latina llevado a su máxima intensidad y límite.

De turismo por Barcelona

En varias ciudades latinoamericanas se nota un desplazamiento del interés de Madrid hacia Barcelona. Las fantasías que han adoptado este nuevo refugio van desde las paellas, castañuelas y panderetas hasta el reconocimiento de la Madre Patria en tierra catalana, residencia de los reyes. Barcelona no sólo es vista como ciudad distinta a las latinoamericanas, sino como la que evoca a un país de otro continente.

La gente la reconoce con facilidad; sólo 5% de los encuestados dice no tener referentes de ella. Para los estratos altos de Bogotá, Barcelona es cultura y Gaudí; para los medios es viajes, comida y vino en abundancia; para los estratos bajos es música y Joan Manuel Serrat. Para las mujeres es belleza y para los varones, toros y el paseo Las Ramblas. Para los jóvenes es Europa aludida con cientos de calificativos; para los adultos es arte y para los mayores, historia. Este cuadro muestra una rica variedad de evocaciones, por lo general deseables, exclamativas y esperanzadoras. El conflicto tradicional con España, vista como tierra de chapetones, parece tomar nuevas vías o haberse quedado en las cortes de Madrid.

En sentido contrario, la imagen es desconsoladora. Los barceloneses, en alta proporción (35,71%), no considera ningún referente suyo en

América Latina, y sus escasos reconocimientos se limitan a Buenos Aires, La Habana, México D. F., Santiago, y en escaso grado, Bogotá. La visión que Barcelona proyecta en Bogotá es turística y placentera; la que Bogotá deja en Barcelona se reduce a violencia y droga.

La atracción turística crece con el desarrollo de las comunicaciones y guarda reveladoras analogías con el simbolismo religioso. Se les critica a los turistas su visión superficial de las cosas, pero cada vez se hacen más explícitas las analogías entre los turistas y los científicos sociales: «su curiosidad por la gente primitiva, por

Atracción mecánica en parque de diversiones.

ver (y hasta tratar de comprender) las etnias diferentes o la atracción por la gente pobre y otras minorías»[3].

El turismo, visto como desplazamiento a un lugar deseado, es una manera de expresar al menos tres elementos muy cercanos a la sensibilidad contemporánea: el viaje, la conquista y el futuro.

Viajar es lo que más desearían hacer los bogotanos si tuviesen tiempo libre y dinero. El propósito es divertirse, descansar y conocer gente. El viaje es uno de los temas que más ha llamado la atención de narradores y poetas, pero también es objeto de interés de parejas, familias, ciudades y países. Pocas cosas despiertan más envidia que saber que fulanito se ha ido de viaje, más si se ha marchado a un lugar lejano al que uno difícilmente podría llegar. Desde el punto de vista económico también es un tema de importancia para los países, entre ellos España, que obtiene del turismo uno de sus principales ingresos.

La conquista representa por excelencia el otro, al que se mira de lejos para un día visitarlo. De lugar de llegada, el otro fácilmente se convierte en individuo seductor, primero a partir de la palabra, los gestos o el dinero, pero finalmente

del cuerpo, de la sexualidad. Uno de los imaginarios asociado a todo viaje es ganar el derecho a ejercer el sexo en el más fantástico de los escenarios, libres de trabajo, de estrés y jefes, con todo el tiempo disponible para el goce.

El futuro aparece como el tercer elemento placentero, pues de alguna manera el ideal de quien está agobiado por el trabajo y las obligaciones es llegar al día imaginado, al futuro que constituye una meta conquistable, y tener todo el tiempo para andar de vacaciones, de turista por el mundo o por su misma ciudad, sin cumplir tareas.

Mientras los turistas se preparan para viajar y llegar a muchos sitios, estos lugares se preparan para mostrarse. Podríamos decir que turismo significa exponerse al otro como ciudad. Explorar otros modos de convivir con el turismo, como lo hace Barcelona —una de las ciudades más invadidas por cámaras, buses repletos de extranjeros que revisan las guías para no dejar una iglesia o escultura sin ver, y por el multilingüismo callejero—, es una actitud que se va imponiendo para librarse del concepto de «disneymanía», y en su lugar ofrecer una alternativa cultural: turismo de negocios, de educación, de deportes, de ciudad[4].

Toda ciudad sufre el impacto del turismo y debe prepararse para la llegada de los visitantes, que muchas veces no son distintos de los mismos habitantes del lugar. El recorrido que los bogotanos hacen de su ciudad para conocerla o disfrutarla es una experiencia nueva, auspiciada por los nuevos espacios públicos. Y son precisamente dichos espacios los que hacen de Barcelona, esa ciudad lejana que tiene tanto para mostrar, un destino encantador.

El imaginario turístico de Barcelona, enriquecido por la imaginación de los foráneos, opaca a los mismos catalanes, que por momentos se sienten atrapados. Se dice que la novela nacía a medida que se iba apagando el Medioevo, a medida que se concentraba la vida social y económica en las plazas y los habitantes se desplazaban —salían de las plazas— para viajar y contar lo que vivían. La novela surge como otro tipo de desplazamiento, el que conduce de la realidad vivida a las aventuras imaginadas. La asociación del viaje con la novela continúa en nuestro tiempo con el turismo. Barcelona es viaje y novela para escribir. Es como si los bogotanos no se sintiesen responsables por su destino y se permitiesen imaginarla con tanta libertad que parece un destino ideal.

Cómo percibe a su ciudad

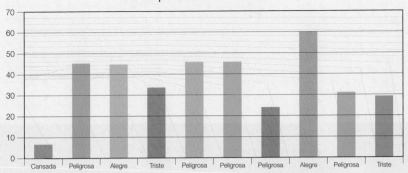

Acontecimiento histórico más importante

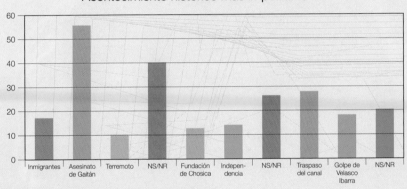

Invento más importante

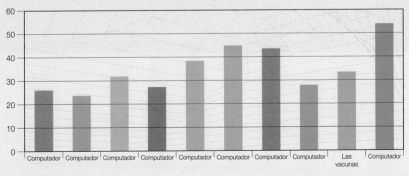

Buenos Aires Bogotá Caracas La Paz Lima México Montevideo Panamá Quito Santiago

Marginales en las calles.

Veo a otros en mi espejo

Un sencillo ejercicio sobre los mecanismos empleados en la construcción de Bogotá desde afuera, desde las otras ciudades, nos arroja algunas operaciones. Nos parece hallar tres tipos de mecanismos psicológicos en esa elaboración imaginaria: desplazamientos, condensaciones y bloqueos. Si bien todo desplazamiento es una condensación, y viceversa, como enseña la retórica psicoanalítica, hay un punto de mayor definición hacia lo uno o lo otro que quisiéramos destacar. Todas las acciones retóricas implican poner en juego distintas estrategias de lenguaje e imaginación para construir una imagen que pueda descargar alguna impresión psicológica en otro. Toda imagen vista como imaginario, por su naturaleza, se emparenta con las fantasías, alucinaciones, rabias, venganzas, envidias, carencias y, en fin, deseos bulliciosos.

• Hay desplazamientos siempre que se corre un elemento de juicio real (Bogotá o las otras 12 ciudades que hemos elegido, en el presente caso) hacia una evocación. Hay distintas maneras de desplazar: mediante similitud, acumulación, homofonía y supresión.

• Hay desplazamiento por similitud cuando los bogotanos imaginan a São Paulo como si fuese Rio de Janeiro y le atribuyen sus virtudes (el carnaval, la festividad), o cuando los paulistas ven en Bogotá cumbia y café, y vuelven a sus habitantes agricultores.

• Hay desplazamiento por acumulación cuando la imagen de todo un país se utiliza para definir a una de sus ciudades, como cuando los bogotanos asumen que la selección de fútbol de Paraguay representa a Asunción, o cuando los bonaerenses creen que nuestra ciudad es caribe.

• Hay desplazamiento por homofonía cuando los bogotanos confunden Paraguay con Uruguay, otorgándole atributos de Paraguay a Montevideo, como el nombre de un jugador de fútbol (paraguayo), o cuando se confunde a Bogotá con Bolivia o con Bolívar.

• Hay desplazamiento por supresión cuando los habitantes de una ciudad, en el momento de emitir una valoración de otra, prefieren no aludir a un hecho histórico que los compromete y que les resulta doloroso o vergonzoso, o lo transforman en otro en el que descargan, indirectamente, sus sentimientos de rabia, rencor o impotencia. En Colombia se observa en el caso de la pérdida de Panamá, cuyos ciudadanos son calificados de contrabandistas, y en Lima cuando se registra a Bogotá no como militarista, sino como territorio donde impera la guerrilla.

Se verifica el mecanismo de condensación cuando la proyección de un elemento real (otra ciudad) se concentra en una imagen poderosa. Hay condensaciones por sustitución, por el paso del tiempo, por digresión y por circunloquio:

• Las condensaciones por sustitución tienen lugar cuando se concentra un evento conocido y se le otorga a una ciudad. Es el caso del reinado mundial de belleza, adjudicado a Caracas y por extensión a todas las caraqueñas. También ocurre cuando a Bogotá se la asocia con toda noticia de narcotráfico o se la define exclusivamente por ese atributo, o cuando Barcelona se reduce al concepto de viaje y placer.

• Hay condensación por paso del tiempo cuando un hecho nacional marca la memoria social y se convierte en un atributo atemporal o siempre presente, como cuando Pinochet se vuelve el elemento más emblemático de Santiago, o el peronismo de Buenos Aires.

• Hay condensación por digresión cuando se aísla una condición cultural y se la propone como totalidad, como cuando los bogotanos reconocen como indígenas a Lima, La Paz o Quito, o cuando Bogotá es vista exclusivamente como sitio peligroso.

• La condensación por circunloquio implica que un elemento suprimido se vincule con otro. Lo hemos visto cuando los bogotanos niegan las telenovelas mexicanas para aclamar a Cantinflas como Ciudad de México, cuando se niega el narcotráfico como hecho sociopolítico pero se representa a Bogotá con el capo Pablo Escobar, cuando toda la cultura argentina queda reducida al tango si se trata de definir a Buenos Aires.

El mecanismo del bloqueo no dejó de sorprendernos, debido a que en las proyecciones con que desde afuera se representa a Bogotá, o en las que se emiten desde Bogotá para calificar a las otras ciudades, resultó significativamente alto. Nos referimos a los casos en que los ciudadanos no encontraron ninguna imagen para identificar al otro, bien porque no supieran, no conocieran o no quisieran. El bloqueo queda atestiguado por un silencio o, en la representación, por un espacio en blanco.

Los tres términos más reiterados en las evocaciones que los otros hacen de Bogotá son narcotráfico, violencia y guerrilla. Quizá no haya nada más imaginario en el mundo real del capitalismo que el narcotráfico: un gramo de coca que en el sur de Colombia vale un dólar, en Bogotá cinco y en Barcelona cien, carece de toda normalidad, según la lógica de todo proceso productivo. No existe en toda la economía un producto que dé mayor plusvalía. La droga lleva en sí misma la marca de lo anormal absoluto, de la locura. Y no sólo por su exorbitante e increíble valor, sino por sus efectos alucinantes, por los estados fuera de control que provoca, porque quienes la usan buscan enloquecerse un rato o para siempre.

Así que identificar a una ciudad por lo que se dice de su país, que enloquece a los demás, es un ejercicio apenas lógico. Menos lógicas

Instalaciones de la Universidad Nacional.

son las telas con que se cubren los demás para no verse enloquecidos. Poner la maldad en el otro es un ejercicio diario desarrollado magistralmente desde la primera novela, *Don Quijote de la Mancha*, y expuesto en forma reiterada en las obras de escritores como Shakespeare o Kafka. Estados Unidos, luego del 11 de septiembre, cuando la locura de los demás los tocó desde dentro, vio cómo su vida se tornaba en un efecto imaginario. El peligro se tomó a Nueva York y dejó de ser visto como una amenaza exterior. Entonces sus autoridades persiguieron, bajo incontrolables estados de euforia, toda clase de polvos por todos los rincones de la ciudad, porque empezaron a confundirlos con armas químicas. En la actualidad una gran parte de las naciones invierte sus mayores ingresos en seguridad, entre ellas España, Francia, Estados Unidos, Colombia, Israel, el Estado Palestino, Irlanda... La realidad se pierde, y se gana en imaginación. El miedo y el terror aparecen como fuentes constructoras del ser urbano contemporáneo, y las ciudades se organizan según sus respuestas a los enemigos: ladrones, criminales, guerrilleros, paramilitares, terroristas, secuestradores. El enemigo está en todas partes y, peor, se

hace cada día más invisible. La coca también es invisible. Es el polvo criminal de donde nacen tantos epítetos de maldad que ensucian y señalan a Bogotá. La nuestra es una ciudad empolvada. Sí, Bogotá es un espejo, quizá el más sensible de toda América Latina, pues allí se concentra lo que los otros no quieren ser. Si esto ocurre es precisamente porque todos ya llevan dentro de sí su parte de lo que le adjudican a Bogotá.

La fragilidad de un mundo muerto de susto que invierte en seguridad lo que nunca se atrevería a gastar en salud o en pan, al tiempo que pide osadía y riesgo, se encarna en la droga. ¿Es el miedo real? ¿Es la droga real? ¿Es el enemigo real? Son tan reales como los verdaderos. El imaginario es tan real como lo auténtico de cada cual: es su verdad.

Bogotá, narcotizada por el negocio de la droga y la guerrilla, aparece como el lado oscuro de todas las ciudades del continente. Si una ciudad puede ser imaginada así, las demás pueden reservarse cierta paz para sí mismas. Sólo que esa Bogotá imaginada es también el producto de la locura de los otros, porque esa imagen entra en significativos contrastes con la Bogotá de sus habitantes, que en los últimos años viven cierto encantamiento de amor por su ciudad. Pero transformar un imaginario toma mucho tiempo, un tiempo impredecible. La imagen que los otros se han hecho de Bogotá se parece mucho a las figuraciones que difunden los medios, que dibujan sensaciones, y a partir de ellas arman una visión. La Bogotá de comienzos de milenio es para los otros noticia, pintura, emoción, adrenalina, terror. La inmediatez de la televisión es similar a los efectos alucinógenos e irreales de la droga; ambas también se parecen es el aspecto lucrativo de sus abusivos negocios. No obstante, en esos atributos negativos radica el atractivo de vértigo que ejerce Bogotá. Porque lo maldito e inconfesable también atrae.

Notas

1. Felipe Abarca, con informes de Manuel Silva (Miami), Max González (São Paulo) y Diego Fonseca (Ciudad de México), «Ranking de ciudades», en *América Economía, 16* de mayo de 2000, pp 23-29.

2. Cabe recordar que en 2002 recibió el premio de la Organización Mundial de la Salud, que la calificó de «Ciudad ejemplo en el mundo en la lucha contra la delincuencia para disminuir la violencia». Entre 1995 y 2002 redujo en 51% las muertes violentas aplicando medidas preventivas y aumentando acciones fiscales y policivas (*El Tiempo*, 23 de julio de 2002, pp. 1 y 4).

3. Según varias sugerencias desarrolladas por Dean Mac Cannell, 1989: 5.

4. Eduard Delgado, 2001: 108. Algunos grupos académicos e investigativos se interesan por proponer nuevos encuentros que consoliden las emergentes regiones geopolíticas dentro de los procesos de globalización y la expansión de los medios electrónicos. Todavía —dice uno de estos encuentros— la relación entre Europa y América Latina en el terreno cultural se sigue articulando a partir de prácticas clásicas (becas, giras, exposiciones…), con criterios paternalistas muy «individualizados que no han permitido una gran visibilidad de la pluralidad de los distintos escenarios culturales». En I Campus Euroamericano de Cooperación Cultural, Barcelona, 15-18 de octubre de 2000, presentación de Alfons Martinell, p. 25 y ss.

Páginas siguientes: **panorámica de la Avenida carrera 68.**

BIBLIOGRAFÍA

Abarca, Felipe, con informes de Manuel Silva (Miami), Max González (São Paulo) y Diego Fonseca (Ciudad de México), «Ranking de ciudades», en *América Economia,* 16 de mayo de 2000.

Acconci, Vitto, Daniel Buren *et al.*, *Public Art.*, Hatje Cantz, Kassel, 2002.

Alape, Arturo, «La Bogotá de los ríos subterráneos», *El Espectador,* Bogotá, 21 de febrero de 1999.

Alcadía Mayor de Bogotá, *Observatorio de Cultura Urbana,* Bogotá, 1997.

Amarillo, Juan, «Bogotá en su dilema: renovarse o morir», *El Tiempo,* Bogotá, 7 de julio de 2000, p. 14, sec. 1.

Ángel, Miguel Arnulfo, *Voces con ciudad,* Universidad Autónoma Metropolitana, Ciudad de México, 2000.

Apostolado Bíblico Católico, *Novena y oración al Divino Niño Jesús,* Bogotá, s. f.

Arias, Andrés, «La onda de los afterparty», *Lecturas Dominicales, El Tiempo,* Bogotá, 23 de junio de 2002.

Aumont, Jacques, *La estética hoy,* Cátedra, Barcelona, 2001.

Barbero, J. Martín, «Televisión pública, televisión cultural, entre la renovación y la invención», en *Televisión publica: del consumidor al ciudadano,* CAB, Bogotá, 2002.

Bedoya, Olga, Amanda Castiblanco *et al.*, *Imaginario femenino y ciudad: Pereira y su evocación femenina,* Tercer Mundo, Bogotá, 1999.

Bejarano, Mauricio, *Sonidos de Bogotá* (casete), Instituto Goethe, Bogotá, 2000.

Bermúdez, Olga, «Un recorrido ambiental por Bogotá» (documento interno de trabajo), Departamento de Estudios Ambientales (IDEA), Universidad Nacional de Colombia, Bogotá, 2001.

Bertrand, Pierre, *El olvido: revolución o muerte,* Siglo XXI Editores, México, 1977.

Bogotá Cómo Vamos, publicación de Casa Editorial El Tiempo, Fundación Corona, Instituto FES de Liderazgo, Cámara de Comercio de Bogotá y City TV, Suburbia, boletines N° 6 y 7, Bogotá, 2001.

Borges, Jorge Luis, *El Aleph,* Emecé, Buenos Aires, 1993.

Bourdieu, Pierre, *Sobre la televisión*, Anagrama, Barcelona, 1997.

Brea, José, *Un ruido secreto, Murcia: mestizo*, Colección Palabras de arte, 1996.

Burbano, Andrés y Hernando Barragán, *hipercubo/ok/: arte, ciencia y tecnología en contextos próximos*, Universidad de los Andes, Goethe Institut, Bogotá, 2002.

CAB, *Somos jóvenes*, Bogotá, 2000.

Caballero, Antonio, *Sin remedio*, Oveja Negra, Bogotá, 1984.

Castells, Manuel, *La ciudad informacional*, Alianza, Madrid, 1995.

Castro, Cosette y Maricela Portillo, «Gran Hermano: ¿Ficción o realidad?» (borrador de trabajo).

Castro, Dicken y Germán Téllez, «Arquitectura en Colombia, 1930-1952», en *Historia del arte colombiano*, t. v, Salvat, Bogotá, 1975.

Chaparro, Rafael, *Opio en las nubes*, Colcultura, Bogotá, 1992.

Cobo Borda, Juan Gustavo, *Leyendo a Silva*, t. III, Instituto Caro y Cuervo, Bogotá, 1997.

————, *Mito, selección de textos*, Instituto Colombiano de Cultura, Bogotá, 1975.

Colombian Center, «La Caracas» (folleto), Nueva York, 1999.

Concejo de Bogotá, *Alameda del Porvenir*, abril 25 de 2002, p. 8.

Coronado, Santiago, «Historia de directores», *El Tiempo*, Bogotá, 15 agosto de 1997.

Correa, Fernando (dir.), *Habitar: Arquitectura, Vivienda y Diseño*, N° 177, publicación de *El Tiempo*, Bogotá, agosto de 1999.

Cortés, Ernesto, «El hombre fuerte del Cartucho: perfil de Ernesto Calderón», *El Tiempo*, Bogotá, 11 de marzo de 2001.

Cuadernos Hispanoamericanos, «Bogotá y su cultura contemporánea», N° 610, Madrid, abril de 2001.

(DANE) Departamento Nacional de Estadística, *Colombia: proyecciones anuales de población por sexo y edad (1985-2015)*, Bogotá, 1996.

————, *Encuesta Nacional de Hogares*, Bogotá, 1988.

————, *Informe Encuesta Nacional de Hogares* (iniciado en el segundo semestre de 2000 y entregado en mayo de 2001), Boletín de la Cámara Colombiana del Libro, Bogotá, 2002.

————, «Población según secciones del país, sexo y grupos quinquenales de edad» (cuadro N° 1), en *Colombia, censo de 1993*, Bogotá, 1995.

Dávila, Julio, *Planificación y política en Bogotá: la vida de Jorge Gaitán*, Alcaldía Mayor de Bogotá, Bogotá, 2000.

Delgado, Eduard «L'art del turisme», en *Turisme I culture: debats del Congreso de Turisme Cultural*, Salo Internacional del Turisme a Cataluya (sits) e Interarts, Barcelona, 2001.

Derrida, Jacques, *The Question of Archives*, seminario de primavera, University of California, Irvine, 1995.

Dueñas, Jaime, «Sexo en las ciudades; las capitales colombianas en la cama», *El Tiempo*, Bogotá, 3 de marzo de 2002.

Echavarría, Jorge, «La fragmentación de las metrópolis», *Revista de Ciencias Humanas*, N° 24, Universidad Nacional, Medellín, 1998.

Echeverría, Javier, *Los señores del aire: Telépolis y el tercer entorno*, Destino, Madrid, 1999.

El Espectador, «Los bogotanos, unos muertos del miedo» (nota sobre el libro de Soledad Niño y otros, *Territorios del miedo en Santafé de Bogotá: imaginarios de sus ciudadanos*), Bogotá, 13 de diciembre de 1998.

El Tiempo, «Supermercados: hay cupo para más gente», datos de la Federación Nacional de Comerciantes, Fenalco, Bogotá, 24 de julio de 2000.

———, «Las dimensiones del éxodo», datos de las autoridades aeroportuarias del Aeropuerto El Dorado, Bogotá, 13 de agosto de 2000.

———, «Viva la nueva Jiménez», 24 de febrero de 2001, Bogotá, pp. 1 y 6.

———, «Ofensiva contra las maquinitas», Bogotá, 28 de febrero de 2002.

———, «Colombia, un mal vividero» (editorial de la redacción económica), Bogotá, 26 de abril de 2002.

Espinosa, J. María, «La industria del talento busca mercados extranjeros», *Tiempos del Mundo*, año 7, N° 15, 11 de abril, 2002.

Estamato, Vicente (ed.), «La cronología, los hechos que hacen la historia», en *Historia de una travesía: cuarenta años de la televisión en Colombia*, Inravisión, Presencia, Bogotá, 1994.

Estudios Lingüísticos, Temas Hispanoamericanos, «La R y sus alteraciones en España e Hispanoamérica», Bogotá, Instituto Caro y Cuervo, 1953.

etb y Publicar s.a., *Páginas amarillas de Bogotá*, Bogotá, 2000.

E.V. (iniciales de Ernesto Volkering), «Literatura y gran ciudad», *Eco*, N° 143-144, Bogotá, marzo-abril de 1972.

Ferro, Germán y Andrea Dávila, «Belleza, fútbol y religiosidad popular», *Cuadernos de Nación*, Ministerio de Cultura, Bogotá, 2001.

Flórez, Juan Carlos, «Ciclorrutas bogotanas» (documento interno de trabajo para el Concejo de Bogotá), Bogotá, 2002a.

———, «Para que las barras no se pongan bravas» (documento interno de trabajo), Bogotá, 2002b.

Flórez, Mauro, «Las telecomunicaciones en Colombia» (manuscrito), Facultad de Ingeniería de la Universidad Nacional de Colombia, Bogotá, 1999.

Forero, Manuel, *Historia de Colombia*, Voluntad, Bogotá, 1950.

Fuentes, Carlos y Silva Herzog, «¿Por qué?», *El País*, Madrid, 2 de marzo de 1999.

Gamboa, Santiago, *Vida feliz de un joven llamado Esteban*, Ediciones B, Bogotá, 2000.

García Canclini, Néstor, *Consumidores y ciudadanos: conflictos culturales de la globalización*, Grijalbo, México, 1995.

———, «El consumo cultural: una propuesta teórica», en *El consumo cultural en América Latina* (Guillermo Sunkel, ed.), Convenio Andrés Bello, Bogotá, 1999.

Gelves, Germán, «Del mono de la pila a la City-cápsula», *El Tiempo*, Bogotá, 3 de octubre de 2002.

Giraldo, Fabio, *Ciudades y ciudadanía*, Ministerio de Desarrollo Económico, Viceministerio de Vivienda, Desarrollo Urbano y Agua Potable, Presencia, Bogotá, 1995.

Giraldo, Luz Mary, *Ciudades escritas*, Convenio Andrés Bello, Bogotá, 2000.

Gomes, Tupa, *Rock nos passo da moda: midia, consumo y mercado cultural*, Editora Papirus, São Paulo, 1989.

Gómez, Ricardo y Lamoreux Emmanuelle, «Telecentros en la mira: cómo pueden contribuir al desarrollo social», *Revista Latinoamericana de Comunicación, Chasqui*, junio de 1999.

Hauser, Arnold, *Historia social de la literatura y el arte*, Guadarrama, Madrid, 1974.

Hernández, Tulio, «Reinas de belleza, mártires de la estética», *en Urban Imaginaries from Latin America* (Armando Silva, ed.), Documenta 11, Hatje Cantz, Kassel, 2003.

Iriarte, Alfredo, *Breve historia de Bogotá*, Oveja Negra, Bogotá, 1998.

Kandinsky, Wassily, *De lo espiritual en el arte*, Labor, Barcelona, 1988.

Kaufman, Jean-Claude, *La femme seule et le prince charmant: enquête sur la vie en sólo*, Nathan, París, 1999.

Laverde, Alfredo, «Las manzanas de Bogotá», Oficina de Estratificación del Distrito Especial de Bogotá, *El Tiempo*, Bogotá, 5 de agosto de 2000, p. 4.

Londoño, Alicia, «Antropología de la vida privada» (tesis de doctorado), Facultad de Filosofía de la Universidad de Buenos Aires, 2002.

Mac Cannell, Dean, *The Tourist*, Schockeb, New York, 1989.

Maffesoli, Michael, «La hipótesis de la centralidad subterránea», en *Diálogos de la Comunicación*, N° 23, marzo de 1989.

Malaver, Florentino y Jesús Perdomo, *Vamos a pensar para Bogotá*, Comisión Regional de Ciencia y Tecnología del Distrito Capital, Bogotá, 2000.

Mejía, J. Luis, «Economía y cultura: entre la realidad y los sueños», presentación del libro *Economía y cultura: la tercera cara de la moneda*, CAB, Bogotá, 2001.

Mendoza, Mario, *Satanás*, Seix Barral, Bogotá, 2002.

Montes, Joaquín, Jennie Figueroa *et al.*, *El español hablado en Bogotá: análisis previo a su estratificación social*, Instituto Caro y Cuervo, Bogotá, 1998.

Montoya, Jairo, «Las emergencias de la subjetividad», *Revista de Ciencias Humanas*, N° 24, Universidad Nacional, Medellín, 1998.

Moreno, J. Gonzalo, «Qué es un territorio», *Revista de Ciencias Humanas*, N° 24, Universidad Nacional, Medellín, 1998.

Moreno-Durán, R.H., *El Caballero de la Invicta*, Planeta, Bogotá, 1993.

Muñoz, Jairo, «El multiculturalismo capitalino», en *Agenda Cultural de Bogotá*, N° 94, noviembre de 1998.

Navia, José, «De veinte en veinte», *El Tiempo*, Bogotá, 2 de diciembre de 1990, p. 6-D

Nupia, Carlos, «Las tecnologías de información y comunicación y su relación espacial con la ciudad: la conformación urbana en Internet en Bogotá» (tesis para maestría en urbanismo), Facultad de Artes de la Universidad Nacional de Colombia, Bogotá, 2000.

Observatorio Social de la Cámara de Comercio de Bogotá, *Participación de cada nivel económico sobre el ingreso total de hogares en Bogotá entre 1996-1997*, Bogotá, 1999.

Ocampo, María Cristina y Germán Hernández, «El país del Sagrado Corazón», en *Cien años de colombianidad: hechos y personajes*, edición de *El Espectador*, Bogotá, 1999.

Osorio, Zenaida, *Personas ilustradas: la imagen de las personas en la iconografía escolar colombiana*, Colciencias, Bogotá, 2000.

Pécaut, Daniel, «Presente, pasado y futuro de la violencia», *Análisis Político*, N° 30, Bogotá, 1997.

Pérez, Manuel, *Lo cotidiano y el inconsciente: lo que se observa se vuelve mente*, Paidós, Buenos Aires, 1998.

Quiñones, Beatriz, «Imaginarios y representación de la violencia colombiana en las series de ficción (dramatizados) emitidas en la televisión colombiana durante la década de los noventa (1989-1999)» (tesis de maestría), París, agosto de 2001.

Restrepo, Gabriel, «La urbanidad de Carreño» (estudio sociológico, borrador de trabajo), Departamento de Sociología de la Universidad Nacional de Colombia, Bogotá, 1999.

Restrepo, Laura, *Dulce compañía*, Norma, Bogotá, 1995.

Rey, Germán (redactor) y Ramiro Osorio (director), *Informe ejecutivo: economía y cultura*, CAB, Bogotá, 2001a.

—— (redactor), Ramiro Osorio (director), *Economía y cultura* (informe), Convenio Andrés Bello, Bogotá, julio, 2001b.

Rincón, Omar, «Panorama rating», *El Tiempo*, Bogotá, 2 de marzo de 2002.

Saldarriaga, Alberto, «Introducción», en Claudio Varini, *Bruno Violi: arquitectura y lirismo matérico*, Istituto Italiano di Cultura-Universidad Nacional, Bogotá, 1998.

Santos Molano, Enrique, *Bogotá desde el aire*, Villegas, Bogotá, 1992.

Semana, Informe de la Consultora de Recursos Humanos de William Morcer, Bogotá, 19 de marzo de 2001.

—— (edición especial), *Bogotá está de moda*, Bogotá, 10 de diciembre de 2001.

——, «Duro de comprar», Bogotá, 21 de enero, 2002a.

——, «Hábitos de consumo en América Latina», estudio de Nielsen, Bogotá, 21 de enero, 2002b.

Sierra, Hugo, «El teléfono rojo de Bogotá», *El Tiempo*, Bogotá, 14 de abril de 2002, p. 1.

Silva, Armando, *Imaginarios urbanos: Bogotá y São Paulo, cultura y comunicación urbana en América Latina,* Tercer Mundo, Bogotá, 1992.

——, «La vida, un juego de fútbol», *El Tiempo*, Bogotá, 28 de junio, 1998a.

——, *Álbum de familia: la imagen de nosotros mismos*, Norma, Bogotá, 1998b.

——, «El fenómeno Garzón», *El Tiempo*, Bogotá, 29 de agosto, 1999a.

——, «Alias cuatro letras», *El Tiempo*, Bogotá, 19 de diciembre, 1999b.

——, «Ciudad, imaginarios y televisión», en *La ciudad, escenario de comunicación* (Fernando Carrión, ed.), Flacso, Quito, 1999c.

——, «Gimnasio y seducción», *El Tiempo*, Bogotá, 7 de mayo, 2000a.

——, «Cómo nos ven», *El Tiempo*, Bogotá, 1° de octubre, 2000b.

——, *Incontro: Italia en Colombia*, Istituto Italiano di Cultura, Bogotá, 2000c.

——, «Bogotá y su cultura contemporánea», *Cuadernos Hispanoamericanos*, N° 610, Madrid, abril, 2001a.

——, «Los tres actos del telenoticiero», *El Tiempo*, Bogotá, 22 de abril, 2001b.

——, «Pedro el Feo», *El Tiempo*, Bogotá, 9 de septiembre, 2001c.

——, *Urban Imaginaries from Latin America*, Documenta, Hatje Cantz, Kassel, 2003.

——, «Cultura de Colombia en el siglo XX», de próxima publicación en *Quiénes somos: Colombia*, Bogotá, 2003.

Silva, José Asunción, *Obras completas* (prólogo de Miguel de Unamuno y notas de Baldomero Sanín Cano), Bedout, Bogotá, 1968.

Téllez, Germán, «Arquitectura en Colombia: 1952-1976», en *Historia del arte colombiano*, t. v, Salvat, Bogotá, 1975.

Tibana, Deyanira, «Las siete plagas de Bogotá» (con datos del Departamento de Bienestar Social), en revista DABS, *Camino a la Inclusión Social, El Tiempo*, Bogotá, 28 de marzo de 2002.

Toledo, Fernando, «Sesenta años de radio en Colombia», en *Cien años de colombianidad*, edición de *El Espectador*, Bogotá, 1999.

Urbe, «Geografía de la muerte en Bogotá», Bogotá, septiembre de 2000, p. 1.

Vargas, Francisco, «Filipichines, glaxos, fofas…», en *Lecturas Dominicales, El Tiempo*, Bogotá, 4 de agosto de 2002.

Venturi, Lionello, *Historia de la crítica de arte*, Gustavo Gili Editores, Barcelona, 1980.

Villamarín, Paola, «El faraón que no llegó a Egipto», *El Tiempo*, 11 de agosto de 2002, pp. 2 y 5.

Viviescas, Fernando, «La arquitectura moderna: los esguinces a la historia», en *Colombia, el despertar de la modernidad*, Foro Nacional por Colombia, Bogotá, 1991.

Xibille, Jaime, «La semiosis espacial de la ciudad», *Revista de Ciencias Humanas*, N° 24, Universidad Nacional, Medellín, 1998.

——, «Metrópolis, espacio, tiempo y cultura», en *Revista de Ciencias Humanas*, Universidad Nacional sede Medellín, Medellín, N° 24, pp. 7-132.

Zambrano, Fabio, *Historia de Bogotá*, Villegas Editores, Bogotá, 1998.

PROYECTO CULTURAS URBANAS EN AMÉRICA LATINA Y ESPAÑA
DESDE SUS IMAGINARIOS SOCIALES*

ENTIDADES GESTORAS
Convenio Andrés Bello
Organismo internacional de integración de los pueblos a través
de la cultura, la educación, la ciencia y la tecnología
Universidad Nacional de Colombia

Dirección
Armando Silva

Sistematización estadística
Tempo Investigaciones, Bogotá-Colombia

Coordinación
Beatriz Quiñones, Mariluz Restrepo, Guillermo Santos, William Silva

ASUNCIÓN
Entidad patrocinadora
Carrera de Arquitectura de la Facultad de Ciencias y Tecnologías de la Universidad
Católica Nuestra Señora de la Asunción

Coordinadores
Mabel Causarano, Christian Ceuppen

Equipo de trabajo
Emilce Alfonso, Cintia Mariela Cañete, Cinthia Mariela Encina, María Silvia Enciso,
Cristian Gonzalo Estay, Ruth Clarrisa Solaeche, Fernando Urbieta

BARCELONA
Entidades patrocinadoras
Fundación Interarts para la Cooperación Cultural Internacional
Facultad de Comunicación Social de la Universidad Autónoma de Barcelona

* Estas listas de investigadores, creadores o estudiantes se presentan por equipos de
ciudades, en estricto orden alfabético y tal como reposan en nuestros archivos al primer semestre del año 2003, sin distinguir rangos académicos de sus integrantes, oficios
o actividades desempeñadas dentro del proyecto ni momentos en los que intervinieron
cada uno de ellos. En el libro de cada ciudad se hacen distinciones pormenorizadas
dentro de sus propios equipos (nota del Autor).

Coordinadores
Eduard Delgado, María Franch, Luz Teresa Velásquez

Autor del libro
Ferrán Escoda

Equipo de trabajo
Cosette Castro, Jordi Pascual i Ruiz, Sonia Vinyoles

BOGOTÁ

Entidades patrocinadoras
Convenio Andrés Bello, organismo internacional de integración de los pueblos a través de la cultura, la educación, la ciencia y la tecnología

Universidad Nacional de Colombia

Fundación Restrepo Barco

Coordinadores
Beatriz Quiñones, Mariluz Restrepo, Guillermo Santos, William Silva

Autor del libro
Armando Silva

Equipo de trabajo
Clara Liliana Ardila, Ximena Betancourt, Elsa Bocanegra, Raynier Buitrago,
Silvia Buitrago, Andrés Burbano, Angélica Céspedes, Adriana Cortés, Christina Díaz,
Tania Fernández, Magda Flórez, Álvaro Forero, Clara Forero, Paola Gaitán,
Camilo George, Gaspar Guerra, Marcela Guzmán, Manuel Jaramillo,
Jenny Leguizamón, Kathrine Lizcano, Ana María Lozano, William Martínez,
Silva Mike, Viviana Monsalve, Rafael Moreno, Harvey Murcia, Olga Neva,
Juan Camilo Osorio, Carolina Ospina, Neyla Pardo, Diana Mireya Pedraza,
Sandra Peña, Claudia Alejandra Pineda, Nancy Ramírez, Carlos José Reyes,
Hernando Rincón, Alejandro Rodríguez, Rubén Darío Romero, Tatiana Romero,
Mady Samper, Catalina Sánchez, Mónica Sánchez, Santiago Sánchez,
Carolina Santana, Natalia Sierra, Luz Therese Vásquez, Fernando Velásquez,
Karol Villalobos, Sandra Yánez

BUENOS AIRES
Entidades patrocinadoras
Programa Antropología de la Cultura de la Sección Antropología Social del Instituto
de Ciencias Antropológicas de la Universidad de Buenos Aires, UBA

Legislatura de la ciudad de Buenos Aires

Coordinadores
Lyliam Alburquerque, Rafael Eliseo Iglesia
Mónica Lacarrieu, Claudia Larrota, Verónica Pallini

Autoras del libro
Mónica Lacarrieu, Verónica Pallini

Equipo de trabajo
María Sol Arroyo, Geraldina Fernández, María Florencia Girola, Matilde Lila Grillo,
Florencia Isola, Claudia La Rota, Ezequiel Mandelbaum, Juan Manuel Marteletti,
Mariela Miranda, Gisela Rigone, Anabella Rodríguez, Paula Ruiz, Jorge Sarquis,
Sonia Susini, Vanina Vespa, María Paula Yacovino

Caracas
Entidades patrocinadoras
Caracascase y la cultura de la ciudad informal, un proyecto de la Fundación Cultural
Alemana y de Caracas Urban Think Tank, Kulturstiftung des Bundes.

Fundación para la Cultura Urbana (de Ecoinvest)

Coordinador
Tulio Hernández

Autor del libro
Tulio Hernández

Equipo de trabajo
Andreina Belfort, Alfredo Brillembourg, Ana María Carrano, Amanda Castiblanco,
Francisco Gozón, Hubert Klumpner, William Niño, Juan Carlos Pérez, Mateo Pinto,
Matías Pinto, Matilde Sánchez, Guillermo Santos, Alejandra Szeplaki, Ana Torrealba

Ciudad de México
Entidad patrocinadora
Departamentos de Antropología y de Sociología de la División de Ciencias Sociales
y Humanidades de la Universidad Autónoma Metropolitana-Iztapalapa

Autores y coordinadores del libro
Miguel Ángel Aguilar, Mónica Cinco, Raúl Nieto

Equipo de trabajo
Raquel Alva, Magdalena del Rosal, Montserrat Escamez, Guadalupe Galindo,
Anabel Maldonado, Víctor Nava

CIUDAD DE PANAMÁ

Entidad patrocinadora

Centro de Documentación y Promoción Cultural de la Unesco

Coordinadores

Alejandro Alfonso, Lucy Cristina Chau

Equipo de trabajo

Ramiro Aviar, Roberto Pinnock, Carlos Iván Rivera, Edgar Luis Vásquez,
Luis Alberto Vega

LA PAZ

Entidades patrocinadoras

Oficialía Mayor de Cultura del Gobierno Municipal de La Paz

Departamento de Ciencias de la Comunicación Social de
la Universidad Católica Boliviana

Facultad de Arquitectura de la Universidad Mayor de San Andrés

Proteo, Fundación para la Cultura de La Paz

Coordinadores

Marcelo Álvarez, Walter Magne, Nelson Martínez, Cecilia Quiroga, Ramiro Rojas,
Jennifer Shepard, Daniela Silva, Silvana Urdininea

Autores del libro

Nelson Martínez, Carlos Villagómez

Equipo de trabajo

Darío Alcázar, María Isabel Álvarez, Verónica Auza, Ana Lía Barra, José Luis Calani,
Erika Camacho, Melfa Céspedes, Rhina Condori, Marianela Díaz, Roberto Dorado,
María Teresa Echenique, Claudia Espinosa, Gustavo Espinoza, Franz Martín Esprella,
René Flores, Rene González, Vladimir González, Fabiola Guzmán, Ernesto Machicao,
Gabriel Mariaca, Kotska Martínez, Roberto Méndez, Jacqueline Montes, Vanesa Pinto,
Óscar Porcel, Paula Salas, Marlene Sánchez, Marisol Soria, Karen Terrazas,
Carlos Traverso, Manuel Alejandro Uriarte, Armando Urioste, Rodrigo Vásquez,
Paula Andrea Vera, Alejandro Villegas

LIMA

Entidad patrocinadora

Facultad de Comunicación Social, Universidad de Lima

Coordinadores
Jaime Baillón, Carlos Castro, Óscar Luna, Óscar Quezada, María Teresa Quiroz

Equipo de trabajo
Eduardo Astete, Renzo Babilonia

MONTEVIDEO

Entidades patrocinadoras
Cátedra Unesco en Comunicación de la Facultad de Ciencias Sociales
y Comunicación de la Universidad Católica del Uruguay

Centro Internacional de Información e Investigación para La Paz (CIIIP)

Departamento de Sociología Urbana de la Facultad de Arquitectura
de la Universidad de la República

Banco Hipotecario del Uruguay

Fundación Banco de Boston

Ministerio de Educación y Cultura

Intendencia Municipal de Montevideo

Coordinación
Carolina Aguirre, Mónica Arzuaga, Christa Huber

Autor del libro
Luciano Álvarez

Equipo de trabajo
Carolina Aguirre, Fernado Andacht, Mario Amaro, Rafael Bayce, Federico Bervejillo,
Óscar Bonilla, Alejandra Bruzzone, Juan A. Crispo, Valeria Deminco,
Mechtild Endhardt, María Frinck, María Goñi, Magdalena Gutiérrez, Paola Gazzaneo,
Carlos Luján, Álvaro Mesner, Antonella Moltini, Lucía Montero, Maida Moubayed,
Federika Odriozola, Pablo Porciúncula, Álvaro Portillo, Fernando Pulleiro,
Ana Ribeiro, Ramiro Rodríguez, María Pía Salvat, Roberto Schettini,
Mariana Valladares, Diego Vidart, Herber Vitureira

QUITO

Entidad patricinadora
Facultad Latinoamericana de Ciencias Sociales (Flacso) Sede Ecuador

Coordinadores
Milagros Aguirre, Fernando Carrión, Fredy Rivera

Autores del libro
Milagros Aguirre, Fernando Carrión
Eduardo Kingman

Equipo de trabajo
Milagros Aguirre, Empresa Market, Marcelo Bonilla, Felipe Burbano, Fredy Rivera,
Mileny Santillán

SANTIAGO
Entidades patrocinadoras
Centro de Investigaciones Sociales de la Universidad Arcis

Unidad de Estudios y Análisis de la División de Cultura
del Ministerio de Educación

Coordinadores
Carlos Ossa, Nelly Richard

Autores del libro
Carlos Ossa, Nelly Richard

Equipo de trabajo
Luis Campos, José Errázuriz, María Frick, Daniel García, Antonio Godoy,
Cristina González, Samuel Ibarra, Loreto López, Enrique Ortega, Francisco Peña,
Alexis Riquelme, Maximiliano Valdés,

SÃO PAULO
Entidad patrocinadora
Programa de Posgraduaçao da America Latina (Prolam)
de la Universidad de São Paulo, USP

Coordinadores
Antonio Conçalves, Lisbeth Rebollo

Equipo de trabajo
Vilma Andrade, João Batista Neto, Patricia Barbosa Fernández,
Inaiá Bitencourt Pereira, Maria Cristina Cacciamali, Francisco Capuano Scarlato,
Roberto da Cunha Thomaz, Lalada Dalglish, Vinicius Duarte, Fabiano José Formiga,
Gerson de Freitas Jr, Yara del Rosario Gomes, Hélcio Magalhaes, Dilmade Melo Silva,
Magna Adrianne Moreno, Natassia Pereira Gomes, Angela Pimenta, Robson Rocha,
Fabiana Shyton de Andrade, Nivalda Maria da Silva, Juliana Trevisan Silva,
Francisco Tupy Gomes Correia, Alexandre Voobiaff

Fotógrafos

Este libro, compuesto en caracteres
Bembo y Helvetica de la casa Adobe,
se terminó de imprimir en el mes
de noviembre del 2003 en los talleres
de D'Vinni Ltda., en Bogotá, Colombia.
Cuidaron la edición Natalia Santa,
Claudia P. Bedoya, John Naranjo,
Guillermo Díez y Alexander Sánchez.

CHICO
NORTE
EL RETIRO
NOGAL
GRANADA
EL CASTILLO
MARIS SUC
Centro Comercial
Granhamar
CHAPINERO ALTO
CAT
ANTIGUO COUNTRY
EL LAGO
QUINTA CAMACHO
Carrera 7
LA SALLE
LOS HEROES
Parque de Lourdes
Carrera 13
TELLANA
POLO CLUB
SAN FELIPE
LA CONCEPCION
LA ESPERANZA
TRONCAL CARACAS
Alcaldía Lo de Teusaqu
CHAPINERO
JUAN XXIII
COLOMBIA
RAFAEL URIBE
ANTONIO NARIÑO
PALERMO
M
PATRIA
SANTA SOFIA
Carrera 24
Calle 72
SIETE DE AGOSTO
San Luis
Calle 63
Calle 53
SC
RIONEGRO
11 DE NOVIEMBRE
BEJAMIN HERRERA
EL CAMPIN
GALERIAS
BELARCAZAR
AYA
GAITAN
ALCAZAR S
Cemeterio
AV FRANCISC
(12)
DOCE DE OCTUBRE
PAZ
AVENIDA CIUDAD DE
Estadio Nemesio Camacho el Campin
TRERRIOS
afam
SAN FERNANDO
EL ROSARRIO
SAN MIGUEL
NICOLAS DE FEDERMAN
A
SIMON BOLIVAR
MODELO
Parque El Lago
CIUDAD UNIVERSITARIA
Home Center
Alcaldía Local de Barrios Unidos
Centro de Alto Rendimiento
QUIRINAL
Carrera 50
RAFAEL NUÑEZ
Hemeroteca Naciona
Metropolis
JOSE JOAQUIN VARGAS
Carrera 38
PABLO VO
LA ESMERALDA
Instituto Nacional de Radio y Televisión
Exito alle 80
Alkosto
Salitre Magico
Estados Unidos
AS FERIAS
AVENIDA CARR
Parque Central Simón Bolívar
(13)
CAN
INS
Gobernación de Cundinamarca
BELLAVISTA
CAN
Consejo de la Adji
LA ESTRADA
BOSQUE POPULAR
EL SALITRE
Fiscalía General de la Nación
PALO BLANCO
AVENIDA LA CONSTITUCION
AVENIDA CONGRESO EL EUCARISTICO
ECOPETROL
BOYACA
AVENIDA BOYACA
SAN JOAQUIN
Compensar
EL TIEMPO
Cer Indus
BOYACA REAL
EL PASEO
Jardín Botánico José Celestino Mutis
NTA HELENITA
EL ENCANTO
NORMANDIA
MALOKA
Salitre Plaza
ARBOLETES
EL Espectador
aldía Local Engativa
CLARITA
SAN MARCOS
VILLA LUZ
NORMANDIA OCCIDENTAL
SAUZALITO
CIUDAD SALITRE
MONTEVIDEO
A
SANTA CECILIA
SAN FELIPE
TARRAGONA
Terminal de Transportes
Carulla
TOORRE CAMPO
LOS MONJES
Calle 26
LA ESPERANZA
ZONA INDUSTRIAL
RA
Parque Empresarial El Dorado
MODELIA
Los Tres Elefantes
PORTAL ALAMOS
BOSQUES DE MODELIA
MODELIA OCCIDENTAL
(09)
Río Fucha
SAN JOS DE BAVAF
Carrera 96
SANTA CECILIA
AVENIDA EL DORADO
BALEARES
Carrefour
BOSQUE DE HAYUELOS
AVENIDA
VISION
PUERTA DE TEJA
MALLORCA
AVENIDA CIUDAD DE
CAPELLANIA